そして、ニューヨーク【私が愛した文学の街】

鈴木ふさ子

鳥影社

まえがき

飛行機が滑走路から離陸する瞬間が好きだ。

それまで滑走路を轟音とともに走っていた重たい機体がふっと重力を失うその瞬間、私の心も同じように軽くなり、あらゆるものから解き放たれるからだ。いまでもニューヨークという言葉を聞くと、あの機内での高揚感が蘇ってくる。その頃はパリにもモスクワにもブダペストにも行ったはずだが、あの特別な想いはニューヨーク以外には当てはまらない。そもそもニューヨークほど文学や映画の舞台となった場所があるだろうか。なぜ、ニューヨークはこれほど人を惹きつけるのか。その秘密を文学と映画から解き明かそうとしたのが本書である。

ここでは主に、二〇〇七年から二〇一二年まで、私がフィギュアスケートの取材で頻繁に訪れていた頃のニューヨークが登場する。大袈裟かもしれないが、当時の私にとってニューヨークは避難所のごときものだった。

それまで歩んできた道の先行きが突然に途絶え、出口のない暗闇の迷路に放り出されたかのように、一日一日を手探りで過ごしていたあの頃。自分で思い描いた幸せの構図に無意識に縛られ、そこから逸脱していくことが不安でたまらず、眠れぬまま朝を迎えることも少なくなかったあの頃。ああ、また眠らないまま教壇に立たねばならない……眠らなくちゃ、眠らなくちゃ！　そう思えば思うほど、言い聞かせれば言い聞かせるほど、逆に目が冴えてしまう。そんなひとり暮らしの小さな部屋で私はたしかにあの巨大な摩天楼の林立するスカイラインと繋がっていた。あそこには少なくともここよりは私の居場所がある……。あともう少し、もう少し、ニューヨークに行くまではがんばろう……。そう自分に言い聞かせていた。

しかし、そんな感情は私に特有のものではなかった。五番街や日曜日の午後のセントラル・パークで『ティファニーで朝食を』のホリーや『ライ麦畑でつかまえて』のホールデンの影をしばしば見かけたからだ。灰色の空を見上げ、冬枯れの公園をひとり歩く三島由紀夫の後ろ姿も、アパートメントの窓から頬杖をつきながら秋色に染まった街路を眺める『セックス・アンド・ザ・シティ』のキャリーの姿も。むしろ机上で学問として学んでいた時よりも、ずっと肉薄した彼らの声を聞くことができたような気がする。本書がアメリカ文学の最新情報を扱っているわけでもなく、誰もがその名を一度は聞いたことのある作品を多く扱っているのは、たまたま私が旅の途上で主人公の心情に共感できた瞬間を切り取っているからにほかならない。

そうした瞬間はブロードウェイの劇場でも訪れた。当時のニューヨークで大人気だったパペット・ミュージカル『アベニュー・Q』(*Avenue Q*, 2003) では、ニューヨークの架空の通りに住むはみだし者たちが私と同じ思いを歌にしていた。「英語の学士号で何ができるというのだろう？これからの僕の人生、どうなっていくんだろう？　四年間の大学生活とたくさんの知識を積んで得られたのは、この役に立たない学位だけ！」と……。私は何のためにいままで生きてきたのだろう？ 私は世の中で必要とされていないのではないか？ 東京で毎夜私を襲ったネガティヴな問いかけは、ブロードウェイの光の海の中で笑いとともに薄れていった。

いま思えば、学問の世界とはまったくちがうフィールドに身を投じ、思いもよらない人生を歩み始めた自分にかすかな希望を見出そうとしていた当時、ニューヨークの街に希望の光を見出した遠い時代の人々と私は深いところで繋がっていたのかもしれない。生きがたい故国を逃れ、新たな人生を追い求めてこの地に降り立った人々が苛酷な生活の中でも手放すことのなかった夢、上昇志向と物質的な欲望の渦巻く競争社会の中での挫折。そこには自分の悩みなどほんの些細なことに思えるほど強烈な「生」のエネルギーが溢れていた。あの磁力が「映画と文学から見るニューヨーク」を本書のために書き下ろす原動力となった。

「映画と文学から見るニューヨーク」では、ニューヨークを舞台にした数々の映画と、本文では扱いきれなかった文学作品から、あの巨大都市の形成をふり返っているが、その途上には上流社会からユダヤ移民、黒人、マフィアまでもが登場する。『ゴッドファーザー』や『ジョーカー』など、さまざまな映画をニューヨークという視点から見てみると、移民問題、格差社会、9・11からの復帰など、この街の抱える諸問題が自ずと浮かび上がってくる。そして、そのおのおのの苦悩があたかも自分のもののように感じられるのは、多様な人間を受け容れながら、その汗と涙を吸い取って築かれたニューヨークの歴史ゆえかもしれない。

本書にも登場するマイケル・ジャクソンが、かつて読書について語ったことがある。シンプルだが、読書の神髄をついた言葉だと思う。

僕は読書が大好きなんだ。もっとたくさんの人に本を読むようにアドバイスをしてあげられたらいいいんだけど。本の中にはまったく新しい世界が広がっているんだもの。旅に出る余裕がなくても、本を読むことで心の中で旅することができるよ。本の世界では、見たいものをなんでも見ることができて、行きたいところにはどこにでも行くことができるんだ。

世界中に多くのファンを持ち、巨万の富を手にしたスーパースターであっても、本の世界を浮遊したいと願う瞬間があったのだ。まさに読書とは心の旅なのだろう。それはいつでもどこでも始められる。だから、心が曇りがちになったら、いますぐページを開いて、Let's fly away! そして、ニューヨーク……。

そして、ニューヨーク
——私が愛した文学の街

目次

そして、ニューヨーク

——私が愛した文学の街

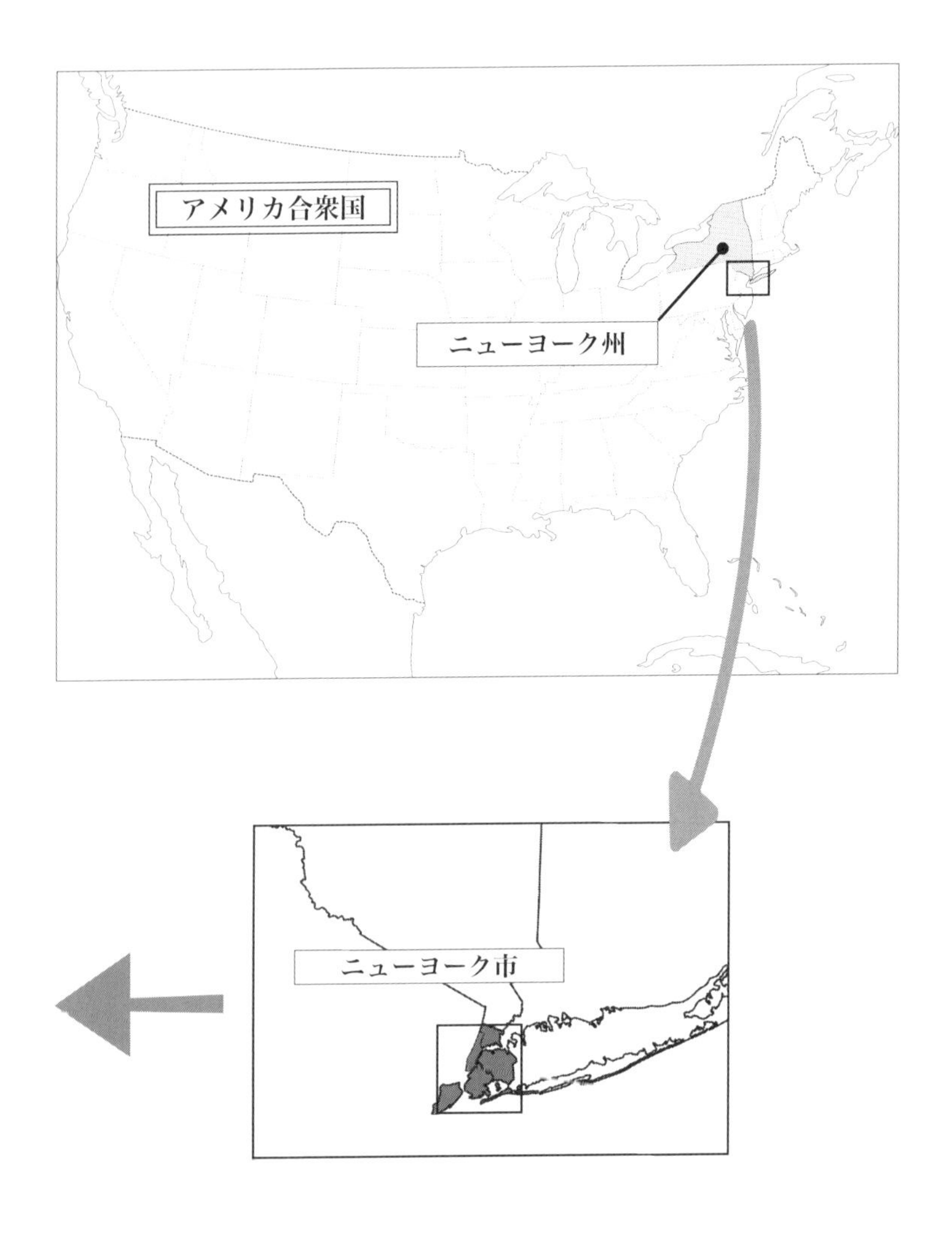
アメリカ合衆国
ニューヨーク州
ニューヨーク市

本書の舞台　ニューヨーク市

1. リバティ島 (Liberty Island)
2. エリス島 (Ellis Island)
3. ブルックリン・ハイツ (Brooklyn Heights)
4. ロウアー・イースト・サイド (Lower East Side)
5. イーストニューヨーク (East New York)
6. ブラウンズビル (Brownsville)
7. ウィリアムズバーグ (Williamsburg)
8. ヘルズ・キッチン (Hell's Kitchen)
9. サウスブロンクス (South Bronx)
10. ワールド・トレードセンター (World Trade Center)（現ワン・ワールド・トレードセンター）
11. ハーレム (Harlem)
12. コニー・アイランド (Coney Island)
13. ブライトン・ビーチ (Brighton Beach)

マンハッタン島

ハーレム
アッパータウン
ニュージャージー州
79丁目
アッパー
ウエスト
セントラル・パーク
ハドソン川
57丁目
アッパー
イースト
ブロードウェイ
マディソン・アベニュー
レキシントン・アベニュー
クイーンズ
ミッドタウン
チェルシー
8番街
マレーヒル
イーストリバー
5番街
ウエスト・
ビレッジ
グラマシー
ダウンタウン
グリニッチ・
ヴィレッジ
イースト・
ヴィレッジ
ソーホー
ブロードウェイ
トライベッカ
リトル・イタリー
ロウアー
イースト
チャイナタウン
ブルックリン
ウォール街

プロローグ
写真家ソール・ライター——日常に潜む美

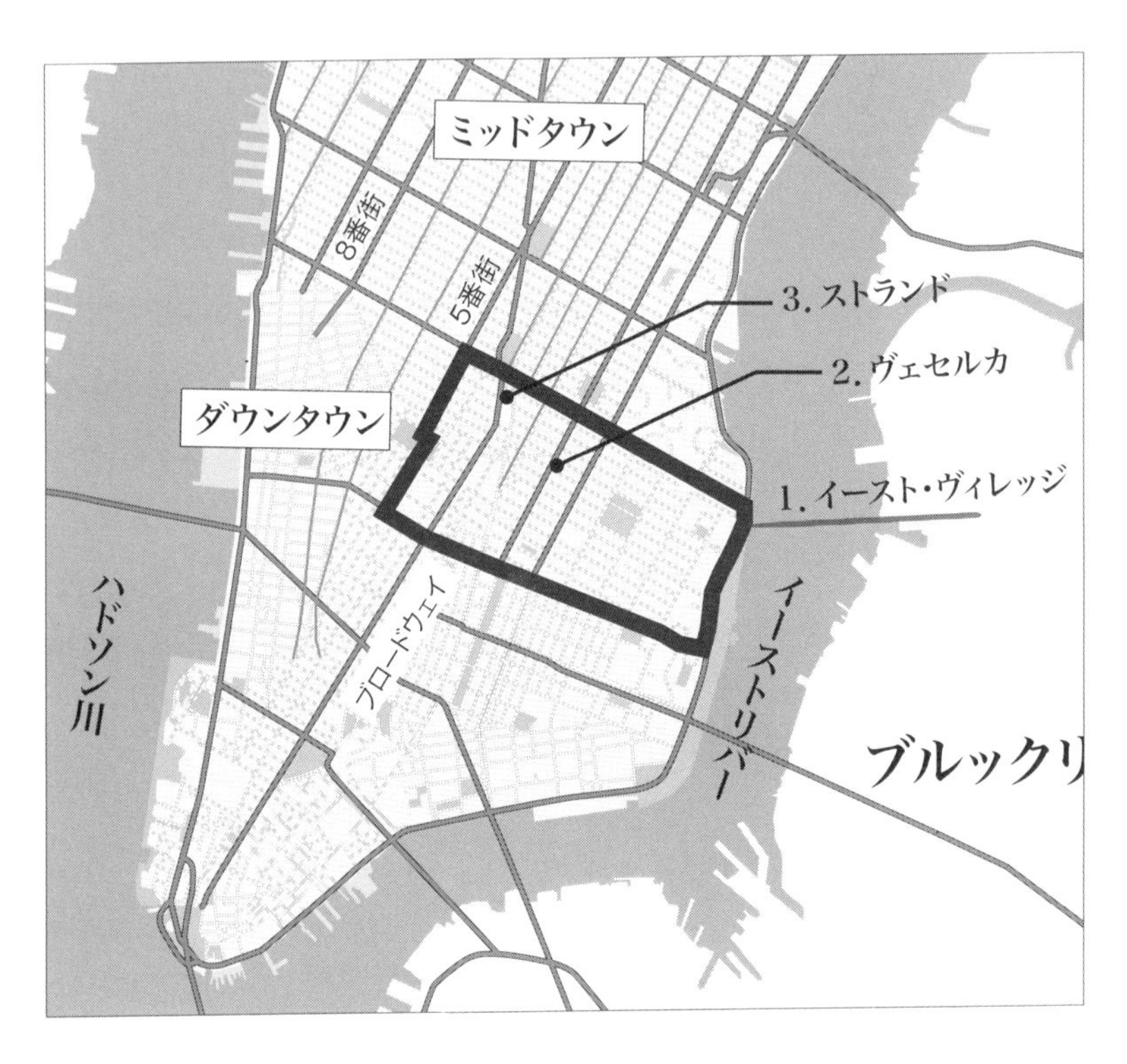

1．イースト・ヴィレッジ（East Village）

2．ヴェセルカ（Veselka）

3．ストランド（Strand Book Store）

I

足元と傘だけを写した写真

Bunkamura ザ・ミュージアム（東京・渋谷区）で二〇一七年四月二十九日から六月二十五日の間ある写真展が開催された。「ニューヨークが生んだ伝説　写真家ソール・ライター展」[1]――このタイトルを目にしたとたん、休みになればニューヨークに飛び立たずにはいられなかった一時期を持つ私は、あの喧噪（けんそう）とは裏腹な底知れぬ孤独が渦巻く街、だからこそどんな人でも受け入れてくれる、あの大都会に対する懐かしさに突き動かされた。

ソール・ライター
2008年5月26日、ニューヨークにて

会場に入ると、まず一枚の写真が私の目を捉えた。「靴の広告」（"Shoe Advertisement"）と題された一九五七年の作品である。写真のほぼ大半を占めるのは、大きく広げられたボルドー色の傘。その下から濡れた舗道に並んで歩き出す恋人同士の足元。女性の右足の上方に彼女が片手に持つ赤い花が二輪。写し出されているものはただそれだけだ。だが、この写真は見ている者に何と多くのことを語りかけることか。

女性が手にしている花はおそらく彼から贈られたものなのだろう。女性が身にまとっている傘と同じ色調のスカートの裾とジャケットの袖口、男性の黒いスラックスの裾以外に服装の手がかりはない。表情はおろか顔さえもわからない。それでも、いまにも踊り出しそうな足取りからはひとつ傘の下で寄り添う恋人同士の高揚感や熱く視線を交わし合うふたりの濃密な空気が伝わってくる。写真に耳を寄せればささやき声や笑い声まで聞こえてきそうだ。さらに、雨模様には不釣り合いなほどに磨き上げられた美しい上質な靴が、愛する人の前では最高の自分を見せたいと願う恋人たちの情熱と初々しさをも浮かび上がらせる。ソール・ライター（Saul Leiter, 1923-2013）は語る。

写真を見る人への写真家からの贈り物は、日常で見逃されている美を時々提示することだ。[2]

〔※1〕

実はわれわれは常にこうした光景の横にいる。だが、彼がシャッターを切った六十年前のその日、濡れそぼつニューヨークの街角でこの幸せな恋人たちとすれ違った瞬間、どれだけの人が彼らに目を向けたことだろう。忙しく時間に追われる大都会の暮らしの中で、まして傘をさしていようものなら、日常に溶け込んだ事物や景色に注意を払う余裕などない。それは六十年前も今も変わらない現実だ。すぐそばに心惹かれるものがあっても、多くの場合、われわれは日常にまぎれて見過ごしてしまうのだ。スマートフォンの出現によって、さらに周囲に注意を払わなくなった現代ではなおさらであろう。このように身近にあるにもかかわらず、われわれが素通りしてもしかしたら一生気がつかないままでいたかもしれない何千何百の一瞬の美や物語——ソール・ライターはそれらを切り取って写真という形で示してくれるのである。

ユダヤ教の説教師から画家、そしてファッション誌の写真家へ

一九二三年、ペンシルヴァニア州ピッツバーグで生まれたライターは、正統派ユダヤ教徒のラビであった父親の影響でニューヨークの神学校に通い、オハイオ州クリーヴランドにあるラビを養成する大学に通った。しかし、ある時、父親に向かって「一生ユダヤ人のプロでいるつもりはない」と宣言した。人の優しさよりも戒律や知識を重んじる厳格な生き方に懐疑的であったし、何よりも高貴であることや純粋であることに固執するあまり掟（おきて）にがんじがらめにされる、そんな生き方から解放され、自由を求める気持ちに忠実になったからだ。大学を中途退学し、ユダヤ教の説教師になる道を放棄したライターは画家を志した。そして、多くの芸術家志望の若者がそうしたように彼がニューヨークに移り住んだのは、一九四六年のことだ。

しばらくは母親の仕送りで糊口（ここう）をしのいでいたが、当時流行し始めた写真の世界で生計が立てられるのではないかと直感する。ライターはヘンリー・ウルフ（Henry Wolf, 1925-2005）に写真を見せた。巧みな配置で写真と文字を組み合わせるエディトリアル・ディレクターとして雑誌『エスクァイア』（*Esquire*）や『ハーパーズ・バザー』（*Harper's Bazaar*）で活躍したことで知られるこのアート・クリエイターは、ライターの才能と将来性を瞬時に見抜いた。彼の写真は

『ハーパーズ・バザー』や『ヴォーグ』（*Vogue*）、『エル』（*Elle*）など一流のファッション誌の表紙を飾った。やがて、ライターは看板カメラマンとなってその名は業界で知られるようになっていく。

ただ名が知れただけではない。ライターの写真は革新的だった。その特有の被写体の捉え方はファッション写真の概念を覆すものだった。

私が望んだのは、雑誌の結果がファッション写真以上の〝写真〟になることだった。〔※2〕

写真の半分以上を占めるソフトフォーカスの白と、下に配されたアーチ型のスモーキーな鏡面とが一体化し、鏡に映し出されるモデルのエレガントな白い帽子や赤い唇、ブルネットの髪を忘れがたいものにしている「カルメン」（"Carmen, Harper's Bazaar,"c.1960）や、通りで男性が抱えている大きな装飾用の鏡に映ったモデルの姿をモノクロームで捉えた「ハーパーズ・バザー」（"Harper's Bazaar,"c. 1960）など、独特な鏡やガラスの使い方と大胆な構図は、いま見ても斬新である。ライターの写真ではモデルたちがカメラに向かってポーズをとったり、正面から笑顔を向けたりすることはない。多くは視線を落としたり、振り向きざまであったり、写真には写っていないはるか遠くに視線を向けていたりする。写真に撮られること以外の何か別のことに熱中している時、考え事をしている時のふとした瞬間を盗み撮りしたかのような趣がある。つくりこまれていない自然な表情のモデルの美しさが、うっすらと霧のかかったような画面全体と相まって揺らめき立ってくるかのようだ。

ストリート・フォトグラファーとして

ところが、七〇年代に仕事のかたがつくと、ライターは自ら進んでファッション業界から身を引いてしまう。ファッションの仕事は芸術的ではないという高踏的な気取りのためではない。むしろこの写真家はそうした自意識とはまったく無縁であった。一方で、世俗的な成功を追い求めるような人間でもなかった。自由にやらせてもらえなくなったから――ライターがファッションの世界から手を引いた理由は、素朴な、そして自らに正直なものだった。

やがて彼の存在は世間からほとんど忘れ去られてしまったかに見えた。しかし、二〇〇六年、八十歳を過ぎたライターは再び脚光を浴びる。それもかつてファッショナブルな女性たちに賞賛された数々の雑誌用の写真ではなく、ニューヨークの街角を被写体にしたストリート写真によってである。

ライターは華やかなファッション業界の仕事の傍らで自らが住むニューヨークのダウンタウンで何気ない日常を撮り続けた。発表のあてもなく撮影された大量の写真は陽(ひ)の目を見ずに埋もれていた。だが、さすがに死を意識する年齢になり、いくら世俗的な名声や成功に無関心なライターであっても、撮りためた美しい写真たちを死ぬ前に小さな本にまとめて世に出せたらと考えるようになった。ところが写真集刊行は難航したまま十年近い歳月が流れた。ようやくにドイツのシュタイデル社から *Early Color* と題された初の写真集が出版されたのは二〇〇六年のことである。すると、アメリカ国内はおろかヨーロッパのアート関係者や写真家たちに驚きをもって迎えられた。またたく間にライターは、カラー写真のパイオニア、第一級のストリート・フォトグラファーとして注目され、展覧会のオファーが国内外から相次いだ。日本では、二〇一五年に晩年のライターに密着取材したドキュメンタリー映画『写真家ソール・ライター　急がない人生で見つけた13のこと』(*In No Great Hurry: 13 Lessons in Life with Saul Leiter*) が公開され、その名が知られるようになった。

ストリート・フォトグラファーと呼ばれる写真家は公の場で遭遇する偶発的な出来事や人物の刹那の動作や表情を被写体にするのが常である。日常の一瞬の中でライターによって切り取られた街角の風景は、ファッション誌でモデルたちが見せる瞬時の美を捉えた時とまったく同じ視点によって撮影され、すべてがはっとさせられるような意外性に満ちている。

切り取られた日常の一瞬（その永遠性）

ファッション写真とストリート写真。およそ結びつきそうにないふたつのジャンルの間を彼が自由に往来できたのは、仕事の写真であっても、個人的な写真であっても、決してぶれることのない「物の見方」が源泉にあったからにほかならない。

雨粒に包まれた窓の方が、私にとっては有名人の写真より面白い。……世の中すべて写真に適さぬものはない。すべては写真だ。今日の世界ではほとんどすべてが写真だ。写真は物の

見方を教えてくれる。すべての物の大切さを教えてくれる。〔※3〕

ライターの被写体への切り込み方は、写真という枠さえ超えて人の心に訴えかける力を持っている。だからといって説教師のように人に教えを説こうとするわけではない。むしろ人それぞれがそれぞれの生き方や美的感覚を持っているということを受けとめ、決して否定をしない。だが、彼が写真を通して示す「物の見方」は、人がいかに生きるべきかという哲学的な問題へのひとつの解答でもある。

吊るされた赤いカーテンと窓枠の隙間から眼下に広がる通りを写した「赤いカーテン」（"Red Curtain," 1956）や、結露でしっとりと濡れたガラス越しに、黒っぽい帽子とコートに身を包んだ男性の立ち姿と自動車の黄色、舗道の踏みしだかれた雪とが滲んだように一体化して写し込まれた「雪」（"Snow," 1960）、画面の大半を占める陰鬱な雪の車道の右端に、間違って写り込んでしまったかのようにわずかに見える鮮やかな赤い傘の一部が印象的な「赤い傘」（"Red Umbrella," 1957）。

『All about Saul Leiter ソール・ライターのすべて』（青幻舎）

どの写真を見ても小さな衝撃が走る。それは見慣れた光景に対する自分の固定観念が打ち壊されたことへの衝撃だ。そして、それと同時に得られる、束縛からの解放と自由な翼に乗って物を見ることへの新鮮な驚きでもある。それは「瞬間を切り取る」という写真の性質があってこそ、初めて可能になる。

写真はしばしば重要な瞬間を切り取るものとして扱われたりするが、本当は終わることのない世界の小さな断片と思い出なのだ。〔※4〕

この「世界の小さな断片」を通して、私たちは連鎖する人間の営みの中で泡のように消え去ってしまう一瞬の記憶を掬いとることができる。写真が一瞬と永遠をつなぐのだ。

II

ライターが写したニューヨーク（混乱、発見すること）

ライターは写真で身を立てていたが、最初の志であった絵をやめることはなかった。ライターにとって絵と写真とはまったく別物であった。絵筆を手にしていない時でさえ、常に頭の中では絵が描かれていた。絵の場合、どのように描こうかじっくりと案をあたためることができる。だが、写真は瞬間が勝負である。ライターの写真に対するアプローチの仕方は「とにかく見えたものに反応する」ということに尽きる。まさに被写体が現れた瞬間に湧き出すインスピレーションに身を委ねるのである。そうした状態を彼は「混乱」と呼ぶ。

自分が今何を見ているのか確かでない時が好きだ。何故、私たちがそれを見つめているかが分からず、ふいに見えはじめた何かを発見する。この混乱が好きなのだ。〔※5〕

あらかじめ何かを期待するのではなく、準備もせずに目の前に起こったことを受けとめる。それは彼の生き方そのものでもあった。ライターは一九五二年以来ずっと同じイースト・ヴィレッジのアパートに住み続け、六十年以上もその界隈をファインダー越しにみつめ続けた。

他の場所に住んでいたら、また違った人生だったろう。よくわからないが田舎に住んでいたら、また違っていたろうね。たぶんね。〔※6〕

そう語るライターは、ニューヨークという街でなくては撮れない〈何か〉を撮り続けていたにちがいない。いつでも夢と活気に満ちているかのような、あの忙しい街の陰に隠れた数えきれない挫折、苦悩、溜息……強烈な磁力を発する底知れぬ大都市が時折見せる素の顔――ライターの写真はそれらを何の気負いもなくありのままに捉えてみせる。

だが、ライターの写真が現実の醜さを露呈することはない。彼の中に「美の追求」という古典的な芸術観がしっかりと根をはっているからなのであろう。

私は美の追求というものを信じている。世の中の美しいものに喜びを感じる気持ちを。それに言い訳なんか要らない。〔※7〕

おそらく私が足繁くニューヨークに訪れていた二〇〇七年から二〇一二年の間にも、ライターは首に襟巻をぐるぐると無造作に巻き、ヨレヨレのカッターシャツを着て、東一〇丁目付近の街角に立ち、カメラを構えていたことだろう。もしも彼が向かいの通りに佇む私にレンズを向けたとしたら、透徹した彼の眼はあの頃の私を一体どんな風に捉えたことだろう。思い煩い、不安を抱え、ひとりで都会をさすらう異邦の女の顔か。出口のない迷路に入り込んでいた頃の自分が思い出される。いや、ライターであれば、当時の私の内にあった何かの萌芽を引き出してくれたにちがいない。

イースト・ヴィレッジを中心に

午前中はカメラを手に街を歩いたというライター。コーヒー好きの彼が通ったという二番街九丁目にあるウクライナ料理店ヴェセルカやスターバックス。かつては古書街であった通りにいまだに残る老舗書店ストランド・ブックストアでライターは北斎の本を渉猟した。日本のレストランや居酒屋が立ち並ぶイースト・ヴィレッジは、いまでこそ高級なイメージが強くなったが、ライターが住み始めた五〇年代の初めにおいてはまだヨーロッパ系やユダヤ系移民が多く住む貧しい地区として認識されていた。だが、五〇年代半ばにビートニクスが移り住み、詩の朗読会などが開かれるようになった。六〇年代になると、ポップアートの鬼才アンディ・ウォーホル（Andy Warhol, 1928-1987）をはじめ、ロッカーやヒッピーなど鋭敏な感性の持ち主や最先端のアーティストたちが集い、一気にカウンター・カルチャーが花開いた。かくしてイースト・ヴィレッジは「ニューヨークのボヘミア」へと変貌を遂げたのである。

だが、そうした街の変化はライターにとってさしたる問題ではなかった。彼にとっては馴染みの場所であることのほうがずっと重要だったからだ。

ユニオン・スクエアのグリーンマーケット
（ストランド・ブックストア周辺）
（著者撮影）

私が写真を撮るのは自宅の周辺だ。神秘的なことは馴染み深い場所で起きると思っている。なにも、世界の裏側まで行く必要はないんだ。〔※8〕

いつもの通りを歩きながら人々に声をかける。顔見知りと立ち話をしながらシャッターを切る。喧噪の都市はその時ひとつの故郷（ハイマート）となる。飛び去る時が、そこに静かに堆積し、永遠のアルバムになる。ライターに会う人はみな彼に魅了された。時折子どもたちも被写体に選ばれたが、ライターはそうした小さな子どもたちにも愛され、そのことをとても楽しんだ。ささやかな社交と友愛――ライターが写真を通してこのニューヨークの街で紡いだもうひとつの大切なものである。

ライターの愛するものたち

芸術家や芸術家志望の若者たちが多く住んでいたこのイースト・ヴィレッジで、ライターはモデルであり画家でもあったソームズ・バントリー（Soames Bantry, ?-2002）と、長年同じアパートで暮らした。ボナールの絵とニューヨークをこよなく愛し、互いの才能を信じ合っていたふたりは、絵画や写真や版画や本についてよく語り合った。版画を買っては電気を止められ、美しいトレッセルテーブルを手に入れる一方で立ち退き寸前の状況に追い込まれながらも、ふたりはお互いから離れられなかった。芸術、ニューヨークの街――ふたりが分かち合うものはあまりにも多過ぎた。好きな本を読み、好きな絵を眺め、美しい物に囲まれ、お互いに大切に思える誰かが一緒にいてくれる――ライターにとってはそのことが世間的に成功することよりもずっと大事なことだった。

二〇〇二年にソームズが亡くなってから、ライターは自分が彼女を殺したのではという自責の念にしばしば駆られた。アメリカが夢見る幸福の概念――大きな家や高級車の所有などの物資的充足感――を実現してくれるような金持ちと一緒になった方がよかったのではないかと……。

ソームズが揺椅子に座って音楽に聞き入っている姿を別の部屋から眺めたり、根気強くキャンバスに向かって絵筆をふるう姿を天窓の下から眺めるのが好きだったというライター。ひとり残された彼は、ソームズとの思い出の品々に溢れかえった部屋でレモンという名の一匹の猫と暮らした。ところどころ剥がれてしみだらけになった壁紙に所狭しと飾られた、最愛のパートナーが遺していった夥しい絵を毎日眺めながら……。ライターはソームズに捧げるオマージュを綴っているが、その文章は次の言葉で締めくくられている。

> 私はいまも彼女の絵画とともに暮らしている。それらは私にとって喜びの源だ。一度も見飽きたことはない[3]。

これは世間的には認められることなく没した芸術家ソームズへの最高のオマージュであり、最愛の女性へのラブレターでもある。そして、何よりもそこにはライターの人間的な優しさと温かみとがあふれている。

美を探求する旅へ

二〇一三年にライターが亡くなるまで十八年間助手を務め、現在はソール・ライター財団のディレクターであるマーギット・アーブ（Margit Erb）はライターについて次のように語っている。

ソールは自分のまわりで、毎日発見をしていました。道端で何かを見つけたり、妻の表情に何かを見たり、彼の人生の中でずっと、自分が美しいと思うものを探していたのだと思う。ソールの写真をよく知るようになると、人生は美しく、シンプルなものなのだと励ましてくれているような気がしてくるんです。(4)

ライターの写真は、彼が飄々（ひょうひょう）と続けてきた美の探求という果てしなき旅のスナップとも言えるだろう。誰もが時の喪失と心の荒廃の中にいるいま、街角の風景や日常の瞬間に、身近な隣人の佇まいの中に「美しく、シンプルなもの」、人生の尊いものを、地上のいずこにか発見する。そんなライターの写真のように、私は〈芸術〉というファインダーからニューヨークという街の一瞬を切り取ってみたい。

［註］

（1）アメリカの写真家ソール・ライターの日本初の回顧展。
二〇一八年四月七日から五月二十日まで伊丹市立美術館にも巡回した。ライターが日本とフランスから受けた影響を研究しているニューヨーク国際写真センターのポリーヌ・ヴェルマールによれば、ライターは相当な日本美術愛好家であったらしい。葛飾北斎、俵屋宗達、本阿弥光悦や尾形光琳について語り、特に北斎を好んだ彼の写真には、構図や四季を意識するという点において浮世絵の影響が顕著である。書を「美術の最も崇高な形式」として愛したライターは半紙に絵を描くこともあった。彼の蔵書や音楽関係のコレクションからは、日本の古典文学や禅に関する書物の他、歌舞伎の長唄や琴のレコードが発見されたという。このように日本の芸術に対し敬意を払ったライターの作品は、この回顧展を機に日本での愛好者を増やし、三年後の二〇二〇年一月九日から二月二十七日までBunkamuraザ・ミュージアムにて展覧会が開催された。また、四月十一日から五月十日まで美術館「えき」KYOTO（京都）でも開催される予定であった。ライターの写真集には、累計三万部のヒットを更新中の初期のカラー写真集*Early Color*（Steidl, 2006）、モノクロ写真を集めた*Early Black and White*（Steidl, 2014）やライターの自室で撮影されたヌード写真集*In My Room*（Steidl, 2018）がある。

（2）『写真家ソール・ライター　急がない人生で見つけた13のこと』（*In No Great Hurry: 13 Lessons in Life with Saul Leiter*, 2012）特に註がない場合はすべてのライターの言葉はこの映画の字幕からの引用である。

（3）ソール・ライター、柴田元幸訳「長年のパートナー、ソームズ・バントリーへ」、『*Coyote*』No. 61（スイッチ・パブリッシング、二〇一七年）。

（4）「はじまりの場所」、『*Coyote*』No. 61（スイッチ・パブリッシング、二〇一七年）。その他、写真の翻訳名、撮影年などの情報については『*All about Saul Leiter*――ソール・ライターのすべて』（青幻舎、二〇一七年）によった。また、同書の巻末に収められたヴェルマールの「ニューヨークのナビ派」や柴田元幸の「うしろからあなたの左耳をくすぐる写真」などにも示唆を受けた。また、執筆に際しては *Saul Leiter*（Thames & Hudson, 2008）や註に掲げた書籍も参照させていただいた。

1. カポーティ『ティファニーで朝食を』

——ティファニーブルーの誘惑

第1章

1. ティファニー本店 (Tiffany's)

お洒落なオードリーを夢見て　——映画『ティファニーで朝食を』

初めてニューヨークを訪れた二十五歳の私が、最初に足を運んだ場所は五番街にあるティファニー本店であった。一九九五年秋のことである。映画『ティファニーで朝食を』(*Breakfast at Tiffany's*, 1961)の舞台をひと目見たかったからだ。

映画の冒頭であの甘美な「ムーン・リバー」("Moon River," 1961)のメロディとともに映し出される、夜がしらじらと明けたばかりの五番街。「眠らない街ニューヨーク」が夜から朝へとシフトするほんのわずかな時間帯だけは、さすがにいつもは人でごった返している華やかな通りも水を打ったように静まり返り、誰一人としていない。世界中の一流ブランド店が軒を連ねる五番街でもひと際目を引く、御影石と石灰岩で造られた五階建ての建物——ティファニー本店——の前に一台のタクシーがやってきて停車する。

そのタクシーから降り立つのがタイトな黒いイブニングドレスをまとい、ひじの上まである黒い手袋とフェイク・パールのネックレスとサングラスを身につけ、髪を結い上げたオードリー・ヘプバーン(Audrey Hepburn, 1929-1993)である。ティファニーのショーウィンドーを眺めながら、手にした紙袋からおもむろにコーヒーとパンを取り出してひとりきりの朝食を始める。ハリ

映画『ティファニーで朝食を』

ウッド映画の数ある名場面のひとつである。当時の私はこの映画に登場するヘプバーンの小粋な姿に憧れる多くの女性たちのひとりであった。

ティファニー社はその長い歴史の中でアメリカの美と権力の象徴であり続けてきた。毎年アメリカ人が楽しみにしているアメリカン・フットボールの最終決戦スーパーボウルで優勝チームが手にする、有名なフットボール型のプラチナのトロフィー、ヴィンス・ロンバルディ・トロフィーをはじめ、WBCやNBA、全米オープンなど数々のスポーツの勝者が高々と掲げて見せるトロフィーはティファニーが製作している。ケネディ大統領夫人であったジャクリーン・オナシス（Jacqueline Kennedy Onassis, 1929-1994）も、世界一の美女と称された銀幕のスター、エリザベス・テイラー（Elizabeth Taylor, 1932-2011）もティファニーのジュエリーをこよなく愛した。成功した者が手にするもの――それがティファニーである。

ティファニーの魅力

日本でも、ティファニーは高級ブランドの代表格として知られている。若かりし日の天皇が留学先のロンドンから帰国された際の記者会見で、理想の女性について「自分と金銭感覚が同じ人」とされ、「ニューヨークのティファニーであれやこれや買うような人では困る」と仰せられたこともあり、話題になった[1]。

また、バブル期にはオープンハートのペンダントが大流行した。恋人へのクリスマスプレゼントとして買い求めようと男性たちがデパートに殺到し、手に入れることのできなかった男性には恋人に釈明するための「売り切れ証明書」なるものが発行されたほどの人気ぶりだった。現在でもわが国の婚約指輪の憧れのブランドとして常に上位にランキングされているティファニー。なぜ多くの女性はこれほどティファニーが好きなのだろうか。製品自体の魅力もさることながら、ティファニーというブランドの持つ力が大きいのではないだろうか。

「キング・オブ・ダイヤモンド」の異名を持つ創業者のチャールズ・ルイス・ティファニー(Charles Lewis Tiffany, 1812-1902)が一八八六年に発表した、六本の爪でダイヤを支えるティファニーセッティングと呼ばれる立て爪の指輪は、いまでは婚約指輪の定番である。白いリボンをほどいてブルーのボックスを開くと、そこには傷ひとつない、最高の技術でカットされた、透明なダイヤモンドが光に煌めいている。それはまさに不純物のない永遠の愛を誓うのにふさわしい。アメリカのウェディング関係の雑誌を見ると、必ずと言っていいほど白いリボンが結ばれたティファニーのブルーのボックスの広告が掲載されている。創業当時から変わらないその独特なグリーンがかったブルーはティファニーブルーと呼ばれる。この色は、実は、コマドリの卵の色であり、欧米では春を告げることから幸福の象徴とされる。つまり、私たち女性はティファニーの持つシンボルイメージである「幸せ」を求めてきたのである。

ロマンティックな恋人たち、その呪縛

さらに、このブランドイメージは先に挙げた映画『ティファニーで朝食を』によって決定的となる。自身もマンハッタン社交界の常連であったアメリカの作家トルーマン・カポーティ（Truman Capote, 1924-1984）の同名の小説（一九五八年）をもとに製作されたこの映画は、ヘプバーン演じるホリー・ゴライトリーと彼女のアパートの階下の部屋に越してきた小説家志望の青年ポール・ヴァージャクとのラブロマンスである。

ホリーは、貧しい少女時代に食料を盗みに入った親子ほども年齢の離れたその家の主人である男の妻となり、つつがなく暮らしていたが、ある日そこを飛び出してニューヨークに出てきた過去がある。裕福な年上のパトロン女性に養ってもらっているヴァージャクはホリーに惹かれていく。やがてヴァージャクは小説家として独り立ちできる目途が立ち、パトロンの女性と手を切る。しかし、ホリーは金持ちの男と婚約し、南米へと旅立つことになる。スキャンダルに巻き込まれて婚約者に捨てられたホリーにヴァージャクは自分の思いを告げ、ふたりは結ばれる。この映画に見られる「ロマンティックな恋人たち」こそが、ティファニーが長年保ってきたブランドイ

メージであった。

しかも、このイメージは結婚後も女性を支配し続ける。人生はおとぎ話のように結婚というハッピーエンドで終わるわけではない。婚約指輪、結婚指輪で彩られる人生のハイライトの後も現実の生活は続く。ティファニーはこうした結婚後の生活の中で贈られるジュエリーにエタニティーリングを提案している。豊かで恵まれた家庭生活を象徴するがごとく、結婚記念日や子どもが生まれた記念に夫が妻に「ずっと一緒に歩んで行こう」という気持ちを込めて贈る指輪のことである。

雪が舞うクリスマスのニューヨークを背景に、スーツをスマートに着こなすエリート然とした白人男性に寄り添う美しい金髪の白人女性。その傍らには品のいい服を着たかわいらしい女の子。そして女性の手には夫からのプレゼントのティファニーブルーのボックス。社会的成功と豊かで恵まれた家庭、夫の変わらぬ愛——まさに絵に描いたような、多くのアメリカ人が夢見る幸福——その横にティファニーブルーはあった。

こうした広告は女性に購入意欲を湧かせるだけにとどまらず、「女性の幸せ」についてのひとつの図式を意識の中に刷り込む力を持ってきた。こうした物質的かつ社会的な面を基準にした画一的な幸福の固定観念は、ある種の強迫観念となって女性にプレッシャーをかける場合がある。私も長い間この幸福の呪縛から逃れられずにいた。

II

「いやなレッドな気分」に襲われて

そんな私に転機が訪れたのは十年ほど前、ニューヨークに頻繁に訪れるようになってからのことだ。初めてティファニー本店を訪れた時には、外から『ティファニーで朝食を』の舞台として見物するだけで満足し、自分がそこで買い物をするなどとは思いもよらなかった。だが、それから十年以上が過ぎ、私を取り巻く状況は大きく変化していた。僅かではあるが自分で稼げるようになっていたし、ブルー・ボックスを贈られる「幸せ」を自ら断って独りになっていた。

二〇一二年の九月、明日には帰国という日曜日の午後だった。フィギュアスケートの取材も無事に終え、最後にメトロポリタン・ミュージアムなど、いくつかの美術館を訪ねる計画を立てていた私の足は、ギリシア神話の巨神アトラスのブロンズ像が支える時計が上部にあしらわれた、両脇に星条旗がはためくあのファサードに向かっていた。

現地で購入したばかりの、世紀末ウィーンを代表する画家クリムトの絵画「抱擁」を想起させるようなオレンジと金色のエキゾチックな色合いのシフォンのロングワンピースを着て緑色のベルトを締めて鏡の前に立つ。充実した仕事が終わった後の、やっとお洒落をして自由に散策できる最終日の朝なのに、なぜか私の心は、ホテルの窓の向こうに広がる抜けるような青空とは裏腹に、どうしようもなく曇っていた。

いまふり返れば、それは帰国してから果てしなく続く「日常」に対する漠然とした怖れや不安であったのだろう。自分の身の上など誰も知らない外国に身を置いている気楽さに別れを告げ、「女性の幸せ」から遠く離れてしまった日々がまた始まる——そんな憂鬱のために心は重かった。
屋外に出ると、九月とはいえ、ニューヨークでは陽ざしが容赦なく照りつけ、真夏のようだ。六番街から、セントラル・パークの前を通って五番街沿いにアップタウン方面へと向かう予定だったが、もう公園のそばを歩きたくはなかった。日曜日とあって、マンハッタンというコンクリートジャングルのオアシス的存在である広大な公園では、自然を満喫するカップルや家族たちが笑いさんざめいている。その姿は日光の反射を受けてまばゆく、不思議なくらいの疎外感が襲ってきた。その瞬間、私の心に『ティファニーで朝食を』の中の言葉が浮かんだのである。

セントラル・パーク
（著者撮影）

ブルーな気分って、太っちゃいそうな時や長い間雨が降り続いている時になるものじゃないかしら。悲しい気持ちになるっていう、ただそれだけのこと。でも、いやなレッドな気分ときたら、もう最悪なの。怖くてひどく汗をかくのに、何を怖がっているのか自分じゃわからないの。何か悪いことが起きそうってことはわかっているのに、それがどんなことなのかわからないのよ。そんな気分になったことはない？[2]〔※1〕

これは映画の中のオードリー・ヘプバーン演じるホリー・ゴライトリーの台詞ではなく、カポーティの原作の中でホリーが発した言葉である。まさにホリーの言う、「いやなレッド」にその時の私の心は染まっていたのだろう。ホリーによれば、そんな気分に陥った時、酒やマリファナよりもずっと効果があったという対処法が「ティファニー」なのだ。

私がみつけた一番効く方法は、ただタクシーに乗り込んでティファニーに行くこと。あそこに行けばたちまち気持ちが鎮まるのよ。あの静けさと誇りに満ちた雰囲気がね。あそこでは最悪なことなんて起こりっこないわ。品のあるスーツを着た親切な男性たち、それに銀製品とワニ革の財布の素敵な匂いに囲まれて悪いことなんて起こるはずないのよ。〔※2〕

だから、私はごく自然にセントラル・パークから五番街に出て五七丁目の方へと向かった。原作のホリーは、ヘプバーン特有のコミカルでチャーミングな雰囲気が漂う映画のホリーとは印象が異なる。カポーティは自作が映画化される際、ヘプバーンがホリーを演じると聞いてかなり失望したらしい。[3]むしろ、マリリン・モンローが適役と考えていたぐらいだから、当然だろう。[4]

たしかに、原作のホリーの髪の毛の色はブロンドである。自由で捉えどころのない女性という設定は原作も映画も変わらないが、原作の彼女の方が拭いきれない哀しみや触れれば壊れてしまいそうな繊細さを内に湛（たた）えており、どこか儚（はかな）げで世俗から離れたところに生きている感じがある。そんな彼女に惹かれる主人公の「僕」はその心の内に踏み込むことができずにいる。

ホリー以上に原作と異なるのが、「僕」である。いや、映画のポール・ヴァージャクとは、むしろ別人と言っていい。小説家志望にはとても見えない、いかにもハリウッド風の甘い顔立ちでがっちりした体格のジョージ・ペパード（George Peppard, 1928-1994）演じるヴァージャクに対して、原作の「僕」は小説家志望の青年らしく、もっと繊細でシャイで、植物のように肉体的な香りを感じさせないからだ。当然、映画のヴァージャクのように肉体関係と交換に生活の面倒を見てくれる女性なども登場しない。

ホリーは「ミス・ホリデイ・ゴライトリー、旅行中」（"*Miss Holiday Golightly, Travelling.*"）と書いたカードを表札にし、アパートメントに家具を置かずに名無しの猫とトランクひとつで暮らしている。

ティファニーにいるような気持ちにさせてくれる場所が現実の世界でみつけられたら、その時には、家具を買って猫に名前をつけるのに。〔※3〕

そう語ってホリーは、いつもつけている濃い色のサングラスを押し上げた。青や緑の筋が入って光によっていろいろな色に変わるその灰色の瞳は「先を見通すような鋭さ」を帯びて、「現実の世界」には決して存在しない場所を夢見ていた。

お金持ちを招いてのパーティーに夜ごと明け暮れるホリーが、心の底で一番必要としていたもの――それは心が落ち着く、真の意味での自分の居場所だった。大都会で華やかなセレブたちと渡り合っているお洒落で魅力的な女優の卵というのは仮初め（かりそめ）の姿でしかない。

その時の私も自分の居場所を探していたのだと思う。かつてオードリーに憧れて映画の舞台として訪れてから十七年の歳月を経て、「いやなレッドな気分」を払拭してくれる場として再び私はティファニー本店の前に立っていた。


「シャンパンを、一杯」

さすがに映画のようにショーウィンドーを眺めながら朝食をとるわけにもいかないので、アールデコ調の建物のスティール製のドアをくぐり、店内に入る。一階のショーケースを眺めている私に、背の高い、まさに「素敵なスーツを着た親切な」黒人男性が恭しく（うやうや）「何をお探しですか？」と声をかけてくれる。以前から欲しいと思っていたネックレスの名を告げる。

丸みを帯びたハート型のラインに沿って小粒のダイヤがはめ込まれたセンチメンタルハートと呼ばれるデザインである。中と小のどちらのサイズにするか決めかねている私に、男性店員は優しく微笑んで「どちらもお似合いになると思いますが、実は僕は妻に小さい方のサイズをプレゼントしたのです。子どもが三人いてバタバタしていますが、日常のシーンでも問題なく、よくつけてくれています。あなたと妻は背丈が同じくらいなので、小さいものでもいいと思いますよ」とアドバイスしてくれた。「あなたの奥様っておいくつなの？」「僕が一九七〇年生まれなので……」そう男性が言いかけた瞬間、「あら、偶然ね。私も同じ年に生まれたのよ。私たち同じ年なのね」と弾んだ声で言うと、店員も「ワーオ！」と顔をほころばせた。

ティファニー本店（© I, Dmadeo）

おそらく以前の私であれば、迷わずに小さいサイズのものを選んだことだろう。だが、その時はそういう気分ではなかった。同世代の男性の「妻」への対抗心もあったのかもしれない。「私、決めたわ。自分へのご褒美だから、大きい方にします」いきなりの決断に彼は、一瞬戸惑ったようだったが、「もちろん、それもよい選択です」と笑顔で言うと、ショーケースからネックレスを取り出しながら尋ねてきた。「旅行はどなたと？」「ひとりよ」「お友達と一緒ではないのですか？」「いいえ」「ご主人はお留守番？」「いいえ」

もしも日本だったら、それ以上自分のことを話すことなど決してないのに、旅先の気安さからか、ついぽつりと「家に帰ってもひとりだわ」と漏らしてしまった。男性は手をとめて「結婚していらっしゃらないんですか？」と私の方を見る。「ええ」笑顔で答えると、相手は驚いたように「それは意外ですね」と言う。「実を言うとね、最近離婚したばかりなの」明るく笑いながら相手の瞳を見てこう言ったのは初めてだった。日本では言わずに済ませたかったし、言わなければならない時も相手と目を合わせることなどできなかったからだ。自分でも驚くほど言葉がなめらかに出てくる。

「あなたの奥様は幸せね。可愛いお子さんがいて、あなたみたいな男性にこんな素敵なネックレスを贈ってもらえるなんて」素直な気持ちから出た言葉だった。その気持ちが伝わったらしく、「ありがとう。でも、あなたにだってこれからもいいことがたくさん待っていますよ」という言葉が返ってきた。

「ううん、もう遅いわ。でも、ありがとう」笑いながら首を振る私の目を見つめて彼は言った。「いや、あなたはまだ若い。それに美しい。これからいくらだっていいことが待っていますよ」少し困惑気味に笑う私に彼は人差し指を立てると、「そのことは僕が保証します」と言って立ち上がった。そして「ちょっとそこに座ったままでいてください」と言いながら、受話器を手にとって「シャンパンを二杯」と言って電話を切った。

待っている間、ハートのネックレスが収められたブルー・ボックスには白いリボンがかけられた。間もなく、背の高いフルートグラスの中で細かな泡を発しながら木漏れ日のように薄い金色の光を湛えるシャンパンを銀のトレーに載せたボーイが現れた。

ボーイがシャンパンをカウンターに置いて去ると、男性は片方のグラスを私の手に握らせ、もう一方のグラスを自分の手にとって高々と掲げると、グラスを合わせてきた。「あなたのこれからの人生が明るく喜びに満ちたものになりますように」そう言いながら、握手を求めてきた。楽しいおしゃべりが続き、それまで知らなかったスマートフォンの機能なども教えてもらい、笑顔で私はティファニーを後にした。

心はもう日曜日の午後の空に負けないくらい晴れやかになっていた。セントラル・パークの緑を横目に見ながらミュージアム・マイルに沿って美術館に向かう。その足取りもすっかり軽くなっている。メトロポリタン・ミュージアムの中で回廊を歩いていると、すれ違った女性が「まあ、美しいドレス！」と声をかけてくれる。「ありがとう。昨日買ったばかりなのよ」と笑顔で応えながら、私は手にした小さなティファニーブルーのバッグに目をやる。つい数時間前の、うつむいて歩いていた私だったら、誰がドレスを褒めようという気になっただろう。

ティファニーで乾杯したあの男性店員とはもう二度と会えないだろう。だが、ほんのわずかの間でも心が通って励ましてもらえた。彼はあの瞬間、私が一番必要としていたものを与えてくれたのだ。人にこの話をしたら、単純だと一笑に付されるだろう。営業に過ぎないのにと呆れられるかもしれない。でも、ホリーの言葉は真実だったのだ。ティファニーはたしかに私の心を侵食しかけていた「いやなレッドな気分」を一掃してくれたのだから。

III

カポーティの原作へ

おそらく自らのためにジュエリーを選んだあの日以来、心の中に根をはっていた「女性の幸せ」という固定観念は以前ほど私を苦しめなくなってきた。それでも、時々ティファニーのような場所が必要になることもある。

映画の中のホリーはヴァージャクとのハッピーエンドでこの「いやなレッドな気分」から解き放たれたかもしれない。だが、ここでもカポーティの小説の中のホリーは映画とはちがう。そもそも原作は、ニューヨークから姿を消して長い年月が経過した後、ホリーがアフリカに立ち寄ったらしいという情報をキャッチした古い仲間からの一本の電話から始まるのだ。

ホリーが国外逃亡するためにニューヨークを離れなくてはならないのは、知らないうちに麻薬の密売に関わってスキャンダルに巻き込まれ、婚約者に捨てられたからである。それは映画と同じだが、原作では婚約者との間の子どもを身籠(みごも)って流産してしまうなど事態はより深刻だ。

映画は逃亡する前にホリーとヴァージャクが結ばれて終わるが、原作のホリーは「僕」たちの協力を得て南米に逃亡し、その後は葉書が一枚来ただけで音信不通となっていた。

ニューヨークを去る直前に猫を土砂降りの街に捨てたホリーは「ああ、神様、私たちはお互いのものだった。あの猫は私のものだったのよ」と後悔し〔※4〕、慌てて猫を探し回るが、見つけることはできない。「僕」は、猫は必ず見つけ出して自分が面倒を見るとホリーに誓う。すると、ホリーはこれまで「僕」が見たことのなかった「寂し気な微笑み」をわずかにその顔に浮かべて震えながら言うのだ。

でも、私はどうなるの？　ねえ、私はものすごく怖いのよ。そう、やっとこうなった時に限ってね。だってひょっとしたらこの状態が永遠に続くかもしれないんだもの。放り出してしまって初めてそれが大切なものだとわかるの。いやなレッドな気分、そんなのどうってことない。太った女、それもどうだっていい。だけど、これって。口の中がひどく渇いて、どうがんばっても唾も吐けやしない。〔※5〕

そう言い残して、ホリーはタクシーに乗り込むとシートに身を沈めて、激しい雨が打ちつけるニューヨークを後にする。これまでの仮初めの人生に終止符を打とうというその時になって、それが永遠に終わらぬ旅のスタートであること、その旅の苛酷さに思いいたったホリーは、喉がカラカラに渇くほどの恐怖を感じ、身震いをする。それでも、彼女は、目の前にある大切なものを手放しながら、現実には存在しない安住の地を求めずにはいられないのだ。

原作のラストは、ホリーが南米に出発した後、彼女との約束を守ろうと猫をさんざん捜し歩いた「僕」が、ある日曜日、ついに猫を発見する場面で終わる。

両側に置かれた植木鉢の間に、清潔なレースのカーテンに縁どられて、猫は座っていた。温かそうな部屋の窓辺だった。僕は思った。あの猫の名前は何なのだろう。もうあの猫にも名前があるはずだ。きっと猫は自分の居場所にたどり着くことができたのだ。アフリカの小屋であろうと何であろうと構わない、ホリーもそんな場所をみつけていてくれたら。〔※6〕

カポーティの描いたホリーは果たして「ティファニーにいるような気持ちにさせてくれる場所」を見つけ出し、落ち着くことができたのだろうか。それは誰にもわからない。だが、おそらく、決して妥協することなく安住の地を求めて、南米を、アフリカを、世界中を放浪し続けているのだろう。時々心の中を染める「いやなレッドな気分」を浄化するためにティファニーのような場所に立ち寄りながら……。ハッピーエンドで終わる映画は素敵だが、原作のホリーのように真に心安らげる場所を探し求め、漂泊の旅の途上にいること――それが人間の本当の姿なのかもしれない。

苦境に立つ老舗ジュエラー

ティファニーは、二〇一六年十一月、翌年の新作の広告用モデルとしてレディー・ガガ（Lady Gaga, 1986-）を起用すると発表した。このニュースを聞いて私は一瞬耳を疑った。ティファニーのロマンティックで上品なイメージと大胆で奇抜な衣装で知られる女性ロックシンガーとがすぐには結びつかなかったからだ。しかし、こうした一瞬ミスマッチではないかとさえ思える大胆なモデルの起用は、自ら築いてきたブランドイメージに新たな一面を加えようとするティファニーの企業努力の表れなのであろう。これは「女性の幸せ」に対する意識の転換を象徴しているのかもしれない。ティファニーブルーが「幸せ」を象徴していることは創業から一八〇年経ったいまも変わらない。だが、その「幸せ」の意味を問い直すべき時が来ている。

ティファニーが「ロマンティックな恋人たち」から「創造性と独創性」に満ちたレディー・ガガを起用した裏には、「幸せ」は誰かに与えてもらおうとするのではなく、自ら探し求めるものである――そんな女性へのメッセージが込められているのだろう。それは次のレディー・ガガの言葉にも端的に表れている。

> ジュエリーを恋人から贈ってもらわなければならないというのは間違った認識だと思う。女性は自分でジュエリーを買って、自力で手に入れたことに威厳をもって身につけていいと思う。[5]〔※7〕

レディー・ガガを自社のミューズに選ぶという大きな賭けに出た老舗ブランドは狙いどおり若い女性の心をつかむことはできたのだろうか。『ニューヨーク・ポスト』(*New York Post*)によれば、ティファニーの売り上げは二〇一七年五月の時点でさらに落ち込んだという。[6] もちろん、短期間で効果を期待するのは性急過ぎる。長い時間をかけて女性の心の中に培われてきた「幸せ」の意識を変えるのは容易なことではない。

新たなブランドイメージを打ち出そうと苦闘する、アメリカが誇るこの老舗高級宝飾店の姿から見えてくるもの――それは新たな「女性の幸せ」で塗り替えることでは決して解決することができない、既存の狭く表層的な「女性の幸せ」という観念を、より広義で本質的な「幸せ」への意識にシフトしていこうとする時代の流れなのかもしれない。

広告による画一的な「幸せ」の固定観念の虚しさからそろそろ私たちは抜け出してもいいのではないだろうか。世間の描く「幸せ」の基準から自由になること、心の声を聴き、心地よい状態に自分を置くこと。商品としての物からそれぞれの人生に深く関わる物の豊かさへ、いま〈ティファニー〉という記号は高度消費社会の只中(ただなか)で変化しつつあるのかもしれない。カポーティの原作が無意識のうちに物語っていたのはこの記号の転換であったのか。

宝石箱の中の小さな幸せ

ティファニーの広告から描かれる「幸せ」のイメージを求めるのではなく、ホリーが「いやなレッドな気分」を鎮めることのできた、一九五〇年代当時のままの店内の雰囲気や店員の応対こそがティファニー製品の付加価値であり、このトップジュエラーの真骨頂であろう。クリックひとつで欲しい商品が海の向こうから自宅の玄関まで届けてもらえるような時代だからこそ、ティファニーはわざわざ足を運び、実際に宝石を手に取って選びたくなる特別な場所であり続けるのかもしれない。その場所で手にしたジュエリーは単なる物質以上の価値を持つようになるのだから。

いまでもジュエリー・ボックスを開けてセンチメンタルハートのネックレスを手に取ると、あの時の男性店員の静かで優しい瞳、シャンパンの微炭酸のシュワシュワとした音、セントラル・パークの緑や陽光が蘇ってくるようで、心が晴れやかになる。私の宝石箱にある小さな〈ティファニー〉。それがきょうも心の旅の途上にある私にそっと力を与えてくれる。

——＊——

二〇一九年十一月二十五日、ティファニーがルイ・ヴィトンやディオールの親会社であるＬＶＭＨ（モエ・ヘネシー・ルイ・ヴィトン）に一六二億ドル（約一兆七四九六億円）で買収されたことが正式に発表された。今後はこれまでのスタイルを生かしながら、新たな提案がなされる方向だという。願わくば、ティファニーがニューヨークを代表するラグジュアリーブランドとしての個性を失わず、ティファニーブルーに包まれた夢を女性たちに届け続けてくれることを……。

［註］

（1）小坂部元秀『浩宮の感情教育』（飛鳥新社、二〇〇一年）。

（2）トルーマン・カポーティの原作『ティファニーで朝食を』（Truman Capote, *Breakfast at Tiffany's*, Penguin, 1961）からの本文中の引用はすべて著者の訳による。

（3）“The Real Holly Golightly,” by Alex Witchel, *The New York Times*, July 19, 1992.

（4）註（3）に同じ。

（5）“Behind the Scenes with Lady Gaga,” Tiffany & Co., 6 April, 2017.
レディー・ガガをモデルに起用したティファニー・ハードウェアのコレクション発売直前にティファニー社より公開された動画の中で、レディー・ガガが語った言葉。本文中の引用の訳は著者による。

（6）“Tiffany Tanks as Lady Gaga Fails to Boost Sales,” *New York Post*, May 24, 2017.
二〇一七年五月二十四日付の『ニューヨーク・ポスト』によれば、レディー・ガガでさえ、三か月間でティファニーを救えなかったとし、二〇一七年二月に開催された全米で高視聴率を誇るスーパーボウルでの宣伝もむなしく、同年四月末までのティファニーの売り上げは二パーセント下落した。

2. O・ヘンリー「賢者の贈り物」
——ニューヨークのクリスマス

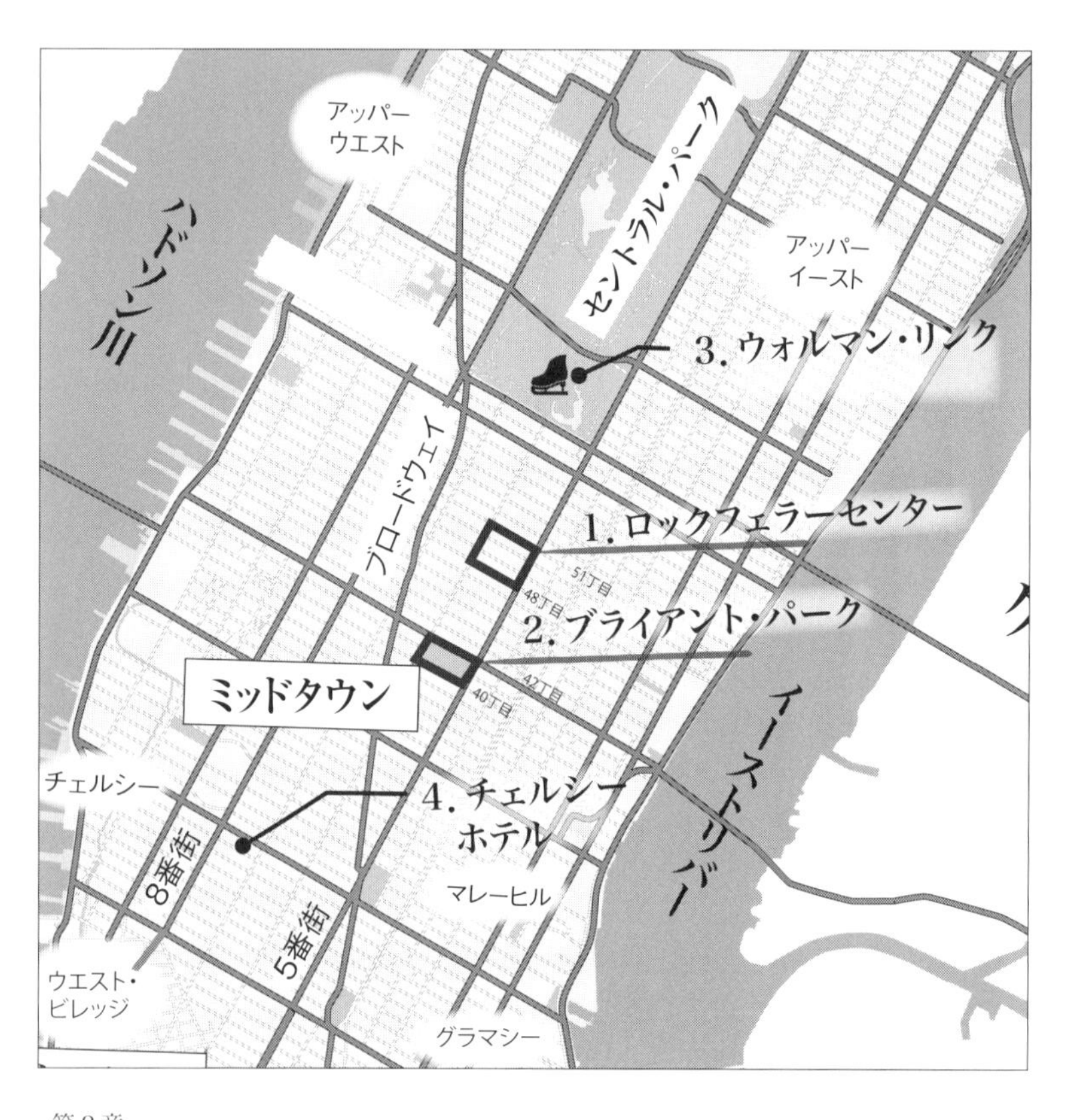

第2章

1. ロックフェラーセンター (Rockfeller Center)

2. ブライアント・パーク (Bryant Park)

3. ウォルマン・リンク (Wollman Rink)

4. チェルシーホテル (Chelsea Hotel)

I

ロックフェラーセンターのクリスマスツリー

マンハッタンのミッドタウン——ロックフェラーセンターのクリスマスツリーの周りには夜半過ぎになっても人の流れが途絶える気配はない。二十五メートルはあるかという巨大なクリスマスツリーには三万個の電飾が施され、美しい飾りが輝いている。一九三〇年代からニューヨークのクリスマスを見守ってきたこのツリーの点灯式の様子は全米中に生中継され、まさにアメリカの降誕祭を象徴する存在となっている。

ロックフェラーセンターのクリスマスツリー
（著者撮影）

ニューヨークには有名なアイスリンクがいくつかある。ブライアント・パークのスケートリンクや映画『ある愛の詩』（*Love Story*, 1970）に登場するセントラル・パークのスケート場が思い浮かぶ。中でも最もよく知られているのが、このロックフェラーセンターの半地下にあるプラザに氷を張ったリンクであろう。夜になってもさほど大きくないリンクに子どもばかりでなく大人たちもひしめいている。十九の商業ビル群から成るロックフェラーセンターの中でもひと際目を引く七十階建てのＧＥビルを背景に、てっぺんに大きなクリスタルの星を戴いた、色とりどりの細かな光で煌めくツリー。銀盤の冷たい氷の輝き、金色に輝くプロメテウス像とその三つがセットになったロックフェラーセンターのクリスマスの光景は、ニューヨークの冬の風物詩である。

でも、夜遅くにマンハッタンの中心地のツリーの前ではしゃいで写真を撮りたがっているのは主に観光客である。ニューヨーカーの多くは、暖かい室内で湯気の立つ料理を前に家族と共に楽しい時間を過ごしているにちがいない。日本の正月と同様、アメリカ人にとってクリスマスは家族と過ごし、互いにつつがなく一年が終わることに感謝し、次の年の幸せを祈り合う大切な時間である。取材先のフィギュアスケートの選手も、クリスマスには練習を行っていない。同様にデパートも小売店も早く閉まる。

マイケル・ジャクソンの死（2009. 6. 25）

そんなクリスマスの日のことである。急に体調を崩した私は、ホテルの部屋から一歩も出られなくなった。フィギュアスケートの選手はリンクに来ないので仕事に支障はないが、クリスマスなのに具合が悪いとなると、気分も滅入る。朝食をとりに行くこともできず、横になっていると、ノックの音が聞こえた。返事をしないでいると、ガチャガチャと金属が触れ合うような音が聞こえる。何事かと思う間もなく、勢いよくドアが開いた。

思わずベッドから身を起こしてみると、ドアの向こうに掃除用具を入れた大きなワゴンがある。ホテルの掃除係が回ってきたのだ。鼻歌混じりに部屋に足を踏み入れようとしたまだ若い黒人の女性は、自分のことを見ている私の姿に逆に驚いたようで、小さな声を上げた。「風邪をひいてしまってきょうは部屋から出られないの。掃除なら私のことは気にせずにしてください」と言うと、彼女は頷きながら「わかりました」と言った。モップや洗剤などを運び込み、掃除を始めた彼女は「何か飲み物を買ってきましょうか」などと親しげに声をかけてきた。クリスマスの日に臥せっている客をひどく気の毒がっていることが伝わってくる。

だが、やがて病人に対する気遣いは彼女の退屈しのぎへと変わっていき、彼女は私とおしゃべりをしながら掃除をすることに決めたらしい。掃除のペースはひどくゆったりとしたものになった。やがてデスクの上に数冊積まれた雑誌に目をとめた彼女は「マイケルが好きなの？」と私をふり返って言った。それらの雑誌はその年の六月の終わりに多くの謎を残したまま五十歳という若さで突然この世を去ったマイケル・ジャクソン（Michael Jackson, 1958-2009）の特集を組んでいて、彼が表紙を飾っ

『Michael Jackson King of Pop』
（日本語限定版　鳥影社）

ていた。

キング・オブ・ポップの異名を持ち、おそらく世界で最も知られている米国人歌手のジャクソンが亡くなった日、訃報は全米中を駆け巡り、ニューヨークの地下鉄でも異例のアナウンスが流され、タイムズ・スクエアの電光掲示板にもそのニュースが表示されたという。彼がジャクソン・ファイブ時代に出演した、ニューヨークのハーレムにあるアポロシアターの前には多くのファンがつめかけ、哀悼の意を表した。夏にニューヨークに来た時も、直後だっただけに空港の売店で売っている雑誌はすべて彼の表紙だったように記憶している。テレビをつければいつも彼の死因が取り沙汰されていた。

衝撃の死から半年が経過したクリスマスシーズンになっても、そのショックが続いていたのだろうか。どこの店でも幼い声を張り上げて歌うジャクソン・ファイブ時代のクリスマスソングか、そうでなければソロで歌った有名な曲が流れていた。まだ特集を組んでいる雑誌もあった。だが、スケートリンクでそのことを話しても、私が担当していたスケーターは素っ気なく「すごいニュースになったね。でも、僕にはあまり関心のあることではないんだ」と言って肩をすくめた。年配のスケートファンの女性も「メディアは彼の死について騒ぎ過ぎよ」と迷惑顔である。

日本でもかなり話題になっていたのに、本国ではさほど注目されていないのだろうかと不思議な気持ちになった。しかし、それならなぜテレビ番組や雑誌では特集が組まれるのだろう。一体誰のために？　そんなことを考えていると、雑誌をパラパラとめくっていた掃除の女性は「本当に彼を失ったことはアメリカの損失だわ」とつぶやいた。やっと期待していた言葉に出会えて。

私は身を乗り出した。「整形疑惑や少年愛とかいろいろ言われてきたけれど、やっぱり曲がいい。あの歌唱力は本当に素晴らしいし、ダンスも彼の右に出るミュージシャンは今後出てこないんじゃないかしら」と言うと、彼女は訴えるような口調になった。「そう、マイケルは才能があった。でも、それだけじゃない。私たちにとって彼は天使だった。あんなに優しい人はいなかった。貧しい人たちにたくさん寄付をしたことはメディアではあまり取り上げられないけれど、彼は病人を励ますことも忘れなかった。とにかく弱者の味方だった」

現代の人種差別と魔女裁判

延々と続いた彼女の話を整理すると、マイケル・ジャクソンはメディアによって歪められ潰されていった黒人の救世主だということらしい。多くの富を持ち、大邸宅を建てたジャクソンのことをアメリカン・ドリームの象徴のように捉えていた私は、他人の人生ひとつについてもその人の立ち位置によっていろいろな解釈があるものだと感心して聞いていた。だが、やがて彼女の話の中に明らかに黒人蔑視という、アメリカに長い間根づいてきた差別の問題が横たわっていることに気がついた。

たしかに、マイケル・ジャクソンは黒人で初めてMTVに出演したミュージシャンと言われる。[1] エンターテインメントの世界でも黒人の前には目に見えぬ壁が立ちはだかっていたのだろう。ジャクソン・ファイブでは四曲連続でヒットチャート一位を獲得し、ソロ・アルバム『スリラー』(*Thriller*, 1982) は三十七週連続で全米ヒットチャート一位となり、そのセールス記録はいまだ破られることのない怪物的ヒットとなり、まさに彼を伝説的存在にならしめた。

だが、傍から見るほど彼のサクセスストーリーは平坦ではなかったようだ。エピックレコードに移籍し、名プロデューサーであるクインシー・ジョーンズ（Quincy Jones, 1933-）を迎えて最初に出したアルバム『オフ・ザ・ウォール』（*Off the Wall*, 1979）はジャクソンの才能がよく表れた優れた作品で、ジャクソン自身グラミー賞の最優秀アルバム賞を期待していた。それにもかかわらず、蓋を開けてみればたった一部門、しかもR&Bの男性ボーカルのパフォーマンス部門で受賞しただけであった。この結果にジャクソンはかなり落胆したという。徹底した完璧主義の彼が受賞を期待していたのだから、よほど自信があったにちがいない。このソロ・アルバムに対する音楽界の評価から彼が感受したのは、何か言葉では言い表せない差別という名の堅固な壁だったのではないだろうか。

ジャクソンはこの雪辱を果たすために『スリラー』を完璧なものにして、グラミー賞では悲願の最優秀アルバムを含む異例の七部門を受賞するに至った。幼少時から父親にひどい体罰を受けながら[2]、完成度の高いパフォーマンスを叩きこまれてきたジャクソンが、この成功に至るまで歩んできた道は人知れぬ涙で濡れた茨の道であったにちがいない。だが、その才能と努力は音楽のジャンルや国境、人種という壁を突き崩し、その後のヒップホップ市場を含むアフリカ系アメリカ人のアーティストに扉を開いたと言われている[3]。

だが、その成功とは裏腹に彼は常にメディアの恰好の餌食であった。雑誌には彼の顔の変遷が年代ごとに紹介される記事が出ることなどは日常茶飯事だった。白斑病という持病のため皮膚が白くなっていくジャクソンに対して、肌を漂白しているのではないかという疑惑も浮上し、白人崇拝者だと批判する黒人もいた。

幼少時には、父親にベルトや鞭で打たれながら、仕事漬けの毎日を過ごしたジャクソンは自らの失われた子ども時代を取り戻すかのように、子どもたちに優しかったという。時間を作って病気の子どもたちを見舞い、金銭的援助も惜しまなかった。だが、そうした彼の優しさにつけこみ、金銭目当てで訴訟を起こす者もいた。その度にメディアはジャクソンに不利になる報道を行った。世界中に名を知られるジャクソンを奇人に仕立て上げ、記事にすれば売り上げが伸びる。児童に対する性的虐待で有罪判決が下れば、なおさらである。

ジャクソンと同じ年に生まれ、同じく八〇年代のヒットチャートを賑わせた米国を代表する女性シンガーであるマドンナ（Madonna, 1958-）は、メディアや世間からジャクソンが被った受難を「魔女狩り」にたとえた[4]。

十五世紀から十七世紀のヨーロッパで盛んにおこなわれた魔女狩り。ヨーロッパで魔女狩りの対象となったのは、妖術を使い悪魔と関係しているという噂をたてられた人々であった。だが、この根も葉もない噂を立てた真の目的は、彼らの財産を奪うことにあった。魔女狩りは十七世紀の米国マサチューセッツ州セーラム村でも起こったが、最初に疑いをかけられたのは黒人の使用人であった。

この魔女狩りが現代でも異なった形で息づいていたとしても不思議ではない。歪んだ報道は現代の錬金術であり、ポップス界の頂点に立った彼をその王座から引きずり下ろそうとした人々の心理には人種的な偏見が潜んでいるのではないか。そこにアメリカの病の深さが垣間見える。「魔女狩り」が直接的原因ではないにしろ、マイケル・ジャクソンがあの若さで命を落とさなければならなかったほどに追い詰められていたことはたしかだろう。それならば、彼が亡くなった途端に彼の生涯を美談にまとめあげた多くの雑誌もまた彼の死で利益を得ようとしていることになるのではないか。

幼少期から父親によって労働を搾取され、その最期までが金儲けの手段として利用されたジャクソンが、この物質主義の大国で成し遂げたアメリカン・ドリームとは何だったのか……。そんなことに思いを馳せていると、ジャクソンの雑誌をデスクに戻し、揃えている彼女の姿が目に入った。

「きょうはクリスマスなのに、あなたは働いているのね」と声をかけると、彼女は「掃除やベッドメイキングは毎日しなければならないことだもの。それが仕事なら仕方ないわ」とほほ笑む。「仕事が終わったら、きょうはどうやって過ごすの？」と聞くと、「帰ったらみんなでディナーを食べるわ。まだ末の子が小さいから早く帰ってあげないと」と答える。

先ほど聞いたところによると、彼女の家はハーレムの先だ。このホテルからは地下鉄に乗れば数十分で帰れるだろう。彼女の帰りを待ちわびる子どもたちのことを思うと、ここで油を売らせるのもどうかと気になり始め、「いろいろとありがとう。これでお子さんに何か買ってあげて」とチップを多めに渡す。彼女は嬉しそうにお札を丸めてエプロンのポケットに突っ込みながら言った。「マイケルの雑誌、もっと入用だったら買ってきてあげましょうか？」私は首を横に振った。「ううん、もうこれで十分よ」
彼女は出て行く時に思い出したようにふり返って「楽しいクリスマスを（メリー・クリスマス・トゥー・ユー）」と言った。「あなたもね（ユー・トゥー）」と返すと、笑顔でうなずいてドアを閉めた。

II

アンディ・ウォーホルの「キャンベル・スープ」

窓を見るのが好きになったのは、いや、正確に言うなら、窓の向こう側を想像するのが好きになったのは、いつの頃からだろう。友達と遊んだ夕方、家に向かう途中にどこかの家から煮物の匂いが漂ってくる。ふとそこで料理をしている優しい母親の姿を想像し、急に自分の母親が恋しくなって駆けて行った幼い日の頃からだろうか。

外国に行くと、窓の向こう側を想像するというこの傾向はますます強くなる。好奇心と、外国人であるという気楽さから、いくらでも自分の気持ちの赴くまま窓見物をゆっくりと楽しむことができるからかもしれない。

しかしながら、窓は時々思い出したくないものまで思い出させる。ひとり旅は気ままでそのぶん、気楽だが、何かの加減で気持ちがふさぐと、手に負えなくなる。おしゃべりで気を紛らわすこともできないから、とにかく心を曇らせた原因の場所から遠ざかるに限る。

その日はフィギュアスケートの練習も休みだったので、マンハッタンの街を散策していた。当時お洒落な場所として注目され始めていたミート・パッキング・ディストリクトは、その名のとおり、かつては食肉を加工するために作られた倉庫群がひしめいていた。それらが天井の高い吹き抜けのお店に改装され、レストランやスタイリッシュなブランドが入っている。その目抜き通りを歩いていた時だ。アメリカのポップアートの旗手アンディ・ウォーホルの名作「キャンベル・スープ缶」("Campbell's Soup Cans," 1962) が目に飛び込んできた。

ドラッグの罠に堕ちた美しきモデル――イーディ・セジウィック

反射的に、ウォーホルの映画作品にも登場した彼のミューズのひとりであったイーディ・セジウィック (Edie Sedgwick, 1943-1971) のことが頭をよぎった。ショートヘアーに、大きなイヤリング、瞼(まぶた)に濃いアイラインを引いたスレンダーな肢体で『ヴォーグ』のモデルも務めたセジウィック。彼女が身につけていた衣装や持ち物を見ても、その生き急ぐような人生を思っても、彼女はまさに六〇年代のアイコンそのものであった。そんな彼女を愛したのは、ウォーホルだけではない。二〇一六年度のノーベル文学賞に輝いたロック・スターのボブ・ディラン (Bob Dylan, 1941-) も若かりし頃、彼女を愛した者のひとりであった。

カリフォルニア州サンタバーバラから名門の旧家の子女として大都会ニューヨークに出てきたセジウィック。やがてウォーホルの映画に出演するようになり、注目を浴びるというシンデレラストーリーを歩み始めた。だが、それも束の間。毎夜開かれるパーティーで遊び仲間から軽い気持ちでドラッグを教わったのが運の尽きであった。セジウィックが重度の依存症になるのにそう時間はかからなかった。

ドラッグの罠にかかった彼女に都会は冷たかった。薬物で恍惚（こうこつ）状態になっている彼女を自身の実験映画に出演させたウォーホル。ディランと破局し、ウォーホルにも見放された彼女は精神が不安定になり、ますますドラッグに溺れていく。実家からの仕送りを止められた彼女は自宅で煙草の火の消し忘れによる火事を起こし、自らもやけどを負う。薬物中毒の彼女に、薬を打ってやる代償として自室でポルノ映画を撮影するような連中もいた。彼女は堕ちるところまで堕ち、ついにニューヨークを去る。

実家に連れ戻され、立ち直ったかのように見えたセジウィックは、ある晩再びドラッグに手を出し、翌朝、多量の薬物摂取で二十八歳という若さで急逝した。全盛期のアーティストふたりから愛され、その美貌と独特な感性と無防備な愛らしさ、不安定なほどの繊細さで人々を魅了したセジウィックが呑み込まれ、崩れ堕ちていった大都会ニューヨーク。この街の暗部を抉（えぐ）り出すような彼女の人生を思うと、ニューヨークがとてつもなく恐ろしいブラックホールのような場所に見えてくるから不思議だ。

ウォーホルの絵を目にしたミート・パッキング・ディストリクトから出て、チェルシー地区へと向かう。縦長のマンハッタン地区は北をアップタウン、南をダウンタウン、真ん中をミッドタウン、西をウェスト、東をイーストと呼ぶ。アップタウンはハーレムなどがあり、その下のアッパータウンは裕福な人々が住み（セジウィックもニューヨークに移り住んだ当初はアッパータウンの

チェルシーホテル

東六〇丁目に住んでいた）、ミッドタウンにはブロードウェイなどの繁華街があり、ダウンタウンは流行の発祥地、さらに下方に行けば、九・一一以前にはワールド・トレードセンターがあった金融街がある。

ワールド・トレードセンター跡地にはいまでは建築家の槇文彦（一九二八年—）が設計した4WTCが聳え立つ。だが、その時の私はグローバリズムの源泉となったこの金融街に近寄る気にはなれなかった。そこには心灯らせる窓はないと思えたから。

伝説のチェルシーホテル

チェルシー地区に出ると、チェルシーホテルが再びセジウィックを思い出させた。一八八三年建造の赤レンガ造りに錬鉄製のバルコニーの手摺という堂々たるゴシック風の外観が目を引くこのホテルは六〇年代当時、多くの有名人が長期滞在していたことで知られる。

全二五〇室のうち一〇〇室が長期滞在者あるいは居住者用に貸し出され、ウォーホルらアーティストはもちろんのこと、マーク・トウェイン（Mark Twain, 1835-1910）やディラン・トマス

(Dylan Thomas, 1914-1953) などの文豪もここに滞在した。ボブ・ディランら多くのミュージシャンもこのチェルシーホテルを拠点にしており、当時の芸術の最先端にいる百花繚乱の才能がここに集結していた。まさに伝説のホテルである。

アートの聖地である一方、その歪みとしての暗い過去もこの歴史ある建物は見続けてきた。二〇一一年夏にチェルシーホテルが買収されたことを報じた記事がこのホテルを「最もロックなホテル」や「最もデカダントなホテル」と見出しに書いていることからも、その暗鬱とした特異な歴史が窺われる。

たとえば、映画『シド・アンド・ナンシー』(*Sid and Nancy*, 1986) のモデルとなったイギリスのパンクロック・バンド、セックス・ピストルズのベーシストでその過激なパフォーマンスや生き様からパンクの伝説と化したシド・ヴィシャス (Sid Vicious, 1957-1979) とその恋人ナンシー・スパンゲン (Nancy Spungen, 1958-1978) がドラッグと暴力に明け暮れる破滅的な日々を過ごし、スパンゲンが刺殺されるという陰惨な事件が起こったのもこのホテルである。殺人容疑をかけられたヴィシャスもスパンゲンが殺害された四か月後にドラッグの過剰摂取で死亡している。スパンゲン二十歳、ヴィシャス二十一歳という若さであった。

セジウィックも一時期部屋を借りていた。窓の向こう——ディランからもウォーホルからも見限られ、ドラッグに溺れた彼女が最後に住処とした部屋。ここで彼女はどのような悪夢に苛まれ、ドラッグに癒しを求め、蟻地獄のような人工楽園に漂っていたのだろうか。その姿が窓の向こうに見えるような気がする。たしかに建物は立派である。だが、周囲にはタトゥーを彫るいかがわしい店があり、その前を通ると皮膚の焦げるような臭気が漂ってきて、重い気持ちにますます拍車がかかる。

オアシスは危うさと隣り合わせ

この数か月前にも私はニューヨークを訪れていた。その時は夏だった。金曜日の夜だったせいだろう。みんなが連れ立って会話を楽しみながら食事をしている光景を見て、周囲の喧噪から自分だけが切り取られて、まるで音のないモノクロームの世界に取り残されたようなそんな想いでいっぱいになった。

通りに面したオープン・エアーの席でグラスを傾け合うカップルの姿に、自然と、自分の過去の姿が重なり合う。ふたりで過ごした日々が、まるでマッチ売りの少女の見た幻影のように、次々と浮かんでは消えて行く。あの時は当たり前だと思っていた光景がいまでは二度と戻らないものになってしまったという現実、いるのが当たり前だと思っていた人がいまはいないという現実。そうした現実が胸に迫ってきて二度とあちらの談笑している人たちの中には入れないような気持ち……。

ところが、人間とは都合のよい生き物で、私は間もなくひとり旅の利点を知り、度々湧き起こってくる切なさにさえ、ある種の甘美な痛みのようなものを見出し、それを密かに愛するようにまでなっていた。先が見えないぶん、当時の私は目の前のことだけを純粋に真剣に楽しんだ。刹那的に生きるという、それまでは自分が歩むとは想像もしていなかった生き方に身を任せていた。得られないものを求めるのはやめ、与えられたものを享受しようと決めたのだ。そんな私からは、どこか享楽的な雰囲気が漂っていたにちがいない。誤解を受けることもあって、知らないうちに心が疲弊していたのだと思う。

私にとってニューヨークでの束の間の休日は、そんな日本での息の詰まるような空気からの逃避行でもあった。しかし、セジウィックのニューヨークでの転落は、私にひとつの事実を突きつける。この都会が心地いいのは私が一介の旅行者に過ぎず、何の責任もこの街に持たず、ここで暮らす本当の厳しさも危険も知らない気楽な身だからなのだという事実である。

III

窓の向こうにあるもの

ぶるっと身震いがする。しかし、これは気分的な問題だけではなかった。気がつけば、先ほどまでは薄日ながらも明るさのあった空がいまはすっかりどんよりと鉛色になって、空気は吸い込むと冷たく、ポケットに入れた手も寒さで震え始めた。朝から骨まで滲(し)みるような冷気を感じていたが、灰色の空を見上げると、間もなく雪が降るのは確実であった。

夜はリンカーンセンターに行くことになっている。ニューヨーク・シティ・バレエ団のクリスマス恒例の演目『くるみ割り人形』(*The Nutcracker*, 1892) を予約していて、良い席が確保できていた。ニューヨークのクリスマスの代名詞とも言えるロックフェラーセンターのあの大きなクリスマスツリーと、この『くるみ割り人形』だけでも最高に楽しいクリスマスになるはずだった。それなのに、この暗澹たる気分をどうしたらよいのだろう。仕方がないので、歩き続けることにした。

暗くなり始めた通りをひたすら行くと、寒さのためか、通りを歩く人影はまばらである。それでも、時々犬を連れた人たちとすれ違うようになり、ようやく小さな公園を取り囲むクラシカルな住宅街に出た。何気ない毎日が営まれる人の生活の匂いにほっと心が和む。十九世紀に開発が進んだマンハッタンには、内装のみリフォームを施し、外観は当時のままという建物が少なくない。一世紀前の世界にタイムスリップをしたかのような佇まいには人の生活が息づいている。

一戸建てはほとんどなく、アパートメントが主流だが、そこに住むそれぞれの家の扉には日本で見かけるものとは比べものにならないほど大きく重厚なクリスマスのリースが飾られている。それも各家によってそれぞれ個性があって眺めているだけでも楽しめる。

そして、それぞれの家の窓からは明りが漏れている。何が映っているのかはわからないけれど、暗くなったり、明るくなったりするテレビの画面、素敵なシェードのあるスタンド、そして人影……。それらを通してその向こう側に住んでいる人の生活が垣間見えてくる。

その中の、ひとつ。ある窓の向こうに大きなクリスマスツリーが見えた。私は足を止めてその窓を見つめた。窓の向こう側の人は気がつかないだろう。東洋の小さな国からほんの短い休みを利用してやってきた女性がひとりで自分の家の窓を見上げていることなど。知りはしないだろう。

窓の外がどんなに寒いかなんて。私も窓の向こうの住人だった頃にはこういう想いがあることを知らなかった。

愛を知る者こそ賢者

この十九世紀の面影を残すアパートメントに住んでいる人に思いを馳せているうちに自然と短編の名手O・ヘンリー（O. Henry, 1862-1910）の有名な「賢者の贈り物」（"The Gift of the Magi," 1906）が思い出されてくる。

マンハッタンに住む若い夫婦を主人公にしたこの物語は、おそらく最も有名なアメリカの短編小説のひとつであろう。クリスマスの前夜、貧しくもお互いに深く愛し合っている若い夫婦が相手にクリスマスプレゼントを買うために、自分の大切な物を売るという物語だ。妻のデラは自慢の美しい長い髪を鬘（かつら）用に売り、夫のジムが祖父の代から受け継いだ素晴らしい金時計に似合うようなプラチナのチェーンを買う。一方のジムは自慢の時計を売ってデラの豊かな長い髪に飾る櫛をクリスマスプレゼントに選ぶ。

The Gift of the Magi
（Simon & Schuster）

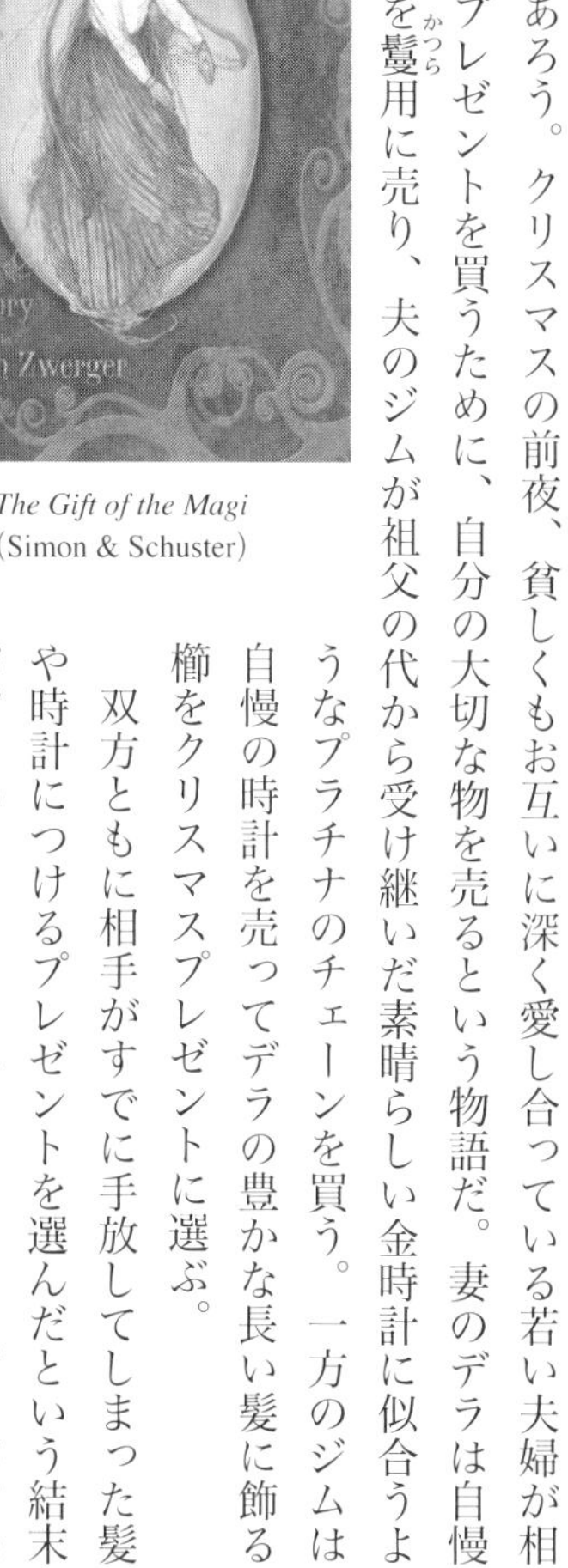

双方ともに相手がすでに手放してしまった髪や時計につけるプレゼントを選んだという結末が、いかにもオー・ヘンリーらしい。だが、決して皮肉ではないのだ。彼はふたりを「愚か」

だと評しながらも、次のようにこの物語を結んでいる。

最後に私は現代の賢者たちに言いたい。プレゼントを贈る者の中でこのふたり（デラとジム）が最も賢いのだと。プレゼントを贈り贈られる者の中で彼らのような人たちが最も賢いのだ。彼らこそ、東方の三賢人なのである。(5)〔※1〕

そう、ふたりは賢いのだ。愛することも愛されることも知っている。愛を惜しみなく相手に与え、相手から受け取る方法を知っている。人を想うことのできる人は幸せだ。あの窓の向こうにはデラとジムがいる。あの明るい窓の内側のあの暖かい部屋には愛し合っている若いふたりがいる。本当の部屋の内情は外からは窺い知れない。でも、そう信じていたい。今はあそこにいるのが自分でなくてもいいのだ……。セジウィックの生き急いだニューヨークの顔は私にはあまりにも重過ぎたようだ。

マイケル・ジャクソンの歌や彼の寄付で助けられた人は大勢いる。彼の想いや愛は届く人には届いたのだ。だからこそあのホテルの客室の清掃担当の女性は彼の死に涙を流したのだ。かつて彼が「僕はブラック・アメリカンだ。自分の人種に誇りを持っている。自分に誇りを持っている。誇りと威厳をたくさん持っているよ」と語ったことに嘘はないのだろう。(6)〔※2〕

見上げると、凍(い)てつくような空から白い風花(かざはな)が舞っていた。リンカーンセンターに着く頃には雪はかなり積もっているだろう。バレエが終わったら、ロックフェラーセンターのクリスマスツリーを見に行こう。たくさんの幸せそうな顔でいっぱいのあの大きなツリーのもとへ。

［註］

（1）“Michael Jackson Was Much More than King of Pop,” by Nekesa Mumbi Moody, *The San Diego Union-Tribune*, 26 June, 2009.

（2）“Oprah Winfrey’s Interview with Michael Jackson,” 10 February, 1993.
https://www.eonline.com/news/734628/michael-jackson-once-told-oprah-winfrey-he-d-never-want-a-white-actor-to-play-him

（3）“Michael Jackson Music Pioneer,” *Michael Remembered; The Man, His Music, His Legend* [*Today’s Black Woman* No. 93] p. 22.
この記事の中では *Time Magazine* からの引用でいかにジャクソンの『スリラー』の売り上げが音楽産業を救ったか、そしてジャクソンが作曲家やダンサーとしていかに素晴らしく、歌手として様々な境界線を越えたかが書かれている。“A one-man rescue team for the music business. A songwriter who sets the beat for a decade. A dancer with the fanciest feet on the street. A singer who cuts across all boundaries of taste and style and color too.” と書いている。

（4）“Madonna Pays Tearful Tribute to Michael Jackson at 2009 VMAS: Full Text of Madonna’s Tribute

to MJ at the Video Music Awards," 13 September, 2009.
http://www.mtv.com/news/1621390/madonna-pays-tearful-tribute-to-michael-jackson-at-2009-vmas/
二〇〇九年のビデオ音楽賞の席上でマドンナはマイケル・ジャクソンへの追悼を述べた。その中でジャクソンにまつわる否定的な話が次々に広がり、それを本人が否定することもできないまま広まっていった現象を、次のように「魔女狩り」という表現を用いて語った。

"Then, the witch hunt began and it seemed like one negative story after the other was coming out about Michael. I felt his pain. I know what it's like to walk down the street and feel like the whole world has turned against you. I know what it's like to feel helpless and unable to defend yourself because the roar of the lynch mob is so loud that you are convinced your voice can never be heard."

（5）オー・ヘンリーの「賢者のおくりもの」（"The Gift of the Magi," *The Best Short Stories of O. Henry*（Kaibunsha, 1956）からの本文中の引用はすべて著者の訳による。

（6）*Michael Remembered; The Man, His Music, His Legend* [*Today's Black Woman* No. 93]

3. ジョニー・ウィアー
――フィギュアスケート界の美しき堕天使(フォールン・エンジェル)

第３章

1. グリニッチ・ヴィレッジ (Greenwich Village)

2. ワシントン・スクエア (Washington Square)

3. クリストファー・パーク (Christopher Park)

4. グローヴ・コート (Grove Court)「最後の一葉」("The Last Leaf") の舞台

I

マンハッタンの夜明け

ニューヨークの朝は早い。車やそのクラクションの音が通りから聞こえ出すと——それは一晩中聞こえているはずなのだが——その音がだんだんに大きくなってくると、どんなに前夜眠りにつくのが遅かったとしても、起きなくては……という気になる。窓のカーテンを開いても、まだ外は暗い。

朝の五時。ホテルの向かいにあるスターバックスに行き、コーヒーを飲みながらメールをチェックする。そのまま数軒先にあるスポーツクラブのプールで泳ぐ。朝の五時から開いているジムにはすでに泳いでいる人が少なからずいる。アメリカではスポーツジムの数が日本よりもずっと多く、日常に定着しているような気がする。早朝から営業しているので出勤前にひと運動できて、多忙なビジネスパーソンでも朝の時間をうまく利用すれば無理なく身体を鍛えられるのだ。女子更衣室ではベンチで出勤用の服にアイロンをかけたり、ぐるんと頭を回して長い髪の毛をさっと束ねる女性、ブラシでパウダーをはたきこんでいる女性など、それぞれが忙しそうに動き回っている。お互いに何もしゃべらずに黙々と出社前の仕度に集中する。日本ではスポーツクラブはたいてい午前十時開店で、どの時間帯に行っても、更衣室ではおしゃべりがくり広げられている。

東京の郊外とマンハッタンの中心部とでは状況がちがうのは当然かもしれないが、目の前にある目的のためによけいな社交はしない、多忙なニューヨーカーたちの姿は爽快で、朝からエネルギーをもらうような気がしたものだ。目的地までのバスは一時間に一本しか出ない。手早く支度を終える彼女たちとは異なり、仕度に時間のかかる私はいつも大慌てでポートオーソリティ・バスターミナルに向かった。八番街にある、この大きなバスターミナルはうっかりすると迷子になってしまうほど広い。メガロポリスの迷宮だ。

バスに飛び乗って向かう先はアイスリンクだった。フィギュアスケートの取材のためニュージャージー州ウェインにあるアイス・ヴォルトに向かった。インタビューをするだけではない。選手がどのような練習をしているのか、コンディションはどうなのか、そのシーズンのプログラムの調整や、ジャンプやスピンといったエレメンツの中で何を重点的に練習しているのかを確認することも取材の一環なのである。

ニュージャージーのアイスリンクにて

トンネルを越えると、マンハッタンのシンボルであるエンパイア・ステート・ビルディングやクライスラー・ビルディングが遠くなっていく。四十分もすると、庭つきの白い戸建てが並ぶ、いかにもニューヨークのベッドタウンらしいニュージャージーの小ぎれいな街並みが目に入ってくる。アイスリンクはこうした住宅街から少し離れた場所にあった。バス停からリンクまでの広い道には緑が広がり、小川も流れていてあひるが何羽も歩いている。リンク近くでは鹿の親子に遭遇したことはあるが、人間と行き交うことはほとんどなかった。大都会の喧噪とはほど遠いのどかな風景である。

緩やかな勾配を上り、リンクの建物の前に到着する。ドアを開けて、中に入り、ふたつのリンクのうちのひとつに足を踏み入れる。まるで大きな冷蔵庫を開けたかのような冷気が全身を包む。午前中のセッションはすでに始まっていた。選手たちのブレードが氷を削る音、彼らが練習時間のためにセレクトした流行の曲がリンクじゅうに響き渡る。

入って行くと、足の長い細身のお人形のような青年が「オハヨウゴザイマス」と声をかけてくる。二〇〇六年・二〇一〇年冬季五輪アメリカ代表のフィギュアスケーター、ジョニー・ウィアー（Johnny Weir, 1984-）である。少年時代の羽生結弦（一九九四年―）が憧れ、「すごく美しいですし、自分自身、男ですけれども、何か惚れ込んでしまうような……それくらいの美しさがある」と語ったその人である。[1] イギリスの世紀末を代表する作家オスカー・ワイルド（Oscar Wilde, 1854-1900）の長編小説『ドリアン・グレイの肖像』（*The Picture of Dorian Gray*, 1891）の主人公の美青年ドリアン・グレイもかくありきかと思わせる、まさに羽生の言う通り「美しい」という形容がぴったりのスケーターである。

小説のドリアンは碧眼（へきがん）に金髪であるのに対し、ウィアーは緑色の瞳にダークな髪色という相違はあるが、ロマンティックな顔立ちであることに変わりはない。その身体は、ひとなみはずれて細い。だが、ぴったりとフィットした練習着で柔軟体操を行っている彼の逆三角形の上半身と鍛え抜かれた下半身から浮かび上がった筋肉が、彼がアスリートだということを思い出させてくれる。やがて薄い長そでのTシャツに毛皮のショールを腰に巻いて氷上へと移る。回転をすると、腰のショールがバレエのチュチュのように広がり、彼のエレガントな動きが一層美しく見える。当時のウィアーは、国内ではもちろんのこと、世界中で、特にフィギュアスケート大国ロシアで抜群の人気があった。

日本では、荒川静香（一九八一年―）が二〇〇六年にトリノで開催された冬季五輪で金メダルを獲得し、フィギュアスケートブームが起こって二年。次のバンクーバー五輪をめぐって日本人選手にメダルの期待がかかっており、海外の男子フィギュアスケーターにも注目が集まっていた。そうした状況の中、私は日本でも人気があったウィアーの取材をする機会に恵まれたのである。

女子のスポーツとして

このリンクで練習をしているスケーターの中でトップスケーターはウィアーぐらいしかいない。ティーンエイジャーの選手もいるにはいるが、ほとんどは年端もいかぬ女の子たちで、母親が車で送迎をして連れてくる。世界的なスケーターと小さな子どもたちが一緒に練習をしているのだ。これはフランスなどでも同じだ。

アメリカの四大スポーツと言えば、フットボール、野球、バスケットボール、そしてアイスホッケーだ。日本に比してアメリカでアイスリンクが多いのは、実はアイスホッケーのためなのである。ここアイス・ヴォルトも、ホッケー用のリンクのひとつで、フィギュアスケーターは午前と午後それぞれ一時間半ずつ、ホッケーの練習の合間にリンクを借りる形で練習を行っていた。
フィギュアスケートのセッションが終わる頃、入れ替わるように、ホッケーの防具の入った人間の体ほどもある大きなバッグを持った男の子たちがどやどやと入ってくる。彼らはまだリンクに残って練習をしているフィギュアスケーターを見ると、女子スケーターの真似をして足をあげてみたり、回転するふりをして、お互いにからかい、笑い合っている。そして、着替えを終えたウィアーが通り過ぎる時にも、お互いに顔を見合わせてにやにやしている。アメリカの国内選手権で一、二位を争うフィギュアスケーターが近くにいることへの恥じらいではなく、女子のスポーツをする大人の男に対する嘲笑である。

ジョニー・ウィアー
サン・バレーのアイス・ショーにて
（著者撮影）

何日も通っていると、彼らも毎回そういう態度をとるわけではないことがわかる。まったく別のことに関心があってフィギュアスケートなど眼中にないという日がほとんどなのだが、悪ノリが始まるとそうやってふざけることがあった。これは何もここだけの話ではない。知り合いのスケート関係者の話によれば、アメリカではフィギュアスケートは女子のスポーツというイメージが強く、スケートをする男子のことをはやしたてたり、いじめの対象にすることもあるのだという。まして、ウィアーのような中性的な容姿であれば、なおさらであろう。性差別は一朝一夕で起こるわけではないのだ。

羽生結弦に受け継がれる「美」

ウィアーが試合に出ると、日本のテレビは「美の伝道師」、「美の使徒」などの肩書きをつけた。実況でもコメンテーターが「美しい」という形容を何度も使う。「上手」とか「強い」の前に、まず「美」が全面に出てくる稀有なスケーター。それがウィアーだった。恵まれた容姿のみならず、彼の美意識から生まれる芸術的なスケート、その指先まで神経が行き届いたしなやかな動きも含めて、彼は「美」の称号を受けていたのだろう。

自宅から車を運転してリンクにやって来て、練習が済むとまた自宅に帰るだけなので、多くの選手はトレーニングウェアーなどラフな格好でセッションにやってくる。だが、ウィアーはちがっていた。毎日服のコーディネートを変えてくるのだ。サングラスをかけ、冬には毛皮のコートや高級なダウンを着こなし、夏にはショッキングピンクのベルトや銀色の靴など小物を小粋に使いこなしていた。スケート靴の入った大きなボストンに、当時人気だったバレンシアガのバッグを洋服に合わせてセレクトしていた。スケート靴のブレードカバーはルイ・ヴィトンの特注品である。お洒落が大好きで、試合の遠征先で高級ブランド品のショッピングを楽しんだり、ファッションモデルを務めるなど、「軽薄」（"flamboyant"）な印象を与え、アメリカスケート連盟と確執もあったらしい。

取材の合間に、化粧品やお気に入りのアロマキャンドルの話をしていると、彼の美意識があまりにも高いので驚かされることがあった。ダウンタウンのバレンシアガのブティックで偶然に会って、バッグの色のアドバイスを受けたこともある。こちらの持ち物や髪型もよく見ていて変化を見逃さない。ファッションに対する感度も高く、話題が豊富なので「ジョニーとガールズ・トーク！」という特集を組ませてもらったこともある。こうした美意識がウィアーの優美な演技につながっていたのだ。

ジョニー・ウィアー
練習拠点のスケート場の前で
（著者撮影）

羽生結弦は、ウィアーに衣装のデザインをお願いしたことが一度ならずある。たとえば、ソチ五輪で金メダルを獲得した時のフリープログラムの衣装がそれである。いまでも羽生の衣装は現役時代のウィアーの影響を感じさせる。実際、羽生はこの先輩スケーターへのオマージュを込めて、平昌五輪二連覇を果たした後の二シーズンの試合で、ウィアーの名プログラム「秋に寄せて」（"Otonal"）で滑った。羽生は強いだけではなく、フィギュアスケートに「美」を追求することも忘れない。そして、彼の求める「美」の源泉にはウィアーがいるのだ。

シャボン玉の中の幼少期

スタイリッシュなウィアーであるが、実は彼の故郷はとうもろこし畑の広がる田舎である。ニューヨークの中心街から車で三時間ほどの距離にあるペンシルヴァニア州クオリヴィール。ウィアーがスケートの才能を見出され、本格的な指導を仰ぐため隣のデラウェア州に移った十二歳まで暮らした町だ。列車も一日一本しか通らず、すぐ近くを宗教的規律に基づいて文明の利器に極力頼らずに自給自足の生活を続けているアーミッシュが、バギー（一頭立て四輪馬車）に乗って通り過ぎて行く。当時毎日のようにニューヨークにくり出していたお洒落な彼からは想像できないような場所だった。

大きな空と人間の背丈ほどもある青々としたとうもろこし畑が続き、その中に時折十し草を貯蔵する銀色のサイロがある以外、何もない。あるのは、大きな真っ青な空だけである。風が吹くと、とうもろこしが揺れるざわざわとした音だけが聞こえる。時が流れているのを忘れてしまいそうな瞬間だった。

小さい頃は本当に幸せだったって記憶しているよ。僕は田舎に住んでいたんだけど、まるでシャボン玉の中に住んでいるみたいだった。僕は何も知らなかったんだよ。デラウェアに引っ越した時、はじめてポップスを聞いたし、はじめて肌の色のちがう人のいる学校に通った。僕はそれまで黒人にも、アジア人にも、ユダヤ人にも会ったことがなかったんだ。そこは白人だけの世界で他から隔絶されていて、僕らは本当にクオリヴィールの外にあるものは何も知らなかった。だから、そのシャボン玉にいたということだけを覚えているよ。そこでは何もかもが完璧だった。……それからは、もうあまり子どもではなくなったんじゃないかと思う。デラウェアに引っ越した時、まるでまったく新しい人生が始まった感じだった。何もかもがちがっていたんだ。ちがった音、ちがった感覚、ちがった隣人。……子どもの頃、毎日を楽しんでいたことはいつだって僕の心に蘇ってくる。僕は朝の五時に起きて、森を駆けまわっていたんだよ。[2]〔※1〕

クオリヴィールを訪れた後に故郷について尋ねると、彼は嬉しそうな顔をして、そんなふうに答えた。彼の無垢な幼少時代が目に浮かぶ。スケートの才能は彼をデラウェアへ、ニューヨークへ、そして世界へと導いていったのだ。彼は何を得て、そして、何を失ったのだろう。目の前の緑色の瞳はまだシャボン玉の世界の残像を残しているかのように優しく、美しかった。

ＬＧＢＴの聖地、グリニッチ・ヴィレッジ

二〇〇九年の十二月。バンクーバー冬季五輪まで二か月を切ったその日、私は、グリニッチ・

ヴィレッジにいた。ワシントン・スクエアから七番街方面を目指して歩いていたのである。ウィアーに取材した帰り道だった。ニューヨークの最新情報に詳しい彼が薦めてくれたレストランに向かって急いでいた。

階段が外側に取り付けられているアパートメントなど、現在も十九世紀の面影をとどめているこのグリニッチ・ヴィレッジ周辺は、かつては芸術家の住む町であった。

ワシントン・スクエア西方の小さな地区では通りは錯綜し、折れ曲がって「プレイス」と呼ばれる小さな道を形成している。この「プレイス」は変わった形で曲がっていた。ひとつの道を行くとその道は一度か二度交差する。ある芸術家がこの通りで価値ある可能性を思いついた。想像してもごらんなさい。絵具や画用紙やキャンバスの請求書を手にした取り立て人がこの道を通り、一セントも取り戻さないまま同じところに戻ってきてしまったところを！

そして、風変わりな古いグリニッチ・ヴィレッジへと、芸術を志す者が北向きの窓と十八世紀の切妻風とオランダ風の屋根裏部屋と安い家賃を求めて迷い込んできたのである。(3)〔※2〕

これはアメリカの短編の名手O・ヘンリーが書いた短編小説「最後の一葉」（"The Last Leaf," 1907）の冒頭部分である。「芸術家村」（"colony"）と呼ばれたマンハッタンのこの地区で共同のアトリエを持ち、同居する若い画家志望の女性スーとジョンジー。ある日、ジョンジーがひどく重い肺炎にかかり、窓の外に見える蔦（つた）の葉がすべて散った時に自分も死ぬのだと思い込む。そんなジョンジーのために、ある嵐の晩、ふたりの階下に住むベアマン老人が散ってしまった最後の一葉を壁に描き、そのことが原因で肺炎にかかり亡くなるという話である。O・ヘンリーの短編の中でも特に有名な作品で中学校の英語のテキストなどにも出ているので、知る人も多いだろう。

ワシトン・スクエア界隈にはいまもこの物語の舞台となったアパートメントが残っていて、その中で人々が日常生活を送っている。傑作を描くと豪語しながら着手することなく月日が流れ、この大都会で夢破れた夥しい数の落伍者のひとりであったベアマンも、そのドイツ語訛りの英語から若かりし頃に画家を志してこのグリニッチ・ヴィレッジに移民としてやって来たのだろう。

O・ヘンリーの「最後の一葉」のモデルとなったアパートメント（Grove Court）

かつては芸術家志望の若者が全米各地、そして世界中から移り住んだこの町は、同時に全米屈指のゲイタウンとしても知られる。特に、ワシントン・スクエアから七番街に向かう際に行き当たるクリストファー・ストリートは、カフェやレストランもさることながら、LGBT専門のアダルトショップが立ち並び、レインボーフラッグがひるがえる中、同性のカップルが腕を組んで通り過ぎていく。LG

BTとは女性同性愛者（lesbian）、男性同性愛者（gay）、両性愛者（bisexual）、出生時の性と自認する性との間に違和感を持つトランスジェンダー（transgender）の総称である。

ストーンウォールの反乱（1969. 6. 28）

ふと、この通りに面した黒い鉄製の洒落たアーチ型のエントランスのある公園が目に入る。公園と言ってもさほど広くはない。公園を囲む黒い鉄柵に沿うような形でレンガ造りの床に並んだいくつものベンチが向かい合い、その柵の近くに無造作に植えられた木々や草の緑や花々が目を楽しませてくれる。公園というよりも市民が憩う場といった風情だ。だが、私の目を捉えたのは、町に溶け込んだその公園ではなく、ベンチの近くに設（しつら）えられた真っ白な等身大の二組の像であった。

ひと組は立っており、もうひと組はベンチに腰かけている。近くに行って見てみると、立っている二体の像は男性同士で、片方の男性が相手の肩に手をかけている。片手を相手の手に添えながら、ベンチで語り合うもう二体の像は女性同士である。この白いモニュメントが設置されているのはクリストファー・パークという公園である。そこからはストーンウォール・インというゲイバーが見える。三島由紀夫がニューヨークを訪れた際、入店を拒否されたという逸話が残っている店である。[4] 実は、このバーこそ、ストーンウォールの反乱でその名を歴史に刻んだ場所なのである。

一九六九年六月二十八日の夜に起こったストーンウォールの反乱は、このゲイ・バー、ストーンウォール・インに警察が踏み込み調査に入った際、その場に居合わせたＬＧＢＴの人々が警察に真っ向から抵抗を示した最初の暴動であり、以後のＬＧＢＴの人々への迫害に対する一連の運動のきっかけとなった。この反乱の背景には六〇年代のアメリカ社会におけるＬＧＢＴの人々への差別がある。自由の国でありながら、同性愛者であることが露見すれば解雇も違法ではなく、同性愛間の性交渉があった場合には罰金刑や自由刑が科されるという通称ソドミー法が横行していたのである。

白い石膏（せっこう）の像はニューヨーク出身の彫刻家ジョージ・シーガル（George Segal, 1924-2000）が、一九八〇年にストーンウォールの反乱を記念して制作した、その名も「ゲイ解放運動」（"Gay Liberation"）という作品だ。

クリストファー・パークの「ゲイ解放運動」の像
（著者撮影）

II

「ノートル＝ダム・ド・パリ」カジモドに重ねて

ジョニー・ウィアーはアスリートというよりもアーティストの要素の強いスケーターである。彼がグリニッチ・ヴィレッジを好むのは、「スポーツの試合というよりも、美術館の中で目にする芸術作品のように僕のスケートを見てもらいたい」と語ったその感性がこの周辺に漂うアーティスティックな空気と呼応するからなのだろうか[5]〔※3〕、あるいは、LGBT解放運動の発祥地であるこの町特有の雰囲気のせいなのだろうか――情趣豊かな古い町並みを見渡しているとそんな疑問がよぎった。ウィアーは二〇一〇年に上梓した自伝の中でゲイであることを公表したが[6]、以前から女性と見紛う美貌や醸し出す中性的な雰囲気からゲイではないかと囁かれてきた。

オープンで歯に衣着せずに自分の意見を言う正直さとインタビュー中こちらが差し出すICレコーダーを「持っていてあげるよ」と自ら手にして話をしてくれる優しさや心の細やかさ、そして相手が何を考えていてどうして欲しいのかをすぐに理解できる繊細な感性とが共存する彼は試合終了後、常に取材陣に取り囲まれる人気者だった。だが、こちらの質問から脱線することなく、立て板に水のようにウィットを交えて話すウィアーが珍しく核心を話さなかったことが一度だけあった。

それは、二〇〇八年十月、ウィアーにとってシーズン初戦のスケートアメリカの本番直前に取材していた時のことだった。そのシーズン、ウィアーはフリープログラムで「ノートル＝ダム・

ド・パリ」（"Notre-Dame de Paris"）を滑った。このプログラムはフランスのロマン派を代表するヴィクトル・ユゴー（Victor Hugo, 1802-1885）の一八三一年に刊行された同名の長編小説をベースにしたミュージカルの音楽を使用している。

ひとつ目で足がよじれ、背中が奇妙に歪んだ、誰もが顔をそむけるほど醜い鐘つき男カジモドが美しいジプシーの娘エスメラルダに無償の愛を捧げる物語である。このプログラムを滑るにあたって、ウィアーは醜いために人に自分を曝け出すことを怖れるカジモドの気持ちを表現したいのだと語った。長い睫毛にふちどられた緑の瞳でこちらを見つめる、まるで少女漫画から抜け出てきたかのようなロマンティックな顔立ちの美青年と醜いカジモドの恐怖心。そのふたつが結びつかずに戸惑う私に、ウィアーは「誰の中にもカジモドは存在するよ」と語り出した。

誰にでも恐れたり、正しくないと感じるものがあるんじゃないかな。とても美しいのに、どす黒いものを内に秘めているという人もいるだろうね。あるいは、美しくても顔にシミがひとつあるだけで、その人が考えることはその一点のシミだけ、ということもあるよね。だから、誰にでもびくびくしてしまうもの、世間に開示するのがこわいものが何かあるように僕には思えるんだ。(7)〔※4〕

いつもの核心に触れる答えではなく、相対化した抽象的な答えに釈然としなかった。だが、いま思えば、おそらくこちらの問いに対するウィアーの、それがせいいっぱいの説明だったのだろう。おそらく、その時の私は、彼の抱えている闇の部分に知らずに触れてしまったのだろう。彼の心からいつも離れない一点のもの、世間に知られるのを恐れるもの――それは現役時代には決して公表することのなかった彼の性的嗜好（しこう）だったのかもしれない。彼が演技中に見せる、どこか物憂い眼差しは、人に語れぬ何かを内に秘めた者の表情だったのではないだろうか。それは、あるいは、多文化共生の底に覗かれる亀裂のようなアメリカそのものの闇にも繋がっているのかもしれない。

フォールン・エンジェル（堕天使）

それから二年後の二〇一〇年二月、カナダのバンクーバーで開催された冬季五輪にウィアーは出場した。もう十年前になるが、われわれ日本人にとっては、女子シングルでトリプルアクセルに挑んだ浅田真央（一九九〇年―）が銀メダル、浅田とライバル対決などとテレビを賑わせた韓国の金妍兒（キムヨナ）（一九九〇年―）が優勝し、男子シングルでは三位の高橋大輔（一九八六年―）が日本男子フィギュアに初の五輪のメダルをもたらした心に残る大会であった。勝敗が決まるフリースケーティングで感動的な滑りを見せた高橋。その次に登場したのがウィアーであった。高橋が表彰台に乗るか乗らないかはこのウィアーと最後に滑るロシアのエフゲニー・プルシェンコ（Evgeni Plushenko, 1982-）の演技にかかっていた。メダルの行方が気になって、高橋が滑り終わった後もチャンネルをそのままにしていた日本の視聴者は多かったことだろう。

この時、ウィアーが演じたのは「フォールン・エンジェル」であった。五輪シーズンの夏にアメリカで取材をした際、彼はこのプログラムのキャラクターである「堕天使（フォールン・エンジェル）」をスケート界における自分の境遇に重ね合わせてこう語っている。

> フリープログラムでは僕はフォールン・エンジェル（堕天使）だよ。それは僕。競技生活において何度も僕に起こってきたことなんだ。……とにかく僕の国では、人は僕の悪口を言うのに飽き足らない。だから、僕はこのキャラクター（堕天使）をはっきりと理解しているし、実物に迫ることができたらいいなと思うよ。だって、それって僕が感じていることだから。……フリープログラムは僕そのものなんだもの。[8]〔※５〕

多くのファンを持つ彼が感じる疎外感――話を聞いた時にはどういうことを指しているのかつかみかねたが、それは彼が受けていた無言の差別ではなかっただろうか。ウィアーはショートプログラムと同様、フリープログラムでも美しく完璧な演技で観客を魅了した。多くの観客が高得点を期待した。ところが、その演技に出た得点は観客が肌で感じ取ったスコアよりもはるかに低いものだった。瞬く間に会場からは大ブーイングが起こった。ウィアーの瞳は得点を知った瞬間にその色を失った。だが、持ち前の人柄のよさですぐにその唇に笑みを浮かべ、コーチとともに選手が得点の発表を待つ席キス＆クライから、異議を唱える人々の興奮を鎮める仕草をして場を和ませた。

総合六位に終わったバンクーバー五輪であったが、世界中で放映される五輪でのウィアーの演技や態度を見て、スコアには反映されない彼の魅力に多くの人々が気づき始めた。コピーライターの糸井重里（しげさと）（一九四八年─）もそのひとりだ。ウィアーのことを「芸術の定義そのものがそこにいた、という感じです。メダルだ、得点だ、観客だ、国だ……どれも、この人には関係ないよ、という印象に見えました」と評し[9]、その後、糸井主催の『ほぼ日刊イトイ新聞』上で対談するなど親交を結んだ。

Ⅲ

ウィアー、そしてワイルド

五輪をきっかけにウィアーは一躍時の人となった。メディアでもセレブのパーティーでもひっぱりだこになり、ファッション誌にも載り、ＣＤデビューまで果たした。アメリカには「ファミリー向けではない」という理由でウィアーを決して出演させないアイスショーもあったというが、このあまりにも低い得点を出したことも、ゲイに対する偏見の表れであるとウィアーは捉えている[10]。高らかに自由を謳いながらも因習的偏見が根強いアメリカという国のもうひとつの顔がこのジョニー・ウィアーというひとりのスケーターから浮かび上がってくる。

ウィアーは、当時の男子スケーターでは珍しいラインストーンがちりばめられた煌（きら）びやかな衣装を身につけ、女子が好んでよく滑る曲をプログラムに選ぶなど、常に自分の考えを尊重した。

ショーの後にファンに囲まれるジョニー・ウィアー（写真提供 Cuties on Ice）

くり返しになるが、そのためにアメリカスケート連盟と折り合いがつかないこともあった。刺激的な彼の言動はメディアには歓迎される一方、眉をひそめる者も少なくなかったのである。

「独創的であれ」（"Be unique."）とよく口にする彼は、スケートをやっていて一番よかったことは「人とちがうことは大丈夫だって学んだこと、そして自分自身を表現することは素晴らしいということを学んだこと」と話している。[11]〔※6〕これは多勢と異なることで苦しんできた者が前を向いて生きるために培った真実の言葉なのだろう。ウィアーにとって「自分自身であること」がスケートなのであり、それこそが生きる真髄なのである。その姿勢は、十九世紀末のイギリスで同性愛の咎ですべてを失い、獄中生活を余儀なくされたオスカー・ワイルドが作品の中でくり返し「自分自身であれ」（"Be yourself."）と綴った時の姿と重なる。[12]

ワイルドが生きた十九世紀末のイギリスでは同性愛はキリスト教で禁じられた重い罪とみなされていた。貴族の美青年アルフレッド・ダグラス（Alfred Douglas, 1870-1945）との同性愛の関係が明るみになった時、ワイルドの身を案じた友人たちは国外逃亡を勧めたが、彼は友人たちの助言を拒み、従容と二年間の重労働刑を受け、出獄後二年でパリの安宿で亡くなった。ワイルドが命を懸けて守りたかったもの――それは人が自分の心に正直に生きることの自由であった。

オスカー・ワイルド
(1882年)

男性的なアスリート像を求める連盟に背き、自己を貫き通すウィアーは、バンクーバー五輪での不当な採点と、彼には性別判定テストが必要だと揶揄したカナダのスポーツ番組のコメンテーターに対する抗議のための記者会見を開き、次のように述べた。

もちろん、僕がこの記者会見を開いたのは、ケベックのふたりのコメンテーターが僕について誤った発言をしたことに抗議するためです。このふたりは、僕のスケートではなくて僕という人間を批判したのだと感じました。……僕の両親は、自分らしく生きることを許してくれました。僕に自由を与え、自分を信じることを教えてくれました。……この厳しい時代に生きているからこそ、いまが絶対に自由になるべき時です。みんながそれぞれ独自の存在に

なり、自分の生き方を信じるべき時なのです[13]。〔※7〕

ウィアーが話し終えると、会場からは拍手が起こった。一世紀以上前に同性愛を巡る裁判でワイルドが男性同士の愛を「最も高貴な愛の形」と語り、「世間はその愛を理解しないのです。世間はその愛を嘲り笑い、時にそのために人を刑具にかけるのです」と堂々と語った時も、法廷には拍手が鳴り響いた[14]。〔※8〕

もちろん、ワイルドが生きた十九世紀末のイギリスと現代のアメリカとではＬＧＢＴの人々を取り巻く環境は大きく変化しただろう。しかし、変わっていない部分もある。このグリニッチ・ヴィレッジ界隈には、一九六七年の創業から二〇〇九年に閉店するまでＬＧＢＴ解放運動の拠点となったＬＧＢＴ関連の書籍を扱う書店があった。その名も「オスカー・ワイルド書店」という。書店はなくなったが、自己を貫いて早世したワイルドは当時もいまも性差別と闘う人々の英雄であり続ける。ウィアーもまた記者会見終了後にＬＧＢＴの団体に歓迎を受けたが、彼の生き方もまた偏見に苦しむ人々に勇気を与えたはずだ。

春の陽射しのなかで

グリニッチ・ヴィレッジを再訪した。春の花が咲き、柔らかな陽射しに包まれたクリストファー・パークに立ち寄ってみる。二〇一六年六月二十五日にオバマ前大統領がストーンウォール・インから周辺八エイカーをＬＧＢＴの権利擁護運動における初の国定文化遺産保護地域に指定し、いまでは歴史の町となったこの界隈であるが、その日はこのすぐ近くで暴動が起きたとは思えないほど静かな午後だった。ベンチに腰掛け、陽光を浴びている隣の白い女性像に触れてみる。この像には差別にさらされ、立ち向かうマイノリティの人々の闘争の歴史が刻まれている。彼らの闘いは過去のものではなく、いまも続いている。スポーツの世界とて例外ではないのだろう。

ウィアーはバンクーバー五輪以後、弁護士の男性との結婚、そして離婚を経験し、二〇一三年に引退を表明。現在はアメリカの三大ネットワークのひとつＮＢＣ放送でコメンテーターを務める。ゲイであることを逆手にとった奇抜な衣装と明解なコメントが米国で多くの視聴者の支持を得ており、日本でも毎年アイスショーに呼ばれている。

ふとウィアーがかつて故郷のクオリヴィールについて語った言葉を思い出す。

いまはニューヨークのすぐ近くにいて、いま住んでいるところが僕は大好き。……でも、年をとったら、故郷に戻ると思う。だって、どんなに長い間離れていたってあそこが僕の家だから。たとえ髪型が変わったって、他の誰ともちがう服を着ていたって、それでも、あそこは僕の故郷であることに変わりはない。だって、クオリヴィールでは、何もかもが美しくて、何もかもが緑で、そう、何もかもがおとぎ話の世界みたいなんだ。だから、いつか僕はクオリヴィールに戻るつもり。でも、いまはニューヨーク。そして、年をとったらクオリヴィールに戻るつもり。とにかくそれが僕の夢。僕の子ども時代は幸せだった。それ以上望むことなんて何もなかった。僕はあそこでは夢だけを見ていられるんだ。[15]〔※9〕

あれからずいぶん時間が経過した。灰色の摩天楼の隙間からわずかに顔を覗かせる空は、ウィアーの故郷に広がるあの大きな青い空とはまるでちがう。いつの日か彼が故郷で暮らす日がきたら、ニューヨークでの日々を彼はどんなふうに思い返すのだろう。

[註]

(1)『日本人選手が選ぶもう一度見てほしいエキシビション』フィギュアスケートグランプリシリーズ2012　エキシビション」テレビ朝日、二〇一二年十二月九日放送。

羽生は少年時代、ロシアのエフゲニー・プルシェンコ（二〇〇六年冬季五輪金メダリスト）とジョニー・ウィアーを憧れのスケーターとして挙げていた。実際、二〇一八―二〇一九シーズン、二〇一九―二〇二〇シーズンの羽生は、ショートプログラムをウィアーのかつての名プログラム「秋に寄せて」、フリープログラムをやはりプルシェンコの名プログラムである「ニジンスキーに捧ぐ」(羽生のプログラム名は「Origin」）に決め、ふたりへのオマージュと感謝を込めて試合に臨んだ。

(2)「"I Heart Quarryville"『わが心のクオリヴィール』――ジョニー・ウィアー、故郷について語る――」、『フィギュアスケートDays Plus 2010-2011男子シングル読本』（ダイエックス出版、二〇一〇年）。

（3）O・ヘンリーの「最後の一葉」（"The Last Leaf," *The Best Short Stories of O. Henry*, Kaibunsha, 1956）からの本文中の引用はすべて著者の訳による。

（4）「三島由紀夫のストーンウォール」『まだ言うか　Still Wanna Say? 北丸雄二の New York Journal』http://www.kitamaruyuji.com/stillwannasay/2006/12/post_9.html、二〇〇六年十二月二日更新。

（5）「ジョニー・ウィアー　美を結晶させたスケート」、『フィギュアスケート Days』Vol.10（ダイエックス出版、二〇〇九年）。

（6）Johnny Weir, *Welcome to My World* (Gallery Books, 2011).

（7）「ジョニー・ウィアー　氷上に描く、鐘つき男の愛」、『フィギュアスケート Days』Vol. 8（ダイエックス出版、二〇〇八年）。

（8）「ジョニー・ウィアー　美を結晶させたスケート」、『フィギュアスケート Days』Vol. 10（ダイエックス出版、二〇〇九年）。

（9）糸井重里、「今日のダーリン」、『ほぼ日刊イトイ新聞』https://www.1101.com/archive_darling、二〇一〇年二月二十日更新。

（10）『Be Good Johnny Weir 3』新書館、二〇一〇年。

（11）「ジョニー・ウィアー　美を結晶させたスケート」、『フィギュアスケート Days』Vol. 10（ダイエックス出版、二〇〇九年）。

（12）Oscar Wilde は誰もが美を享受する社会への望みを託した社会主義論「社会主義下の人間の魂」

（“The Soul of Man Under Socialism,” 1891）や獄中でダグラス宛てに綴った手紙で死後に刊行された『獄中記』（*De Profundis*, 1905; complete edition; 1949, further complete edition; 1962）などでイエス・キリストの考えとして“Be yourself.”という概念を説明している。

（13）『Be Good Johnny Weir 3』新書館、二〇一〇年。

（14）H. Montgomery Hyde, *The Trials of Oscar Wilde* (Dover, 1962).

（15）「“I Heart Quarryville”『わが心のクオリヴィール』――ジョニー・ウィアー、故郷について語る――」、『フィギュアスケートDays Plus 2010-2011 男子シングル読本』（ダイエックス出版、二〇一〇年）。

4. ドラマ『セックス・アンド・ザ・シティ』
――マンハッタン、女たちの物語

第4章

1. キャリーのアパートメント所在地（撮影現場）
ドラマの設定では東73丁目245番地

2. マグノリアベーカリー (Magnolia Bakery)

3. パスティス (Pastis)

「社会現象」となったテレビドラマ

「見事に女性ばかり……」ニューヨークでとあるツアーに参加した私は、集合場所にやって来た顔ぶれを見て溜息をついた。午前十一時。夏が暑いことで有名なニューヨークでも、その日は陽射しが容赦なく照りつけていて、立っているだけでも体から湯気が出てきそうだった。そのツアーの名前は「セックス・アンド・ザ・シティ・ホットスポッツ・ツアー」。今から十年近くも前の話である。

ドラマを専門とするアメリカのケーブルテレビHBOが制作した『セックス・アンド・ザ・シティ』(*Sex and the City*) は一九九八年に初めて放送されて以来、世界中の女性たちの共感を集めて大ヒットとなり、最終話が終了した二〇〇四年以降もくり返し再放送され、ケーブルテレビ史上初のエミー賞受賞、さらにはゴールデングローブ賞にも輝いたドラマである。『ビバリーヒルズ青春白書』(*Beverly Hills, 90210*, 1990-2000)、『メルロー

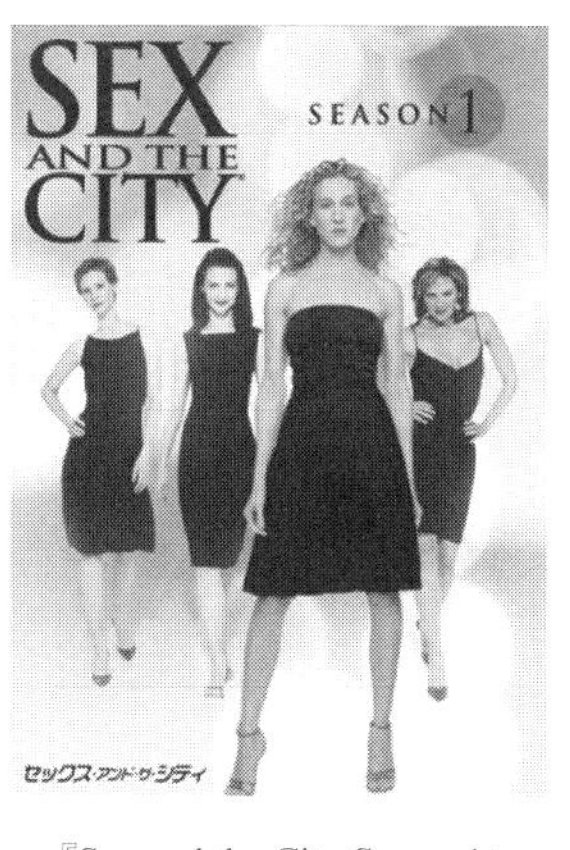

『Sex and the City Season1』
プティスリム [DVD]
(©パラマウントホーム エンタテインメント ジャパン)

ズ・プレイス』(*Melrose Place*, 1992-1999, 2009-2010)など、九〇年代を代表するアメリカの人気テレビドラマを手がけたダーレン・スター(Darren Star, 1961-)が番組のエグゼクティブ・プロデューサーを務めていただけのことはある。

ニューヨーカーにとって、タイトルのザ・シティ("the city")は通常の「町」や「市」という意味ではなく、ニューヨーク市の五つの行政区の中で中心となる「マンハッタン」を指す。エンパイア・ステート・ビルディングやロックフェラーセンター、ブロードウェイ、世界を代表する金融街ウォールストリートなどで知られるマンハッタンは、まさにニューヨークの顔である。『セックス・アンド・ザ・シティ』はタイトルから察せられる通り、このマンハッタンを舞台にニューヨーカーの恋愛事情を描いた作品だ。主役はお洒落で魅力的な四人の三十代の女性である。このラブコメディは、日本でもNHKなどで放送されて高視聴率を獲得し、その後もドラマ専門チャンネルでくり返し放送されている。また、同じキャストで二〇〇八年、二〇一〇年と二度も映画化されている。

しかしながら、このドラマが「社会現象」とまで言われたのは、人気や視聴率の高さのためだけではない。むしろ、その内容が、ある種の衝撃を社会に与えたからにほかならない。ドラマは合計で六シーズン放送されたが、一シーズンは一話完結型の三十分のドラマが、十八回ほどで構成されている。彼女たちは土曜日に話題のレストランでブランチをとりながら、それぞれが現在進行中のセックスライフや、それにまつわる悩みやおのろけを赤裸々に語り、聞いている残りの三人も包み隠さずに、自らの経験や近しい人の体験談を交えながら、忌憚(きたん)のないアドバイスをする。たとえば、同棲中の彼が扉を開けたままで用足しをすること、あるいは、他は完璧なのにベッドの中では満たしてくれない彼のことなどである。各話にはタイトルがついているが、「セックスの採点表」（"Was It Good for You?"）、「セックスの相性」（"Great Sexpectations"）、「セックスと恋愛の両立？」（"What's Sex Got to Do with It?"）など、官能小説でもかくありきかという露骨な表現が実にさらっと使用されている。

放送当初はそうしたあからさまな性表現に不快感を示す人も少なからずいた。しかし、やがて視聴者である女性たちの多くは、誰にも言えずそっと胸にしまいこむしかなかった自分の性の問題をテレビの向こうの四人と共有し、まるで彼女たちと友人であるかのような親密感を覚えたのである。これはアメリカ国内に限ったことではなく、ヨーロッパにおいても日本においても同じであった。

こうして世界中の女性たちを味方につけた四人が闊歩（かっぽ）するニューヨークにも、視聴者の注目が集まるのは自然な流れだった。流行に敏感な彼女たちが集うスタイリッシュなカフェやレストラン、訪れる店や建物はマンハッタンに実際あるものばかりである。ニューヨークとファッションをこよなく愛するフィギュアスケーターのジョニー・ウィアーも、このドラマの大ファンだ。二〇二〇年の三月二十日付の自身のTwitterでも、このドラマを見れば当時の事情がわかるから と、シリーズ全体を見ることを若者たちにすすめている。(1) 取材の合間に、このドラマの話をした時には、こんなふうに語っていた。

マグノリアベーカリー本店

『セックス・アンド・ザ・シティ』は、ファッショナブルだから好きなんだ。僕はアメリカの東海岸の出身でしょう？　日本でも東京の人は東京を、名古屋の人は名古屋を誇りに思うだろうけど、それと同じように、僕たち東海岸の人間は、東海岸のすべてに誇りを持っているんだ……『セックス・アンド・ザ・シティ』はニューヨーク市でしょう？　僕たちにとってアメリカの中心はニューヨークで、僕の街があんなに素敵な方法で描かれているところがすごく気に入っているんだ。(2)〔※1〕

やはりお洒落とニューヨークは、ドラマの大切な要素なのだ。四人の主人公の中でも一番の中心人物であるキャリーのアパートメントもマンハッタンに存在する。キャリーの大好物であるカップケーキを売るマグノリアベーカリーは、ダウンタウンのウェスト・ヴィレッジに本店があるが、このドラマのおかげで観光客が多く訪れるミッドタウンに店舗を増やし、観光名所の仲間入りをした。マグノリアベーカリーは日本にも進出を果たし、二〇一四年、東京の表参道に国内唯一の店舗がオープンするや六時間待ちの行列ができるほどの話題になった。

セックス・アンド・ザ・シティ・ツアーに参加して

私がニューヨークで参加したツアーは、このドラマのロケ地となったレストランやバー、教会など計四十か所以上をバスで三時間半かけて回るというものであった。私は当日の参加者の中でただひとりのアジア人だった。オーストラリアやルーマニアなど欧米系の三十代から四十代の女性たちがガイドの説明を熱心に聞いている。女優の卵だという背の高い金髪の女性ガイドは少し演技がかった抑揚のある早口でツアーの概要を話していたが、途中で四人がドラマの中で訪れたポルノショップにも立ち寄って買い物が楽しめるのだと説明する時には、少しゆっくりともったいぶったような口調になった。ツアー客の女性たちは照れて顔を見合わせて笑いながらも「イエーッ！」とノリがよかった。しかし、なぜか私は彼女たちとわいわいしながらツアーを楽しむ気にはなれず、ひとりでバスの座席に腰かけ、窓の外を流れていくマンハッタンの街並みをみつめていた。

バスが見覚えのある教会を通り過ぎようという時、すかさずガイドが「この教会にみんな見覚えがあるでしょう？　そう！　サマンサがイケメンの聖職者に恋して教会で口説こうとするけれど、できずに終わる話がありましたよね、あの教会です！」と熱っぽく語る。たしかにそうだ。四人の主人公の中で他の三人より少し年上で旺盛な性欲で常にフレッシュな肉体関係を求めているPR会社経営のサマンサが聖職者に恋をした時のエピソード——サマンサは、信仰心に篤くお堅い彼と肉体関係を結ぶためにいろいろと画策し、柄にもなく教会に寄付までするのだが、望みは叶わない——があった。

　貪欲なまでに快楽を追求し、男性を一過性の新鮮な体験を与えてくれる性の道具としてしか見ないサマンサはおそらく日本ではあまり類を見ないタイプの女性であろう。「クーガー」（“cougar”）という言葉が一時期アメリカで流行したが、これは英和辞典に出てくる「ピューマ」、「アメリカライオン」などと呼ばれるネコ科の野生動物という一般的な意味を指してのことではない。若い男性を獲物のように狙い、つきあおうとする中年女性が増え、そのような女性のことを肉食で獰猛な「クーガー」にたとえるようになったのだ。サマンサは「クーガー」そのものである。大柄な体を派手な色のスーツに包み、大振りのアクセサリーを身につけるゴージャスな彼女の獲物は聖職者だけではない。ドアマンにウェイター、俳優の卵など職種を問わずに男を物色し、渉猟し、一夜の情事に燃える。経済的に自立しており、結婚願望も母親になる願望も持たぬ彼女にとって男性を測る物差しはただひとつ。精力的な雄という動物としての魅力に尽きる。

　だが、札付きの「遊び人」のサマンサにも悩みはある。男性との飽くなき享楽をより素晴らしいものにするために彼女は豊胸手術を考えるし、閉経したと思えば情緒不安定に陥る。そうした数々の悩みの中で最も深刻だったのが乳癌を患ったことだろう。癌が見つかった翌日は不運にも主人公のひとりであるミランダの結婚式だった。お祝いの席だからと気丈に振る舞うサマンサは、普段は四人の中で誰よりも我が強く奔放なだけに、これほど繊細で健気な面があったのかと観ている者は不意討ちを受ける。

さらに、その事実を知ったミランダが式の後の食事会で新郎の家族と卓を囲まず、サマンサに寄り添う場面は多くの視聴者の心に訴えた。男遊びは激しいが、自己に厳しく周囲を思いやる自立したサマンサ。その不安な気持ちを、自分の晴れの日であるにもかかわらず分かち合おうとするミランダ。ふたりの友情はお互いの人生をリスペクトし合う大人同士ならではのものだろう。

思えば、初期の『セックス・アンド・ザ・シティ』は四人の縦横無尽な性生活ばかりがクローズ・アップされていたが、最終シーズンであるシーズン6にもなると、ドラマのテーマも深刻さを帯びていく。このことは輝かしい男性遍歴に彩られた彼女たちも三十代後半にさしかかり、四十歳という節目を目の前にした、いわゆる「アラフォー」世代に突入したことと関係がある。ドラマはこの年齢特有の女性の微妙な心理に焦点を当て、その悩みを見事に浮き彫りにしていく。

同じ三十代でも女性にとって前半と後半とでは状況は大きく異なる。それは三十代後半の女性が妊娠と出産のタイムリミットという生物的な問題から逃れることができないからである。ツアーに参加した時の私の年齢は、シーズン6の四人の主人公たちとほぼ同じで、心の隅ではいつもこの生物学的なタイムリミットの問題が燻（くすぶ）っていた。私がこのツアーに軽い失望を覚えたのは、どこか浮ついた、好奇心いっぱいにはしゃぐ参加者たちの雰囲気と私が共感していたドラマの重たく深刻なテーマとがあまりにもかけ離れていたからなのだろう。

II

「負け犬」たちを味方に

アメリカで『セックス・アンド・ザ・シティ』の放送が最終シーズンを迎え、日本でもこのドラマが大旋風を巻き起こしていたさなかの二〇〇三年は『負け犬の遠吠え』という本が刊行されてベストセラーになった時期と重なる。この本は、結婚して子どもを持つ女性を「勝ち犬」、どれほど美人で仕事ができても三十代以上で未婚かつ子どもを持たぬ女性を「負け犬」と定義し、物議を醸し、「負け犬」は二〇〇三年の流行語大賞のベストテンに入った。タイトルの「負け犬」という言葉が、該当する女性を蔑（さげす）んでいるかのような誤解を受けたが、著者の酒井順子自身が、敢えて世間から見た自分のことを「負け犬」とし、「遠吠え」と揶揄されることを承知で、「負け犬」としての主張を世に訴えたエッセイであった。

たまに「子どものいない人にはわからないだろうけど」と、子どもがいるほうが物の道理がわかっているような言い方をする人がいるが、もちろん「子どものいる人にはわからない」得難い素晴らしい経験や喜びや悲しみもある。この本は、自立した女性への応援歌であると同時に、人生の価値をどこに置くかは人それぞれなのだから、未婚・既婚、子どもの有無という境界線で断絶しがちな女性同士は、相互理解して共生しようという内容であったと記憶している。不倫が「負け犬」を大量発生させ、「負け犬」の魅力を受け入れる器のない男性が日本には多いといった、男性にとっては耳の痛い指摘も随所に織り込まれ、新たな角度から日本の男女の問題を指摘してもいるこの本の著者が、実は『セックス・アンド・ザ・シティ』に自らを重ね、「負け犬」が世界中に多数生息している危機を感じ取ったことは案外知られていないのではないだろうか。(3)

選択肢を与えられた女たち

一九八六年、バブルの幕開けという楽観的なムードの中で男女雇用機会均等法が施行された。この時、『セックス・アンド・ザ・シティ』の主人公たちと同世代の日本の女性たちは二十歳になったばかり。私などはその少し後の世代であるが、幼少時には女性には選択の幅はそうないと思っていた。家庭に入って「専業主婦」になるか、いまではあまりにも時代錯誤な「オールドミス」という蔑称(べっしょう)を冠せられて独身に甘んじるか、幼い私にはどことなく哀切な響きに聞こえた「共働き」という三種類のスタイルしかないと漠然と感じていた。男女雇用機会均等法の出現は、そうした限られた「女性の生き方」に、「結婚」や「出産」は前提で、仕事を通して自己実現をするだけでなく、食事やお洒落など外での生活も楽しめる、いいことずくめの選択肢を与えてくれたように思えた。妻であり、母であり、デキる女であり、金銭的な余裕もある、実に欲張りな生き方を提案してくれているような、女性に〈新しい生き方〉や〈自由〉をもたらしてくれるような期待もあった。

しかし、実際には溢れる選択肢の前で何を選び取ったらいいのか、目の前に広がった〈自由〉という蒼い海の只中で私たち女性はどの方向へ進めば目的の陸にたどり着くことができるのかわからないまま、とにかく泳ぎ始めるしかなかった。そして、時にまったく方向違いのところに全力で向かっていたことに気がつき、ただ途方に暮れて波に身体を預けたまま漂う。

『セックス・アンド・ザ・シティ』は、そんな時代を泳いできた女性の等身大の心の闇をリアルに扱う。ニューヨークという街は、〈自由〉という近代の幻覚が溢れ出ているがゆえに人の心の闇を映し出すのかもしれない。

病魔に襲われた女傑（サマンサ）、エリート弁護士の格差婚（ミランダ）

ニューヨークは女たちを輝かせ、そして、それゆえこの大都会は女たちの身体に影を落とす。この街を泳ぎ渡るのに必死な女たちは、しばしば自らの肉体の微妙な変化に気がつかない。

恋人のスミスを人気俳優に育て上げ、彼の主演する映画のプレミアムにPR会社の社長として出席することになったサマンサ。レッドカーペットの上を若き恋人と腕を組んで歩き、多くのフラッシュを浴びる——まさに光の渦、人生の最高潮の晴れの日のために、豊胸手術を受けようと、医師の診察を受ける。その診察の間に、「しこり」が発見されるのだ。悪性だとわかり、サマンサは一気にスポットライトの当たる場所から死と隣り合わせの闇の世界へと落ちていく。

乳癌の摘出手術を受け、原因を尋ねると、遺伝でなければライフスタイル、すなわち出産経験のない女性は癌になる確率が高いとの回答が返ってきた。さらに再発防止の化学療法を受けるようにと言われるや、サマンサは怒りに燃え、女医を探すと啖呵（たんか）を切って病室を出て行く。出産すれば癌にならず、遊び人で子どものいない女には化学療法とは不平等ではないかと、自分の選んだ生き方で病気になったと言われたかのような錯覚を起こし、そんな不公平な考えを徹底的に排除しようと奮闘するサマンサのパワーはコミカルでさえあるが、かつては「家庭の天使」が理想とされた女性の生き方に反する人生を歩む者には、これほどまでに強固な自己肯定が必要なのかと考えさせられもする場面だ。

化学療法の副作用で髪は抜け落ち、汗まみれになるほど体が火照って苦しむ日々。自分らしくない鬘をかぶる鬱陶しさに我慢できないサマンサは、自らバリカンを手に潔く髪を刈る。乳癌の会で依頼されたスピーチでは、準備していた毒にも薬にもならないような話を途中でやめるや、自身の火照りの辛さがいまこの瞬間も続いていることを訴え、いきなり鬘をはぎとる。その過激かつ率直なパフォーマンスに、会場にいた同じ病に身体を蝕まれた女性たちは沸き、立ち上がり、鬘をとってサマンサに共鳴を示すのだった。

このドラマの主人公たちは、それぞれが理想の生き方を思い描いて努力をしているが、パートナーとの関係やタイミングなどで思わぬ展開を遂げるところもリアルだ。たとえば、ハーバード卒の弁護士として男性としのぎを削ってキャリアを積んできたミランダは、ショートカットでパンツスーツを着こなし、外見もいかにもデキル女という雰囲気を醸している。結婚や子どもなど眼中になく、孤独死まで覚悟していたのに、同情で再び関係を持つことになったバーテンダーの元カレとの間に子どもができてしまう。中絶も考えたものの、シングルマザーになる決断を下し、実践していたが、紆余曲折の末に子どもの父親と結婚することになる。さらに、一人暮らしの認知症の義母を見るに見かねて引き取る。当初予定していた自由だが孤独な人生とはまるで逆の道をたどることになるのだ。最もサバサバとしていたミランダが、図らずも人のために尽くす選択をする姿には心を動かされる。

「ルール・ガール」の誤算（シャーロット）

日本でも、かつて翻訳されて話題になった『ザ・ルールズ　理想の男性と結婚するための35の法則』[4]（*The Rules: Time Tested Secrets for Capturing the Heart of Mr. Right*, 1995）。理想の男性と結婚するには、「一緒にいて気楽ではあるが、自分のものになかなかならない」（"easy to be with but hard to get"）女性になるべきだと説き、そのためのルールを伝授したこの古風なマニュアル本は、一世を風靡（ふうび）した。列挙されたルールには、「同棲をしない」（"Don't Live with a Man"）、「彼とは週に一、二回以上は会わない」（"Don't See Him More than Once or Twice a Week"）、「既婚者とはデートをしない」（"Don't Date a Married Man"）などがある。『ザ・ルールズ』を信奉し、実践する女性は「ルール・ガール」（"a Rules Girl"）と呼ばれる。

この本をバイブルに、純愛を理想とするお嬢様で、才色兼備のシャーロットは、まさにその典型である。彼女は四人の中で最も結婚願望が強い。女性らしいエレガントな服に身を包み、五番街やマディソン・アベニューにある高級店でショッピングをする姿がぴったりの彼女は、不倫など言語道断、時間の無駄とばかりに言い寄る既婚者をにべもなくはねのけ、「幸せな結婚」という目標に向かって邁進（まいしん）する。

そんなシャーロットが、ついにロマンティックな出会いを果たし、電撃結婚に至る。ギャラリーでのディーラーの仕事も結婚を機に辞め、専業主婦として医師の夫人におさまる。ところが、ハンサムで家柄も地位も申し分のない彼は性的に問題があり、その上マザコンだった。妊活に励むシャーロットと子どもに執着のない彼との溝は埋めることはできず、あえなく離婚。その後、弁護士と再婚するも待望の子どもには恵まれず、不妊治療を何度試みても実を結ばない。養子縁組もなかなか成功しない。すべてにおいて勝ち組であった彼女が初めて経験した挫折が妊娠と出産である。努力だけではどうにもならないことがあることを彼女は知るが、それでも優等生の彼女は無力感に負けることなく、自分の選んだ道を信じて前を向き続けるのだ。

三十八歳、妊娠のリミットを目前に（キャリー）

中心人物のキャリーだけが例外で、生き方にこれと言った信念がない。『ニューヨークスター』紙に「セックス・アンド・ザ・シティ」というコラムを書くライターの彼女は[5]、友人たちと自らの恋愛から浮かび上がってくる潜在的な問題を文章にして綴る。ニューヨークに出てきた時、食事がままならずともファッション雑誌は買っていたというほどお洒落が大好きな彼女は、ハイブランドの服にストリートファッションを取り入れた絶妙なスタイリングで街を歩く。たとえば、ハイブランドのワンピースにニット帽やGジャン、チープなアクセサリーをつけるといった風に……。

何にもまして恋愛感情を優先するキャリーは魅力的な年上の富豪の実業家ミスター・ビッグに憧れてつきあい始めるが、離婚歴のある彼はどこか謎めいており、急にカリフォルニアに引っ越したり、別の女性と結婚したりする。その度にキャリーは傷つけられてきた。それでもキャリーは彼の男性としての魅力に屈せずにいられない。
ビッグにふり回されてきたキャリーではあるが、ある時期、一回り以上も年上のロシア人アーティスト、アレクサンドルの恋人になる。ふとしたことから彼が過去に結婚していたことが露見し、成人した娘がいるからもう子どもを作る気はないのだと断言される場面がある。この時、アレクサンドルはキャリーに子どもを作ろうと思ったことはないのかと質問する。冷や水を浴びせられたキャリーは「たぶん、いつかはって思ってたけど、まだ作るには至ってない」としどろもどろになって答える。そして、「今いくつ？　三十八歳？」と彼から矢継ぎ早に質問された瞬間(6)〔※2〕、いきなり銃で撃たれたかのような大きな衝撃を受けるのである。女性として子どもを作るチャンスの最終期限が迫っていることを強く認識させられたからだ。
このことですっかり動揺したキャリーは、日々妊活に精を出すシャーロットに相談する。だが、いざ相談してみても、子どもを作る気のない男とは別れるべきだとするシャーロットの忠告に素直に首を縦に振ることはできない。彼の才能や男性としての魅力には問題がないからだ。「この年で真剣なら、子どものこと話さなきゃ」と諭されても、「〝もう中年で時間がないの〟そう言って迫る？　男は絶対引いちゃう」と消極的だ。「あまりに怖くて自分に聞くのもイヤなのに。本当に子どもが欲しいなら、いままで努力したんじゃない？　ライターになりたくてなったし、バカみたいに靴が欲しいと思ったら買う手段も考えるのに」と、子どもについてはそれほど積極的ではなかった自分をふり返る。〔※3〕
そしてひとりアパートに戻り、デスクの上のパソコンに向かってコラムを書きながら自問自答するのである。

〝こうすべき症候群〟が女性に広がっているのではないだろうか？　子どもと完璧なハネムーンを私たちは欲していただろうか。子どももハネムーンも持つべきだと思ったのだろうか。すべきこととできないことはどう見分けるのか。世間のプレッシャーが原因ではなく、内側から湧き出てくる本能的なものなのか。なぜ〝こうすべき〟だということを優先してしまうのか。〔※4〕

キャリーのアパートメント

子どもとの思い出を懐かしそうに語る彼の顔を見て、やるせない想いに駆られたキャリーはサマンサに相談する。「他の人と経験したから私とはありえない。どうして私なの？」、「可能性はゼロ。彼とつきあっていたら、子どものいない人生になっちゃう」と、人生の不公平を嘆くキャリー。サマンサは「子どもがいなくても素晴らしいことが人生にはたくさんあるでしょ」と慰める〔※5〕。シャーロットほど強く子どもが欲しいわけではないが、サマンサほどサバサバと割り切ることもできない。そんなキャリーは子どもがいなくてもいいくらい十分に愛してもらえるのなら、彼とつきあい続けてもいいのではないかという結論に達する。

素顔のままで（本物の私とは？）

このドラマがあれほどの共感を生んだのは、「こうすべき」とか「これが正しい」という視点がないからではないだろうか。四人の主人公たち、それぞれが様々な立場の女性の意見を代弁し、中心的役割のキャリーはその狭間（はざま）で常にたゆたっている。さんざん迷った末、その時々の自分の心に正直な決断をして、それで失敗したら、また悩んで方向転換をし、〈自由〉という海の中を手探りで進んで行く。

多くの女性視聴者に好評だった「素顔のままで」（"the real me"）というエピソードは、そんなキャリーの生き方を軽いタッチで描く印象深い作品だ。

キャリーは、プロのモデルとスタイリッシュなニューヨーカーとが競演するファッションショーへの出演を持ちかけられる。しかも、「あなたほどニューヨークらしくてお洒落な人はいない」と太鼓判を押され、悪い気はしない。それでも、「私はライターであってモデルではない」と遠慮がちだ〔※6〕。キャリーが長年ファッションに多大な関心を持ってきたことを知る友人たちも出演をすすめる。キャリーは、モデルと一般人の区別もつかないと思われたくないと、出演に二の足を踏むのだが、ショーで着用した服を無料で提供してもらえるというおいしい話に自分を納得させて、ついに憧れのモデルとしてショーに臨むことを決意する。

ところが、待ちに待ったファッションショー当日、キャリーは失望を味わう。意気揚々と会場入りした彼女は、ノン・プロのエリアに案内され、出鼻をくじかれる。さらに、着用予定だったドレスは、プロのファッションモデルに回され、キャリーにあてがわれたのは、なんと宝石つきのパンティだった。さらに悪いことに、背の低さを補うために高いヒールの靴を履いていたキャリーは、ランウェイを歩き始めた途端、派手に転倒してしまう。倒れたキャリーの上を、後続のモデルがまたいでいく。衆人環視の中で恥をさらし、進退窮まる彼女に残された道はふたつにひとつだ。

選べる道はひとつ。こそこそと逃げて恥ずかしさのあまり私の中のモデルを葬り去らせるか、失敗も何もかも受け入れて起き上がり、最後まで歩き通すか。[7]〔※7〕

キャリーは立ち上がった。八〇年代のディスコブーム世代には懐かしいシェリル・リン（Cheryl Lynn, 1957-）の「ゴット・トゥ・ビー・リアル」（“Got To Be Real,” 1978）。そのパワフルなボーカルとノリのよいメロディに合わせて、キャリーは脱げたヒールを片手に歩き始める。

そして、それが私の選んだ道だった。一般人は人生でつまずいても、立ち上がって歩き続けるのだから。[8]〔※8〕

キャリーの姿に客席から拍手と歓声があがる。キャリーは吹っ切れた笑顔でプロのモデルとハイタッチをして、憧れのランウェイを歩き切る。

彼女の行動に勇気をもらった友人たちは、それまで心にひっかかっていた小さなわだかまりをそれぞれの方法で解決する。そして、キャリーも戦利品として手に入れた宝石つきのパンティをしまいこみ、モデルの自分と訣別し、一般人としての実人生に戻っていく。

どんなにファッションが好きでも、プロではない。本人も重々承知の上だったはずなのに、いざ大切にしてきた夢が一瞬にして崩れ去ることのいたたまれなさ。それも最悪の恥ずかしい状態で……。それでも立ち上がって笑顔で前に踏み出したキャリーの姿に、観ている者は胸がすくような爽快感を味わえる。大都会で生き抜く女性の強さに勇気づけられる。

〈自由〉の海を自力で渡ること――それは決められた航路を進むよりも、危険が伴う。だが、様々な冒険に満ちていてエキサイティングでもある。自分の判断ひとつで行く先々の景色はまるで異なる。道筋は女性の素顔の数だけあるのだから。

シンデレラストーリーに違和感——映画『セックス・アンド・ザ・シティ』

しかしながら、ドラマの最終話が終わってから四年後に公開された映画『セックス・アンド・ザ・シティ』(*Sex and the City*, 2008)では、キャリーは永遠に自分の物にならないかに思われたミスター・ビッグと結婚し、シャーロットはついに子宝に恵まれ、待望の母親になる。その二年後に公開された映画版第二弾『セックス・アンド・ザ・シティ2』(*Sex and the City* 2, 2010)では、四人は自家用ジェットでアブダビに赴き、セレブとして扱われる。劇場の大きなスクリーンに映し出された彼女たちに、シンデレラストーリーの主人公を見るような違和感を覚えたのは私だけだったのだろうか。

いや、制作の総指揮官であったダーレン・スター自身でさえ、ドラマ『セックス・アンド・ザ・シティ』の真実のテーマは「女性は究極的に結婚に幸せを見出さない」ということだったと語り、キャリーの結婚はこのテーマを見事に裏切って、ドラマを単なるラブコメディに貶(おとし)めてしまったと不満を漏らしている。(9)

〈結婚〉では真に幸福になれない。それでは、どの選択肢を選べば幸福になれるのか——女性にとっては、実に、ヘビーでシリアスな問いである。その答えを探してもがきながらも、ハイファッションに身を包んで流行の店でおしゃべりに興じ、涼しい顔をして都会を歩く彼女たちの姿こそが、このドラマの真骨頂だったのだ。ドラマ『セックス・アンド・ザ・シティ』はお洒落で軽妙な「ラブコメディ」の装いに包まれた「シリアスドラマ」である。そこに、新しさがあった。だが、映画の中の彼女たちは、もはや私たちと悩みを共有する等身大のアラフォー女性ではない。それどころか、絵空事のような遠い存在と化してしまった。

唯一のマグノリアベーカリー日本店が二〇一七年の十二月に閉店し、同年秋には進行中だった『セックス・アンド・ザ・シティ』の映画第三弾の計画が頓挫したという。[10] ドラマのファンとして続編が見られないのは残念である。だがその一方で、私はどこかほっとしてもいる。四人には常に転んでは立ち上がって自分の生き方を模索しながらニューヨークの街を彷徨していてほしいからだ。ネズミが出る小さなアパートの窓から頬杖をついて、ひとり秋色に染まった通りを眺めて溜息をついたり、大好きなマノロ・ブラニクの靴を履いて、ランウェイを歩くように颯爽とセントラル・パークを歩いていていてほしいのだ。

街角で見かけたキャリーたち

ダウンタウンのミートパッキング・ディストリクトにあるパスティス。少しクラシカルなカジュアルフレンチのこの店は、朝からほぼ席が埋まるほどの賑わいを見せていた。キビキビと気持ちよく働くウェイターたち。大き目のボウルに注がれたカフェオレとクロワッサンのバターの香り。名物のオムレツがテーブルに並ぶ。そういえば、ドラマの中で四人がパスティスで食事をするシーンがあったっけ……。

窓際の席に目をひくふたりの女性がいた。スキニージーンズにハイヒールを履き、当時お洒落なニューヨーカーなら必ずと言っていいほど持っていたバレンシアガのバッグを手にした女性が、ゆるやかに髪をウェーブさせた同じようにお洒落な女性と、時々思い出したようにサラダを口に運びながら談笑している。窓から降り注ぐ朝の柔らかな光に映し出された彼女たちは、女の私の目から見ても美しい。そう、ニューヨークの街にはキャリーたちがたくさんいる。わざわざツアーに参加する必要などないのだ。こんな風に街角でふと彼女たちの影を見て元気をもらうのがいいのだ。

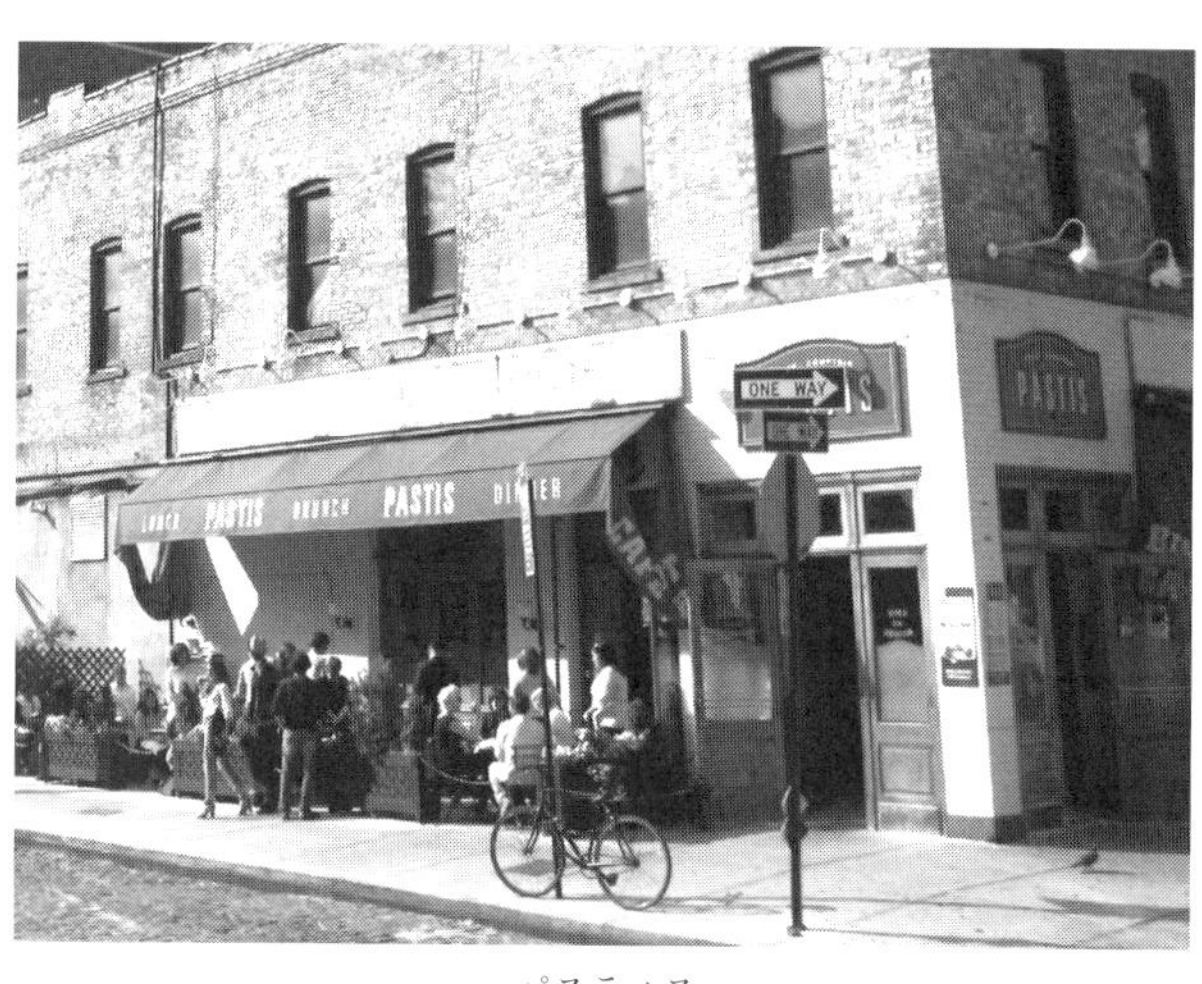

パスティス

　彼女たちを見ていると、アーウィン・ショー（Irwin Shaw, 1913-1984）の短編小説の中の言葉が現実味を帯びて蘇ってくる。ニューヨークに住む若い夫婦の心の機微を描いた洗練された都会小説として紹介され、日本でも多くの読者を得た「サマードレスの女たち」（"The Girls in Their Summer Dresses," 1939）である。せっかく日曜日にふたりでワシントン・スクエア方面へと歩いているのに、夫のマイクルの視線は通り過ぎる女性たちに注がれてばかり。そんな彼にやきもちを焼きながらも、気を取り直す妻フランシス。その歩く姿を眺めながら、「なんてかわいい女だろう、なんてすてきな脚だろう」とマイクルは再認識するという結末なのだが、[11]その短い物語の中にマイクルがフランシスにニューヨークの女性がいかに魅力的かを語る場面がある。

ニューヨークのいいところの一つは、女性がうじゃうじゃいることだと思う。オハイオからニューヨークへ初めて出て来たとき、まっさきに気がついたのが、それだった。町中至る所に、すてきな女性が大勢いるだろう。ぼくはどきどきしながら歩きまわったもんだ。[12]〔※9〕

ニューヨークという大都会を泳ぐ女性たちはいつの時代も輝いている。孤独な夜の海を泳ぐ彼女たちの逞しさと心の哀しみは、昼間の海面に降り注ぐ光が眩しければ眩しいほど、その表情に独特の陰翳を与え、〈光〉と〈闇〉の鮮やかなコントラストを描く。

[註]

(1) https://twitter.com/johnnygweir

二〇二〇年三月二十日付の Twitter で『セックス・アンド・ザ・シティ』のドラマの画像とともに

"I think it's important for the young people to watch the entire "Sex and the City" series so they know how things were."とツイートしている。

（2）「"I Heart Quarryville"『わが心のクオリヴィール』――ジョニー・ウィアー、故郷について語る――」、『フィギュアスケート Days Plus 2010-2011 男子シングル読本』（ダイエックス出版、二〇一〇年）。

（3）酒井順子は著書の中で、「世界的に負け犬ストーリーがブームらしい」として、『セックス・アンド・ザ・シティ』をその一例に挙げ、「負け犬ストーリーの世界で俄然、存在感を発揮している」と評し、「『げっ、これって私のこと？』と、いちいち感じ」、「負け犬っていうのは世界中にいるのだなぁという、何か頼もしいような情けないような気分になった」と書いている。『負け犬の遠吠え』（講談社、二〇〇六年［初版は二〇〇三年で、これはその後加筆修正された文庫版］）。

（4）Ellen Fein & Sherrie Schneider, *The Rules: Time Tested Secrets for Capturing the Heart of Mr. Right* (Grand Central Publishing, 1995).

（5）ドラマの原作者であるキャンディス・ブシュネル（Candace Bushnell, 1958-）がキャリーのモデルと言われている。『セックス・アンド・ザ・シティ』は、ライターであったブシュネルが、一九九四年から一九九六年までアメリカの週刊誌『ニューヨーク・オブザーバー』（*The New York Observer*）に連載してきたコラムを、一九九七年に一冊にまとめたもので、たちまちのうちにベストセラーになり、翌年にはドラマ化された。しかし、ドラマはこの作品をベースに新しい登場人物たちを配し、ドラマの脚本家本人やその関係者たちのリアルなセックスライフを織り込んで出来上がった、また別の新たな作品と言えよう。ブシュネルは『セックス・アンド・ザ・シティ』の成功後、作家に転じた。ブシュネルによる原作は日本で『セックスとニューヨーク』（ハヤカワ文庫、二〇〇〇年）というタイトルで刊行されている。

（6）本文内の『セックス・アンド・ザ・シティ』の台詞は、DVD『セックス・アンド・ザ・シティ』（パラマウント、二〇〇四年）を参考にした。本文中の引用は二〇〇四年一月十八日に米国で放送されたシーズン6の第十五話「女のリミット」（"catch-38"）からのものである。

（7）二〇〇一年六月三日に米国で放送されたシーズン4の第二話「素顔のままで」（"the real me"）からの引用。註（6）のDVDの字幕を概ね使用した。

（8）引用は、註（7）と同じDVDを使用した。

（9）「『セックス・アンド・ザ・シティ』結末に今でも不満」、"Spy! Celebrity,"『日刊スポーツ』（二〇一六年一月二十二日）には、ダーレン・スターがAmazon発行の電子書籍 *The Kindle Singles* のインタビューで語った内容が紹介されている。
https://www.nikkansports.com/entertainment/column/kanome/news/1595247.html

（10）「悲報！　映画『セックス・アンド・ザ・シティ』第3弾の制作が中止に」、『エル　オンライン』（二〇一七年十月一日）。
http://www.elle.com.jp/culture/celebgossip/cnews_sex-and-the-city-sequel17_1002

（11）アーウィン・ショー、小笠原豊樹訳『サマードレスの女たち』（小学館、二〇一六年）。

（12）アーウィン・ショー 前掲書。

5. ニール・サイモン『おかしな二人』
——大人のコメディはニューヨークで

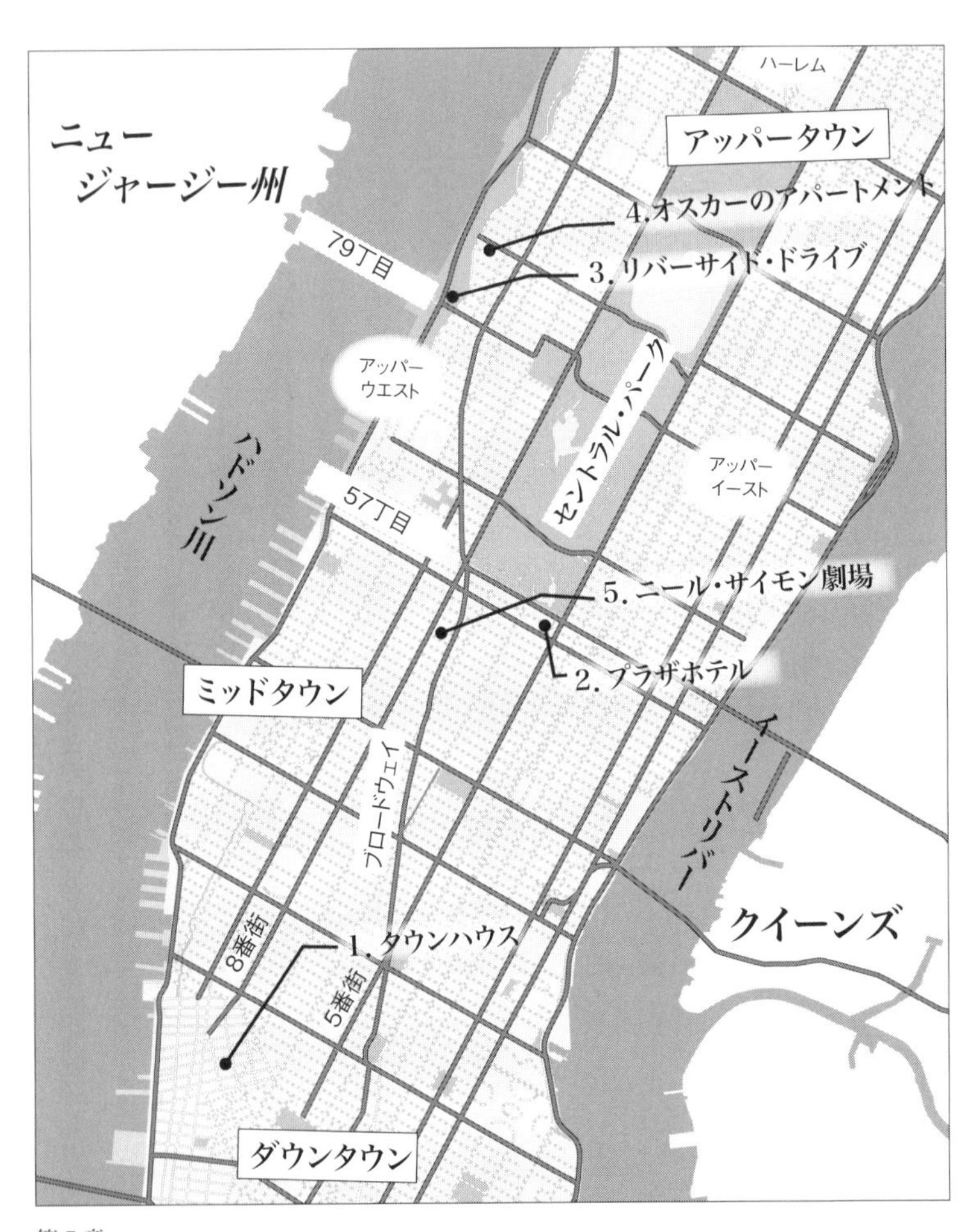

第5章

1. サラ・ジェシカ・パーカーとブロデリック夫婦の住むタウンハウス (2020年1月現在)

2. プラザホテル (Plaza Hotel)

3. リバーサイド・ドライブ (Riverside Drive)

4. オスカーのアパートメント (『おかしな二人』(*The Odd Couple*)

5. ニール・サイモン劇場 (Neil Simon Theatre)

プラザホテル

世界の名だたる高級品店が軒を連ねるニューヨーク五番街。セントラル・パークの東側の最南端の角に、その風格ある佇(たたず)まいがひと際目をひくフレンチ・ルネッサンス様式のクラシックな十六階建ての建物がある。左右の切妻飾りの上に翻(ひるがえ)る星条旗。プラザホテルである。一九〇七年に建設され、一九八五年の「プラザ合意」の舞台としても知られ、一時は不動産王であったトランプ前アメリカ大統領（Donald John Trump,1946-）が所有していたこともある、まさにニューヨークを代表するラグジュアリーホテルだ。

プラザホテル（北東側より）

一階にある有名なパームコートでは優雅なアフタヌーンティーが楽しめる。小さな枕が頭にあたるように据(す)えつけられた大きな背もたれのある、ふっくらとしたグリーンのビロードのチェアに身をあずける。ティーカップを片手に、大きな窓から道路を隔てた対角線上に位置するティファニー本店を眺めていると、マンハッタンの中心地にいることが実感でき、まるで物語の主人公にでもなったような気持ちになる。

実際、このプラザホテルで過ごす時間はアメリカ人にとっても特別なものであるらしい。たとえば、二〇一八年に逝去した「ブロードウェイの喜劇の巨匠」ニール・サイモン（Neil Simon, 1927-2018）の代表作のひとつで、ロバート・レッドフォード（Robert Redford, 1936-）とジェーン・フォンダ（Jane Fonda, 1937-）主演の映画『裸足で散歩』（*Barefoot in the Park*, 1957）で、主人公の新婚夫婦ふたりがハネムーンを過ごすのがこのホテルだ。映画は、ふたりがセントラル・パーク方面から観光用の馬車で熱い口づけを交わしながら、このホテルの車寄せに入ってくる場面から始まる。五日間食事もとらずに高級ホテルの部屋にこもって過ごす熱々の新婚ぶりとその後に移り住む不便なアパートメントとの対比が笑いを誘う。

『プラザ・スイート』、大人の男女がくり広げる都会（アーバン）の喜劇（コメディー）

サイモンにはホテルの名前を冠した戯曲『プラザ・スイート』（*Plaza Suite*, 1968）という作品もあり、二〇二一年春からブロードウェイでリバイバル上演される予定である。なんと主演するのは、ドラマ『セックス・アンド・ザ・シティ』のキャリー役を務めたサラ・ジェシカ・パーカー（Sarah Jessica Parker, 1965-）。しかも夫であるマシュー・ブロデリック（Matthew Broderick, 1962-）との競演だ。ブロデリックは、ニューヨーク生まれのニューヨーク育ち。ふたりはウェスト・ヴィレッジのセンス抜群のタウンハウスに暮らしている。さらに、ブロデリックはサイモンの作品とは特別深い所縁（ゆかり）がある。スクリーンデビューを果たしたのは、サイモンの映画『ニール・サイモンのキャッシュマン』（*Max Dugan Returns*, 1983）であり、サイモンの自伝的戯曲『思い出のブライトン・ビーチ』（*Brighton Beach Memoirs*, 1983）の舞台では全米の演劇部門で最も権威あるトニー賞ミュージカル助演男優賞を受賞している。ニューヨークで暮らし、この街を舞台にした数々の作品に出演してきたこの夫婦なら、きっと息の合ったニューヨーカーらしいコメディを見せてくれたはずだ。

『プラザ・スイート』
（撮影：Otterbein University Theatre & Dance）

プラザホテルと文学と言えば、F・スコット・フィッツジェラルド（F. Scott Fitzgerald, 1896-1940）の代表作で、二十世紀アメリカ文学を代表する作品としても知られる『グレート・ギャッツビー』（*The Great Gatsby*, 1925）にも、このプラザホテルは登場する。二〇一三年にレオナルド・ディカプリオ（Leonardo DiCaprio, 1974-）主演で映画が製作された際にも、「フィッツジェラルド・スイート・キング」という一九二〇年代の禁酒時代の雰囲気を再現した豪華でクールなスイートルームが作られた。モダン・アートが部屋中に配され、チャコールグレイが基調の豪華でクールな部屋が、酒の密売に手を染めて得た巨万の富で、毎夜豪華絢爛なパーティーに明け暮れたギャツビーにぴったりである。

こうした文学作品とのコラボレーションが話題になるのもプラザホテルならではだが、今回の『プラザ・スイート』の上演を受けて、サラ・ジェシカとブロデリックのスチール写真がホテルの公式ホームページに掲げられている。

『プラザ・スイート』は、三部構成の喜劇で、それぞれが独立した一幕物の短いドラマである。ストーリーも登場人物もまったく異なるが、プラザホテル七一九号室に宿泊する客という共通点がある。第一幕「ママロネックからの訪問者」（"Visitor from Mamaroneck"）はニューヨークのベッドタウン、ママロネックからやってきたアラフィフの倦怠期の夫婦が主人公である。夫サムの気持ちが離れているのを感じているカレンは、二十年以上前にハネムーンを過ごした七一九号室で結婚記念日を祝う計画を立てる。新婚時代を思い出してふたりの関係修復をはかろうという望みを賭けて……。

だが、悲しいかな、その目論見は裏目に出てしまう。食事のセレクトから体形維持の問題、ウェイターとの会話など、あらゆる面で夫の不興を買い、夫婦の断絶がかえって浮き彫りになり、その溝は深まるばかりだ。ふたりの会話のズレに観客は笑わずにはいられない。だが、ついにサムは秘書との浮気を告白し、カレンを置いて彼女のもとへ去る。

サムと行き違いに、注文していたシャンパンとグラスふたつがカレンのもとに運ばれてくる。「ご主人様はすぐにお戻りになられるんですか？」とテーブルをセットしながら何気なく尋ねるウェイター。その言葉に、カレンはソファにもたれたまま「私もそこが疑問なのよ」と答える。

カレンのやるせない気持ちとは裏腹に、結婚記念日のシャンパンのボトルが開けられ、幕が下りる[1]〔※1〕。夫婦関係の岐路に立ったカレンのシリアスな問い、心の呻（うめ）きがウェイターとのさりげない会話の中に潜んでいるのが、かえってこちらの胸に小さな棘のように突きささって抜けない佳作だ。

第二幕「ハリウッドからの訪問者」（“Visitor from Hollywood”）は、ハリウッドのプロデューサー、ジェスが三度の結婚生活の破綻と派手な生活に辟易（へきえき）し、昔のガール・フレンドで現在は人妻であるミュリエルを真昼の情事に誘うという設定だ。セレブに憧れるミュリエルと彼女の中に一般人の誠実さや純朴さを見出そうとするジェスとのちぐはぐな会話に一抹の哀しみがにじむ。

第三幕目は、「フォレストヒルズからの訪問者」（“Visitor from Forest Hills”）である。挙式の直前にバスルームに花嫁姿のまま閉じこもってしまった娘をなんとか式に出させようと奮闘するロイとノーマ夫妻。娘をめぐってふたりの議論が続くが、そのうちに彼女が両親と同じ関係になることを恐れて二の足を踏んでいたことが判明する。両親の悪戦苦闘をよそに、娘は花婿の「頭を冷やせよ！」（“Cool it!”）というたった一言でいそいそと式場へ向かう[2]。

誰もが憧れるニューヨークの超一流ホテルの、しかもスイートルームで起こるささやかな事件――笑いの中に夫婦や家族の形が炙（あぶ）り出される。ここで起こる笑いは、ドラマ『セックス・アンド・ザ・シティ』にも通じるアーバン・ライフの悲哀を包みこむビターなテイストである。

ブロードウェイの喜劇王（キング・オブ・コメディ）

日本を代表する人気脚本家である、あの三谷幸喜（こうき）（一九六一年―）に「今の僕があるのもニール・サイモンのおかげ」、そう言わしめたサイモンは、「喜劇王（キング・オブ・コメディ）」の異名を持つ押しも押されもせぬ喜劇作家である。[3] デビューから亡くなるまで、『ワシントン・ポスト』紙の追悼記事の見出しの通り、まさに「ブロードウェイの喜劇王」として活躍を続けた。

一九六〇年代後半にはブロードウェイでサイモン作の戯曲四本が同時に上演されるほど、彼と演劇の聖地ブロードウェイとの絆は強い。多作なことでも知られ、戯曲は三十以上、映画の脚本もほぼ同数を数える。トニー賞へのノミネートは実に十四回を数え、四度に及ぶ受賞経験を持つ。その他、ゴールデングローブ賞の脚本家賞、戯曲部門でピューリッツァー賞を受けるなど輝かしい経歴を持つ彼の名は、ブロードウェイの一画、西五二丁目の劇場の名にもなっている。このニール・サイモン劇場は、サイモンの存命中は現役の劇作家の名を冠したニューヨークにおける唯一の劇場であった。雑誌『タイムズ』が「もしもブロードウェイが笑いの守護聖人の記念碑を建てるなら、それはニール・サイモンでなくてはならないだろう」と評するように、サイモンはブロードウェイを笑いで包むことができるアメリカ文学最大の喜劇作家である。

三谷幸喜はサイモンの戯曲を観て劇作家になりたいと強く思い、サイモンの台本を書き写して手本とした。日本大学藝術學部在学中に旗揚げし、自ら脚本・演出を手がけた劇団「東京サンシャインボーイズ」も、サイモンの劇曲『サンシャインボーイズ』（*The Sunshine Boys*, 1972）からその名をとっている。それほどまで強くこの喜劇王（キング・オブ・コメディ）を敬愛する三谷が、サイモンの戯曲『ロスト・イン・ヨンカーズ』（*Lost in Yonkers*, 1991）を初演出した時の喜びようは相当なもので、開幕直前の記者会見では「ニール・サイモンに恩返ししたい。まるで夢のよう」と感無量の面持ちで語った。

サイモンとニューヨークというトポス

太平洋を隔てた東洋の学生にもこれほど大きな影響を及ぼすのは、サイモンの作品が人間の普遍的な問題を扱っているからにほかならない。だが、その普遍性と同時に、彼の戯曲の魅力は何と言ってもニューヨークというトポスにある。ニューヨークで生まれ、市内のプレビステリアン病院で逝去したサイモンはその人生のほとんどをこの街で暮らした。そして、その作品の大半がニューヨークを舞台にしている。

たとえば、初期の代表作を見ても、デビュー作の『カム・ブロー・ユア・

ワシントン・ハイツ（著者撮影）

ホーン』(*Come Blow Your Horn*, 1961) はマンハッタン東六〇丁目のアパートメント、第三作『裸足で散歩』(原作の刊行は一九六三年) は東四八丁目、そして第四作目の『おかしな二人』(*The Odd Couple*, 1965) も西八〇丁目のリバーサイド・ドライブといった具合に。プロットや台詞回しが絶妙なことはもちろんだが、舞台をニューヨークに設定していることで、サイモンの戯曲に漂う都会的な洗練された雰囲気、大都会ならではの人間の悲喜交々(ひきこもごも)が、より鮮明に浮かび上がってくるのである。

サイモンはユダヤ系の両親のもと、ニューヨークのブロンクスで産声を上げ、アメリカを襲った大恐慌のさなかマンハッタンのアッパータウンにあるワシントン・ハイツで育った。病死した最初の妻ジョーンもブルックリン育ちのニューヨーカーであった。それ自体に何かトポス的な運命がありはしないか。

『裸足で散歩』サイモンの新婚時代を投影した作品

天真爛漫(らんまん)で奔放なジョーンと生真面目なサイモンのマンハッタンでの新婚生活は、まったく気性の違う新婚夫婦の騒動をコメディタッチで描いた『裸足で散歩』のコリーとポールに投影されている。ふたりは、三番街に近い東四八丁目にある、エレベーターもない、家具もないブラウンストーンのアパートメントの最上階で新婚生活を開始する。バスタブもなく、高い天窓からは雪が降り込んでくるとんでもない部屋だ。

だが、常人であれば耐えがたいこの部屋での不便な生活も、希望と愛に満ちた若い新婚夫婦ならではの明るさで乗り越えていく。いや、狭い空間だからこそ、何もないからこそ、互いを求め合うだけで成立する生活と幸福感が伝わってくるのである。アパートを出てワシントンスクエア・パークの公園を裸足で歩く——そんな自由が許されるニューヨークをふたりは心から愛しており、大好きな街に抱かれた上での不便さに問題など何もないのだ。

実際、『裸足で散歩』に出てくるアパートメントは、サイモンとジョーンが新婚の時に暮らしていた部屋をモデルにしている。実際の所在地はヴィレッジの一〇丁目であるなど細かな相違点はあるが、部屋に対する想いはそのままであったようだ。『ニール・サイモン自伝——書いては書き直し』(*Rewrites: A Memoir*, 1997)の中で、彼は新婚時代をふり返り、寝室として使われた小さなクローゼットルームではベッドが面積の大半を占めるため、窓の開閉にはベッドの上に立たなければならなかったこと。クローゼットは、ベッドにぶつかるため、ほとんど開くことができないので、わずかに開く隙間から手の届く服を着用していたことを綴っている。

だが、それから四年近くの時が過ぎ、子どもにも恵まれ、エレベーター付きのまともなアパートメントに移った夜、新妻と抱き合って寝るしかなかった窮屈なベッドや雪がうっすらと降り積もった居間の光景が無性に懐かしくなるのだ。それは自由で奔放なボヘミアン的な生活に終わりを告げ、責任ある大人の世界に向けて新たな一歩を踏み出そうとする時に誰もが感じる、若き日の情熱への郷愁なのだろう。さらに、サイモンの場合は、気ままなふたりを包んでくれたニューヨークの街へのオマージュでもあったはずだ。

テレビの脚本家としてのキャリアをスタートさせたサイモンは、テレビの仕事がすべてニューヨークからカリフォルニアに移ってしまった時代の趨勢ゆえに、苦渋の決断を迫られる。愛するニューヨークを離れ、カリフォルニアに住まなければならなくなったのだ。

私たち夫婦はニューヨークが大好きだった。ニューヨークなしの人生なんて、想像もおよばなかった。（中略）ジョーンは私よりもはるかに断固としたニューヨーク好きだった。彼女にとって、ニューヨークは全世界の中心だった。バレエ、劇場、美術館、『ニューヨーク・タイムズ』、七二丁目マリーナ、モントークの蒸したハマグリ、バーモントをめぐる秋のドライブ、フォレストヒルズのU・S・オープン、ロングアイランド海峡でのセイリング、古めかしい本屋、グリニッチ・ヴィレッジのパブ、そこでは飲み代を払う代わりにフランツ・クラインが描いた絵とマックスウェル・ボーデンハイムが書いた詩が壁に留められているのを見ることができる。そして、そう、ワシントンスクエア・パークをはしゃぐ犬チップスとはだしで散歩すること、さわやかな十月の夜には、公園のベンチに明け方の三時まで腰かけること。向かいには大きなアーチと優雅なブラウンストーンのアパートメントと隠れ家とがある。そこではかつてヘンリー・ジェイムズのヒロインたちが物憂げにロウソクの灯った窓から二度とは帰らぬ恋人を想いながら外を眺めたのだ。(4)〔※2〕

一九五七年、サイモンはカリフォルニアで鬱々とテレビの仕事をこなしながら、ニューヨークに戻るためには何としてもブロードウェイ用の芝居を書かなくてはという切迫感に駆られていた。

ニューヨークに対するこれほどまでの思い入れがなかったならば、果たしてサイモンはブロードウェイを代表する喜劇王（キング・オブ・コメディ）になれたのだろうか。まさに彼はこの大都会が生んだ劇作家なのである。

II

演じられ続ける『おかしな二人』

サイモンの三幕物の喜劇『おかしな二人』。三谷幸喜がこの作品を見て、その時の座席番号まで覚えているほど感激し、「こういうお芝居を書きたい」と強く意識するようになった運命の戯曲である。

一九六五年に初演されてから、これまでに何度となく再演され、『プラザ・スイート』で紹介したブロデリックも二〇〇五年に『おかしな二人』がリバイバル上演された際に主人公のフィリックス役で出演している。日本でも、二〇〇二年に段田安則（だんだやすのり）（一九五七年—）と陣内孝則（たかのり）（一九五八年—）が主演して話題になり、二〇一一年には宝塚歌劇団で公演が行われた。

『おかしな二人』[DVD]
(ⓒパラマウント ホーム エンタテインメント ジャパン)

映画化については、一九六八年にサイモンの脚本で、主人公のオスカーをウォルター・マッソー(Walter Matthau, 1920-2000)、フィリックスをジャック・レモン（Jack Lemmon, 1925-2001）が演じ、絶妙な掛け合いで好評を博した。三十年後にこのアカデミー賞受賞歴のあるふたりの名優を配してサイモンが再び脚本を手がけた続編『おかしな二人２』（*The Odd CoupleII*, 1998）もつくられた。

テレビシリーズとしても人気が高く、一九七〇年代、一九八〇年代にＡＢＣ放送で、二〇一五年にもＣＢＳ放送で放映された。ちなみに、サイモンは女性版（*The Female Odd Couple*）を一九八五年に、ニューバージョン（*Oscar and Felix: A New Look at the Odd Couple*）を二〇〇二年に発表している。『おかしな二人』は半世紀以上を経たいまも、多くの観客、視聴者に愛される魅力を持っている。

離婚した男同士の奇妙な同居生活

物語は、蒸し暑い夏の夜に男たちがアパートメントの一室でポーカーに興じる場面から始まる。西八〇丁目のリバーサイド・ドライブ。カードを手にテーブルを囲む五人の男たちのひとりオスカー・マディソンの部屋である。室内の装飾品はきわめて趣味がよいが、汚れた皿や空き瓶、飲み物の入ったグラスや洗濯物の包みが散らばり、この数か月間女の手が加わっていないように見受けられる。それもそのはずで、オスカーが離婚して以来、この部屋は悲惨な状態になっていた。

オスカーは『ニューヨーク・ポスト』のスポーツ記者という仕事を心から楽しみ、週一回のポーカーゲームを心待ちにし、友人、酒、葉巻をこよなく愛し、人生を謳歌する、明るく、魅力的な四十三歳である。そこにオスカーとはまったく異なった性格のフィリックス・アンガーが登場する。フィリックスは、最愛の妻から離婚を突きつけられて自殺を思い立つが、実行できずにポーカー仲間のところにやってきたのだ。そこからオスカーとフィリックスの奇妙な同居生活が始まり、第一幕が終了する。

第二幕もオスカーの部屋でのポーカーの場面から始まる。だが、フィリックスとの共同生活から二週間。別の意味で変わり果てた部屋にポーカー仲間は驚かされる。フィリックスのお陰ですべてが整理整頓されたのはいいが、飲み物もコースターを敷いてお行儀よく飲まなければならなくて落ち着かない。ゴミが散乱して不潔だが、缶ビールをこぼしても誰も咎（とが）めない、気楽な男所帯を象徴するようなオスカーの部屋を仲間たちは恋しがる。

リバーサイド・ドライブ（著者撮影）

家事は完璧にこなせるが、ドライブイン・シアターでもシートベルトをつけるほどの小心者で、カードに消毒液をまくほど清潔を心がけ、何事も整然としていないと気が済まないフィリックス。家事は何ひとつできず、冷蔵庫が故障して牛乳が固まっていても気にならないほど、おおざっぱでだらしのないオスカー。ふたりは水と油のごとく何かにつけ衝突する。

やがて同じアパートに住むイギリス人姉妹とのダブルデートの約束をとりつけ、意気揚々としているオスカーに、フィリックスは節約のため自宅でディナーをふる舞うことを提案する。デートの当日がやってくる、浮き足立つオスカーに対して、フィリックスはあまり乗り気ではない。オスカーが酒の支度をしている間、フィリックスは離婚係争中の妻と子どもたちへの未練を涙ながらに語ってしまう。本来なら楽しい時間が台無しになるところなのだが、なんと姉妹は同じ離婚経験を持っていた。ふたりはフィリックスの優しさと繊細さに感動し、ともに泣くのである。料理が焦げるというアクシデントが起こり、姉妹は自分たちの部屋にふたりを招く。オスカーは鼻の下を伸ばして大喜びするが、フィリックスは姉妹の部屋には行かないと断固とした態度を崩さない。

第三幕はその翌日の夜。部屋は仲間たちとのポーカーの準備が整っている。だが、姉妹との仲が発展しなかったことで、オスカーは完全に機嫌を損ねていた。オスカーはフィリックスの意固地な態度に腹を立てる。大喧嘩の末、ついにオスカーはフィリックスをアパートから追い出す。仲間たちとのゲームが始まる中、フィリックスが荷物を取りに戻る。もはや彼は妻から追い出されて自殺を思い立った三週間前の気弱なフィリックスではなくなっていた。一方のオスカーも滞っていた養育費を受け取ったという元妻からの電話を切った後、ポーカー仲間たちにタバコの吸い殻を落とすなと注意をして、一同の度肝を抜く。

現実的な問題こそ、「笑いの親」

実は『おかしな二人』にはモデルがいる。八歳年上のサイモンの実兄ダニー（Danny[Daniel] Simon, 1918-2005）がフィリックス、ダニーの友人であるロイ・ガーバー（Roy Gerber, 1925-2007）という実に気持ちのいい、楽しいことが大好きな演劇エージェントがオスカーである。ダニーとロイはお互い離婚をして慰謝料と養育費を払わなければならず、ふたりで暮らせば倹約になるからと同居を始めた。だが、現実は理屈通りにはいかない。やがてお互いが元の結婚相手以上に合わないことに気がつき、間もなく共同生活を解消する。男性同士が一緒に住んで倹約に励むという発想は、大都会ならではのものである。こういう点からも、この作品はニューヨークというトポスが生み出したものとなっている。

「私は普通の人々についての物語が書きたかったのです」と語るサイモンは、創作の秘訣を「笑いをとる芝居を書こうとするのではなく、芝居を現実的なものにしようとする。そうすると、自然と喜劇が生まれるのです」と説明する[5]〔※3〕。どこにでもあるような日常生活の中でごくごく普通の人々が引き起こすちょっとした騒動を笑いに包んで観客に届けてくれるのがサイモンの戯曲の真骨頂だ。

妻から離婚を要求され、同居した友人ともうまくいかないとあっては、笑ってなどいられない。むしろ絶望の淵に突き落とされたような悲劇である。だが、そんな悲壮感漂う場面もサイモンの手にかかると爽やかな笑いを誘う喜劇に仕立て上げられてしまうから不思議だ。たとえば、離婚を突きつけられたショックでフィリックスが自殺をするのではないかと内心恐れながらも事情を知らぬふりをするポーカー仲間たちは、フィリックスがトイレに行くからと部屋を出て行くや、一様に慌てる。

オスカー　どこへ行くんだ？

フィリックス　（ドアのところで立ち止まる。自分をじっと見つめているほかの五人を見る）トイレだよ。

オスカー　（他の四人を見て、心配そうにする。それからフィリックスを見て）一人でか？

フィリックス　（うなずく）いつも一人で行ってるさ！　どうして？

オスカー　（肩をすくめて）理由なんてないさ……トイレには長くいるつもりなのか？

フィリックス　（肩をすくめ、意味ありげに殉教者のように）出し終わるまではね。

（それから、フィリックスはトイレに入って行き、後ろ手にバタンとドアを閉める。すぐに全員飛び上がり、トイレのまわりに群がり、熱狂的な不安に包まれて囁き合う。）

マレー　お前は頭がヘンなのか？　あいつを一人でトイレに行かせるなんて？

オスカー　俺にどうしてほしかったんだよ？[6]〔※4〕

自殺を図るかもしれないという、いたってシリアスな場面のはずが、大の男たちがトイレの扉の前にはりつき、フィリックスが用を足す間、真剣に中の様子を窺っている光景は、劇中でも一、二を争う抱腹絶倒のシーンとなっている。

さらに、第三幕でイギリス人姉妹の件をめぐって、皿が割れたり、パスタが飛び散ったりのアメリカのアニメ『トムとジェリー』(*Tom and Jerry*, 1940) さながらの大立ち廻りが演じられた末にオスカーが叫ぶ言葉は、料理が得意なフィリックスにあまりにもぴったりで、罵倒の言葉であるにもかかわらず、笑わずにはいられない。

半年の間、俺はこのアパートにたったひとりで住んできた。八つの部屋にたったひとりでだぞ。俺はしょげて、がっくりして、うんざりしていた。そこへお前が移り住んできたんだ。最愛にして一番の仲良しのお前がだ。だが、親密で個人的なつきあいをして三週間にしかならないのに——俺はもう神経衰弱を起こさんばかりなんだよ！　お願いだ。台所に引っ越してくれ。そして、お前のポット、お前の鍋、お前のおたま、お前の肉用温度計と暮らしてくれよ。出てくる時にはベルを鳴らしてくれ、そしたら、寝室に飛んで行くからさ。(中略) 礼儀正しくお願いしているんだ、フィリックス、友達としてな。俺の前から消えてくれ！〔※5〕

まるで哀願するかのように響くオスカーの言葉にフィリックスの心も傷つけられるが、急に思い出したように、「紙の上を歩いてくれませんかね。床が濡れているんだから」と声をかける。

この一言にオスカーの堪忍袋の緒がプッツリと切れてしまう。

もうこれ以上お前と一緒に暮らしたくないんだよ。荷造りをして、お前のサランラップで包んでさ、とっとと出て行ってほしいんだ。〔※6〕

その後、オスカーは自分の言動を後悔し、フィリックスが戻ってくることを願うが、フィリックスはイギリス人姉妹たちに少しの間でも一緒にいてくれるように懇願され、それを受けることで新たな一歩を踏み出す。妻にも友人にも見捨てられた超潔癖症の男を受け入れる外国人姉妹。まさに「捨てる神あらば、拾う神あり」の多様な価値観が、どん底に落とされた人間に手を差し伸べる。オスカーにしてみれば、「覆水盆に返らず」である。

現実は、砂糖菓子のように甘ったるい夢物語ではなく、ほろ苦い。まさにニューヨークというメガロポリスが織りなす悲喜劇がここにある。

III

ニール・サイモン劇場にて

私がニール・サイモン劇場を訪れたのは、今から十数年前の二〇〇八年の夏。全米で異例のロングランを記録したミュージカル『ヘアスプレー』(*Hairspray*, 2002)を観に行った時のことだ。

5．ニール・サイモン『おかしな二人』

ニール・サイモン劇場

マンハッタンのミッドタウン四二丁目から五四丁目までのタイムズ・スクエアを含む劇場街は、まさに「眠らない街ニューヨーク」を象徴する。世界の名だたる企業の広告や巨大ディスプレイ、煌びやかなネオンサイン、電光掲示板が消えることはない。その光と活気に満ちた巨大な繁華街を、まるで一夜の夢から醒めやらぬかのように、たったいま舞台でくり広げられていた作品の余韻に浸りながら興奮気味に歩く人々。その人波に体を預けるように歩みを進めていた私は、この劇場があのニール・サイモンの名にちなんでつけられたことに思いを巡らせた。

　するとずっと昔に見た『おかしな二人』の映画のひとコマが浮かんできた。映画版が、離婚による傷心のため自殺する場所を求めて、名優ジャック・レモン演ずるフィリックスが夜のタイムズ・スクエアをさまよう場面から始まったからだろうか。あるいは当時の私にはたったいま観たばかりのミュージカルよりも『おかしな二人』の方がずっと自分の心に響くものがあったからなのか……。

劇場が笑いに包まれる喜劇であるにもかかわらず、劇中には身につまされるようなシリアスな台詞のやりとりもある。自殺も未遂で終わり、離婚という現実に立ち向かわなければならなくなったフィリックスはオスカーに問う。

> 離婚なんてしたくないんだ、オスカー。これまでの人生を急に変えたくないんだよ（中略）教えてくれ、オスカー。僕はこれからどうしたらいい？　どうしたらいいんだ？〔※7〕

フィリックスは、離婚によって妻も子どもも失おうとしている自分のことを「家族のいない僕なんて何の価値もありゃしない——何の価値もね」とすっかり自分の存在価値を見失って途方に暮れる。そんなフィリックスにオスカーは檄を飛ばす。〔※7〕

> 何の価値もないとはどういう意味だ？　おまえは価値ある人間じゃないか！（中略）教えてやるよ、お前は世界で唯一のお前という人間なんだよ！〔※7〕

しかし、「どうしたら子どもたちのことを忘れられる？　どうしたら十二年間の結婚生活を拭い去ることができるんだ？」とフィリックスに問われると、さすがのオスカーも「できないね。毎晩、八つの空き部屋に入っていくと、濡れた手袋で顔を叩かれたような淋しい気持ちに襲われる」と切ない心情を吐露せずにはいられなくなる。それでも、「これが現実さ、フィリックス。その現実に向き合わなきゃならん。残りの人生、泣いて暮らすわけにもいかないだろ」と前を向くのだ。〔※7〕

ところが、その三週間後、頑なに自分の気持ちを優先するフィリックスに耐えきれなくなったオスカーは怒り心頭になって言い放つ。

お前は自分を変えようって努力は全くしないわけだな。お前はこれからもずっとそういう人間のままなんだろう――死ぬまでな。〔※8〕

それに対して、フィリックスは「人は自分以外の誰かにはなれないよ」と答える〔※8〕。三週間前にはフィリックスは自己を喪失し、オスカーはフィリックスの個性は唯一無二のものだと励ましていたのに、今ではフィリックスは「自分は自分」と主張し、オスカーは「自分を変える努力をしろ」と矛盾に満ちた言葉を投げつける。

ほとぼりが冷めると、理想は吹き飛び、お互いの「我」を抑制できなくなるというのが、いつの時代も変わらぬ人間の姿であるらしい。恋愛関係にない男性同士の掛け合いだからこそ気楽に笑って観ていられるが、よく考えてみると、ふたりの台詞は性格の不一致による夫婦喧嘩の典型ではないだろうか。「相手が変わってくれれば」という幻想を多くの人は抱く。トルストイが「誰もが世の中を変えたいと思うが、自分自身を変えたいと思う者はいない」と含蓄の深い言葉を残しているが、フィリックスやオスカーのように永遠に交わることのない平行線のごとき関係のふたりが歩み寄るためには、相手が変わってくれるという幻想を払拭することから始めなくてはならないのだろう。

　フィリックスとオスカーほど対照的ではないにせよ、自分と異なる者を受け入れられなかった過去を人は持っているのではないか。愚かな幻想を、おそらくは相手に対する期待が大きいからこそ抱いてしまうという経験が……。『裸足で散歩』の中で描かれている新婚のふたりのように相手が異質であることが新鮮でたまらなく惹かれていた時期もあったはずなのに、いつの間にか相手の心が見えなくなってしまう――それは人間の愚かさなのだろうか。

不完全な人間たちの喜劇

　良い関係が長く続くのは素晴らしいことだ。だが、関係を続けることだけが果たして人間関係の最良の在り方なのだろうか。『おかしな二人』はこの難しい問題にも答えてくれているようだ。夫婦関係だけでなく、友人との同居生活にも破れた欠点の多いふたりを描いていながら、サイモンは決してこの愛すべき欠陥人間たちを愚か者として突き放してはいない。一緒に生活を続けることはできなかったが、フィリックスは自分を救ってくれたオスカーへの感謝を忘れることはなく、強くなり、自立の覚悟ができた。オスカーも三週間前の自堕落な寡（やもめ）ではなくなった。フィリックスが荷物を取りに来て部屋を出て行く別れの場面では、お互いを元妻の名前で呼び合っていることから、二人が結婚生活と今回の同居生活で同じ経験をくり返したことがわかる。その苦い失敗を通して、ふたりは自分の欠点に真に向き合い、自然に変わることができたのだ。おそらく前向きに……。一八〇度ではなく、わずかの変化ではある。そこがまたリアルである。人間の弱さや愚かさ、悲しみや痛みさえも温かい笑いに変え、明日への希望につないでくれる——喜劇の素晴らしさはこういうところにあるのだとつくづく思う。

私の観点は「人生は何と悲しく、笑えるものなのか」ということです。痛みを含まないユーモラスな状況などというものを私は考えられない。かつては「笑える状況は何だろう」と自問したものです。今は「悲しい状況は何か、それをどうユーモアたっぷりに語ろうか」と問うています。(7)〔※9〕

破局に終わっても新たな関係を築ける場合もある。たとえ二度と会わなくても人間同士が触れ合った事実は、相手に何かしらの形で残るのだということ。笑いの中に不完全な人間に対する温かい包容力とほんの一握りの哀しみが宿っている。だからこそ、サイモンのコメディを観た後は人生を広い心で受け入れることができるように思えるし、人間に対する愛しさも湧いてくるのだ。

夜の十一時を過ぎたタイムズ・スクエア。生暖かい夏の風に吹かれながら、同じ劇場で同じ芝居を見た、もう二度と会うことのない私の横を歩いて行ったあの人たち。彼ら、彼女らも何かを抱え、あの夜、その思いを舞台に溶け込ませていたのかもしれない。

［註］

（1）"Visitor from Mamaroneck," *Plaza Suite, The Collected Plays of Neil Simon*, Vol. 1 (Plume, 1986) 訳は著者による。

（2）"Visitor from Forest Hills," *Plaza Suite, The Collected Plays of Neil Simon*, Vol. 1(Plume, 1986).

（3）「三谷幸喜〝ルーツ〟ニール・サイモンの戯曲を初演出「夢のよう」と感無量」映画ニュース、映画.com（https://eiga.com/news/20131004/15/）二〇一三年十月四日十八時更新。これ以降の本文中の三谷の言葉はすべてこの記事からの引用である。

（4）Neil Simon, *Rewrites: A Memoir*（Simon & Shuster, 1996）訳は著者による。

（5）Gary Konas（ed.）, *Neil Simon: A Casebook*（Garland Publishing, 1997）訳は著者による。

（6）「おかしな二人」の原作 "The Odd Couple," *The Collected Plays of Neil Simon*, Vol. 1(Plume, 1986). からの本文中の引用はすべて著者の訳による。

（7）Susan Fehrenbacher Koprince, *Understanding Neil Simon*（University of South Carolina, 2002）訳は著者による。

6．三島由紀夫が愛したニューヨーク

――紀行文『アポロの杯』『旅の絵本』

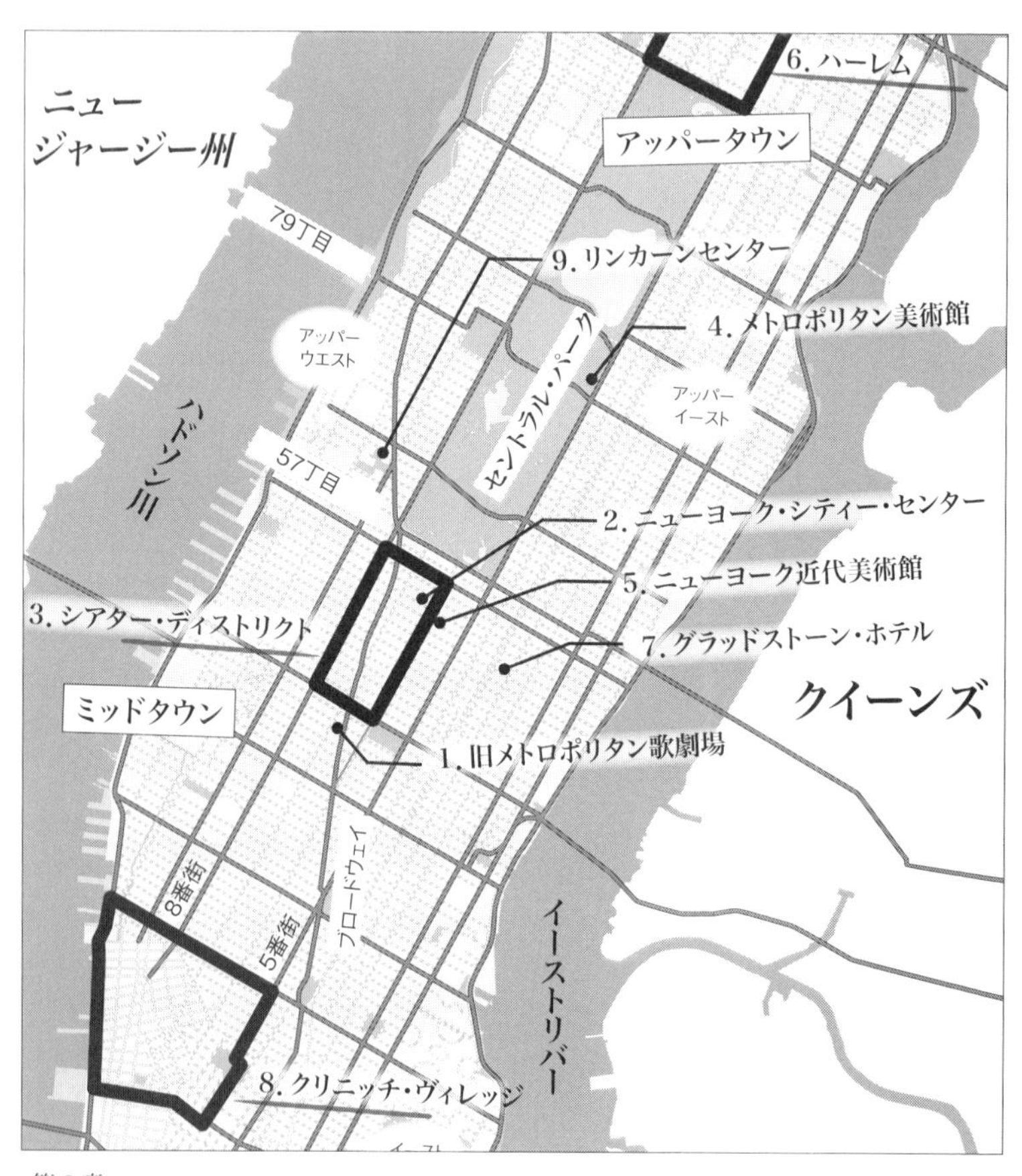

第6章

1. 旧メトロポリタン歌劇場 (Old Metropolitan Opera House)
2. ニューヨーク・シティ・センター (New York City Center)
3. シアター・ディストリクト (Theatre District)
4. メトロポリタン美術館 (Metropolitan Museum of Art)
5. ニューヨーク近代美術館 (MoMA [The Museum of Modern Art])
6. ハーレム (Harlem)
7. グラッドストーン・ホテル (Gladstone Hotel) (現在はない)
8. グリニッチ・ヴィレッジ (Greenwich Village)
9. リンカーンセンター (Lincoln Center)

I

人間の築いた最後の都市

ニューヨークのブロードウェイ――今から六十年以上前の一九五七年、ニール・サイモンがカリフォルニアでこの演劇の聖地への進出を目指してタイプライターに向かって悪戦苦闘していたちょうどその頃、ひとりの若き日本人作家が大小様々な劇場や映画館、レストランなどがひしめくシアター・ディストリクト（劇場街）を期待に胸を膨らませて歩いていた。

三島由紀夫とニューヨーク。これは三島の愛読者でもなかなか結びつかない取り合わせかもしれない。三島と言えば、自衛隊の市ヶ谷駐屯地（現防衛省）でのあの衝撃的な自決のイメージがあまりにも大きい。そこから浮かび上がるのは日本刀を手に「七生報国」の鉢巻きをした〈憂国の士〉の姿、すなわちあまりにも日本的な表徴である。三島と海外を考えるならば、旅の随筆集『アポロの杯』（一九五二年）の中でもひときわ三島の筆が冴える古代ギリシアに対する憧憬、はたまたブラジルの灼熱の太陽のもとでくり広げられる狂乱の祭りに酔いしれる三島を想起

三島由紀夫『アポロの杯』
（朝日新聞社、初版本 1952年）

するかもしれない。

だが、意外なことに、三島が最も愛した都市は、古代ギリシアの神々の文化が息づくアテネでも、カーニバルに沸くリオでもなかった。むしろそれら原始的な匂いを残す街とはかけ離れた人工都市ニューヨークだったのだ。三島はニューヨークをこよなく愛した。それもこの作家ならではの感性と肉体をもってしか感得できぬこの都市の魅力ゆえに……。


　旅行者はみなアメリカがつまらないといふ。ニューヨークもカサカサしてゐて無味乾燥で面白味がないといふ。

　なるほど中南米の色彩ゆたかな国々に比べれば、面白味は乏しいにちがひない。しかし天邪鬼（あまのじゃく）な私は、どういふものか世界で一番ニューヨークが好きなのである。その灰色の石と鉄の塊（かたま）りが、都市全体が一つの巨大な機械のやうに唸（うな）りをたてて、二六時中動いてゐる。その住人の心理も機械の細かい部品のやうになりながら、それだけで終つてゐない。却（かへ）つて人間の最後の抵抗が神秘主義や暗い詩や、アフリカの音楽や……考へられるかぎりの狂気の深淵にしがみつく。そしてあの三角形や五角形の、ガラスの破片のやうな、遠い遠い小さい空、あのものすごくエネルギッシュでしかもパセティックな雰囲気。……

　あれこそ人間の築いた最後の都市といふ気がするのである。[1]（「ニューヨーク」）


これは一九六〇年十一月、三島が三度目となるニューヨークへ出発する前に「海外旅行情報」

に書いたあまり知られていない文章である。コンクリート・ジャングルと呼ばれる無機質な人工都市の中で、人工化されることに必死で抗い、生命の根源にとりすがろうとする人々のもの悲しいほどのエネルギーに、この大都会の本質を見る。それは三島独自のニューヨーク観であり、紛れもなく彼の文学の中に息づいているものである。

二枚のモノクローム写真がある。ダークな色合いのスーツとネクタイで決め、腕組みをし、ニューヨークの高層ビル群を背景に不敵とも言えるような笑顔を浮かべる三島。もう一枚はセントラル・パークからプラザホテルなど五番街に並ぶ高級感あふれる建物を背景にした写真である。服装は同じものの、破顔の笑顔が逆にその繊細さを浮かび上がらせている。いずれも一九六四年に三島がニューヨークを訪れた際の写真である。三島は四十五年というその短い生涯のうちに少なくとも五回このアメリカ最大の都市を訪れている。(2) 総滞在期間は、約五か月間にのぼる。実は、ニューヨークこそは、この作家が海外の都市の中で最も頻繁に訪れ、長い時間を過ごした街でもあるのだ。

II

『サロメ』の面影を探して

初めて三島がニューヨークに足を踏み入れたのは、一九五二年一月のことである。

GHQの許可なくしては海外に渡航することが不可能であったこの時代、三島は『朝日新聞』の特別通信員として約四か月半の世界一周の旅に出た。前年のクリスマスに横浜の大桟橋を出港した船は初の海外旅行への期待に胸膨らませた二十六歳の作家を乗せ、太平洋を渡った。サンフランシスコ、ロサンゼルスといった西海岸の主要都市を巡り、ニューヨークにたどり着いた三島は、到着の夜にさっそくメトロポリタン歌劇場に赴く。西海岸の都市はそれぞれ二日ずつしか滞在しなかったのに対し、二週間ちかくを過ごしたこの地で三島はオペラや映画、数々のミュージカルや美術館での芸術鑑賞を堪能した。

『群像』(一九五二年四月)に「あめりか日記」と題して掲載され、後に『アポロの杯』に収録された「北米紀行」の大部分がニューヨークに関しての文章である。その中で三島が熱烈に綴っているのが、到着の夜にメトロポリタン歌劇場で観たドイツ前期ロマン派のリヒャルト・シュトラウス(Richard Strauss, 1864-1949)が作曲した一幕物のオペラ『サロメ』(*Salome*, 1903-1905)である。オスカー・ワイルドが書いた一幕物の悲劇『サロメ』(*Salomé*, 1891)をもとにしたこのオペラを、三島は「私の眷恋(けんれん)の歌劇」と呼んでいる。三島が当時「肉慾で結びついた関係」と、その類似性、それゆえの愛憎の深さと強固な結びつきを語って憚(はばか)らなかったワイルドのこの作品は、少年期に最初に自分の眼で選び、手にした宿命の書でもあった。

三島はこの「北米紀行」、そして北米に向かう船上での感興を綴った「航海日記」を通して一度ならずワイルドに言及している。船上でワイルドの哄笑(こうしょう)を思い出し、ハワイでもワイルドの芸術論を想起し、サンフランシスコで映画を観ればワイルドの童話の一場面を思い出す。そし

ニューヨーク近代美術館 MoMA（© Colin W）

て、このニューヨークでもワイルド原作の『サロメ』に旅の疲れも厭わず見入っている。いや、この度重なるワイルドへの言及は偶然などではない。もちろん三島が一九五〇年に「オスカア・ワイルド論」を書いてから間もないこととも関係があるはずだ。また、当時の三島が、ワイルドの『ドリアン・グレイの肖像』に影響を受けたと言われる同性愛的傾向が色濃い長編小説『禁色』（一九五二年）を執筆していたことも無視できない。

そして、この時期『禁色』の取材も兼ね銀座のゲイ・バー「ブランスウィック」に出入りするなど、同性愛的な経験をしたと言われる三島にとって、年下の貴族の美青年アルフレッド・ダグラスとの道ならぬ関係によって社会的制裁を受け、社交界の寵児から一挙に奈落の底に突き落とされたワイルドは、まさに「同類のみが知る慰藉」という深い絆で結ばれた存在として、その脳裏に鮮やかに蘇ってきたにちがいない。ワイルドその人が一八八二年に唯美主義の伝道者として講演をするためにはるばる大西洋を渡ってこのニューヨークを訪れたことを三島本人は知らなかったかもしれないが、まさに奇縁である。

チャールズ・デムースの絵に惹かれて（MoMA ニューヨーク近代美術館）

ちょうどこの世界旅行に出向く前の夏、平岡家で寝食を共にし、本人いわく三島と特別な関係にあったとする福島次郎（一九三〇―二〇〇六年）は、この作家のもとを去っている。[3] アメリカへ向かう船の上で太陽と戯れるという初めての経験をし、日がなデッキの上で陽射しにその青白い肌をさらしながら、書斎で夜を徹する日々や多くを敏感に感じ過ぎる東京での生活に疲弊しきった三島は、この旅で「感受性」を「濫費するだけ濫費して、もはやその持主を苦しめないやうにしなければならぬ」（『私の遍歴時代』）と心に誓う。華々しい旅行記には描かれていない傷心を癒す旅（センチメンタル・ジャーニー）の側面がこの世界旅行には隠されていたのである。

そのひとつに、あまり知られていないが、チャールズ・デムース（Charles Demuth, 1883-1935）の絵との邂逅（かいこう）がある。アメリカ人の美術批評家の案内でニューヨーク近代美術館（MoMA）とメトロポリタン美術館を見て回った三島は、多くの現代絵画や印象派をはじめとする美術館所蔵の代表作を紹介されたにちがいない。だが、彼の心を捉えたのは、日本人にはいまだ関心の薄いアメリカのプレシジョニズム（精密派）に属する水彩画家デムースの数点の絵であった。

そもそも「合衆国の画家の作品で、心を動かしてくれるものに会ひたい」という期待を抱いて、MoMA に足を運んだ三島がデムースの絵の前で足をとめたのは、この画家が同性愛者であったことと無関係ではないだろう。

『アポロの杯』の中では「五十そこそこで死んだ今世紀前半の画人」とさらっと説明するにとどまっているが、同性愛者であることを公にし、晩年には相手を求め、公衆浴場に通ったというデムースの奇異な生涯を、三島が耳にしなかったはずがない。

特にその目にとまったのは自転車競走の絵である。「選手のジャケツの色が非常に鮮明で明るくて、それでゐて不吉」な感興を催す不思議な一幅である。この絵のタイトルはおそらく「アクロバット」（*Acrobats*, 1919）であり、画中では筋骨逞しい肉体をぴったりと覆う赤いランニングシャツから幅広い肩を曝け出したふたりの男性が、一台の自転車の上で腕を接しながら曲芸を行っている。まさに同性愛的な雰囲気を醸した絵なのである。

ちなみに、三島はこのニューヨーク滞在で聖セバスチャン（Sebastianus, -287?）の絵をできる限り見ること、シュトラウスの『サロメ』を観ること、そしてゲイ・バーを訪れることの三つを強く求めていたと伝えられている。(4)

午前零時半、ハーレム（暗黒の聖地）へ

本場のジャズを聞くため、あるいは黒人ミュージシャンたちのプロへの登竜門であり、かつてはマーヴィン・ゲイ（Marvin Gaye, 1939-1984）やジャクソン5、スティーヴィー・ワンダー（Stevie Wonder, 1950-）らが舞台に立ったことでも知られるアポロシアターを見るため、また黒人たちの力強い歌声に圧倒されるゴスペルやソウルフードを楽しむために多くの観光客が訪れる

現在のハーレム。
縦長のマンハッタンの北部アッパータウンの、南は一一〇丁目から北は一五五丁目まで広がるこの黒人居住地区は、植民時代に遡(さかのぼ)ればオランダ系移民の居住地であり、彼らの祖国の都市ハルレムにちなんでハーレムと呼ばれるようになった。現在のように黒人文化(ブラックカルチャー)の中心地となったのは、一九〇〇年代にアフリカ系アメリカ人たちが大移住してきてからのことである。一九九〇年代のジュリアーニ市長の犯罪率減少政策によって急速に治安が改善され、むしろ現在ではマンハッタンの多くの場所と同様に高級化が進んでいる地域であるが、三島が訪れた第二次大戦後には不景気のためニューヨーク市に空洞化が起こり、貧困から窃盗や麻薬取引などの犯罪がはびこる危険な地域と目されていた。

午前零時半のハーレム。真冬の凍(い)てつく空の下、細身で小柄な東洋の青年が学生とおぼしき物慣れた様子の白人男性に連れられてハーレムの一軒の店に入って行く。三島はコロンビア大学の学生と連れ立ってこの犯罪都市の酒場を訪れている。漆黒の肌に白い歯を見せる不気味な黒人たちが立錐(りっすい)の余地もなく立ったまま酒を飲み、ピアノに合わせて歌い、大声で話す喧噪の中。そこに身を置く蒼白い顔をした若き小説家。イミテーションの宝石と毛皮を身につけた年端もいかぬ黒い肌の娼婦に咽喉(のど)を撫でられ、黒人のレズビアンらの人目も憚(はばか)らぬ愛の戯れを目の前にしながら、彼の心はむしろ解放されていた。

ハレムのバアはこのやうに面白い。しかし情趣を求めるのはまちがつてゐる。ここにある

ハーレム

のは、悪徳の情趣ではなくて、悪徳の健康な精髄の如きものである。いかがはしい人々を支配してゐるのはむしろ常識である。われわれはここでもきはめて常識的な殺人にしか会はないだらう。

　黒人たちはもう匂はない。ここには船の三等船室のやうな匂ひもない。

　ある黒人たちの趣味はいい。銀座の伊達（だて）男のはうが、時にはよほど悪趣味である。

　ここのバアには、娼婦も女衒（ぜげん）も水夫も紳士も俳優も運動選手も学生もジゴロもお尋ね者も一緒くたになつて呑んでゐる。立つたまま、肱（ひじ）もぶつかるほどに混み合つて、呑んでゐる。黒人たちの表情は、わが家にゐる落着きで、くつろいでゐる。そして自分たちの皮膚の黒さが白人の心に投影するあのふしぎなもの、醜さや罪悪や悖徳や無知の印象の或る輝やかしい精髄が、自分たちにそなはつてゐることを感じて、心ひそかに満足してゐる。かれらはそれを、嘗て太陽から得たのである。(『アポロの杯』)

妖しげな熱帯の花が咲き乱れるがごとき暗黒の聖地では、醜さも罪も何もかもがひとつの悪徳のエッセンスの中に集約され、その中に人々は安住している。

自分の生まれ持った性に疎外感を抱き、因習的な社会の縛めに窒息しそうになっていた東京での生活。ここニューヨークで、三島は東洋の一画では決して目にすることのなかった黒檀色の皮膚の下に息づく生命力、白人の嫌悪感すら悪徳というパワーに取り込んでしまう野太いまでの健全さを見たのだ。それは灼けるように照りつける彼らの故郷アフリカのあの太陽がつくり上げたものであった。白人がどうあがいても手にすることのできない活力の源――三島はこの世界最大のコンクリート・ジャングルの闇の中で、この先ギリシアやブラジルでも感じることになる太陽の力をたしかに感じていた。感じやすいその心を鋼のように強靭なものに変えるには、太陽の健全なエネルギーが不可欠だったのだ。

住人としての視点（二度目のニューヨーク）

一九五七年七月、三島が再びニューヨークを訪れた際の様子は本章の冒頭で触れた。五年前に初めてニューヨークを訪れた時は、芸術団体の人々の案内による見聞を広めるための訪問であったのに対し、今回は自作のプロモーションというビジネスの要素が強く、多くの文化人たちと社交の機会を持った。宣伝の甲斐もあり、『近代能楽集』（一九五六年）の上演を申し込む人々も複数出てきた。三島はその中からプロデューサー経験のない二人の話に興味を持ち、翻訳を担当したドナルド・キーン（Donald Keene, 1922-2019）に相談の上で彼らと契約を交わした。ミュージカルやバレエなど多くの舞台芸術を鑑賞し、CBS放送と関係していたこのプロデューサーたちに連れられ、芝居がはねた後のレストランで芸術家たちに紹介され、彼らのアパートメントで催されるホームパーティーにも顔を出した。

三島由紀夫『旅の絵本』
（講談社、初版本 1958 年）

この時のニューヨーク滞在については旅行記『旅の絵本』（一九五八年）に詳しいが、五回のニューヨーク訪問の中でこの時が最も長期にわたる滞在であったこともあり、彼の視点は一介の旅人というよりは、むしろそこに住むひとりの芸術家の様相を呈していた。自分の芝居がブロードウェイで上演される様子を思い描きながら、三島はタイムズ・スクエアの劇場街やセントラル・パークを闊歩した。交差点の信号待ちの間、ふと摩天楼を見上げると、そのひしめき合うビルの群れの先端部分の隙間から小さな青空が覗いていた。

ニューヨークでは空が途方もない高いところにあつて、雨後の水たまりなどには、青い空の断片が、百何十階の壁のあひだを、イカルスのやうに墜落してきて、そこにおぼれてゐた。一ブロックを歩くにも、よほどの距離で、五番街と六番街のあひだは殊に長かつた。さうやつて歩いてゐると、自然との隔絶といふやうな概念的なことを考へる余裕なんかなく、これはこれで、一種の自然の風致、それもどこの風土とも似ても似つかない一種の苛烈な自然のなかを往くやうな気がした。さういふニューヨークが私は好きであつた。そして夜中の三時といふ時刻に、いういうと、犬を散歩させてゐる男もゐた。(『旅の絵本』)

しかし、大都会の気まぐれが意気揚々と交差点を渡る作家を襲った。上演開始予定となっていた『近代能楽集』の準備をプロデューサーたちの手に託したまま、三島は約一か月間のカリブ海周遊の旅に出た。

律儀な三島は、カリブの紺碧の海や白砂の上にいても、『近代能楽集』のことが気になって演劇欄に上演予告の記事が掲載される『ニューヨーク・タイムズ』を見かければ手に取らずにはいられなかった。だが、いつも期待は裏切られた。悪い予感は的中した。十月にこの大都会に戻ってきた時に、上演の話が遅々として進んでいなかったことを知った三島は憤慨する。十月初旬のニューヨークはもう公園の木々の葉も落ち、すっかり秋色の装いであった。

それでも、三島はふさわしい監督を探しているというプロデューサーの話に望みを託し、当初の計画よりもニューヨーク滞在を引き延ばすことに決めた。一か月、二か月が経ち、ついに十二月になった。一ドル三六〇円の時代である。手元にある資金は限られていたので、マリリン・モンローも常宿したセントラル・パーク近くに位置する高級ホテル、グラッドストーン・ホテルから、ダウンタウンの安宿に移らざるを得なかった。芝居の進捗(しんちょく)状況を聞かれるのを避け、それまで楽しんでいた社交も断念し、ニューヨークをひとり歩いた。節約のためタクシーは使用せず、地下鉄で移動する術も覚えた。日記は倹約のために家計簿のようになり、数字が並んだ。

グリニッチ・ヴィレッジにて

いまでは話題の店が立ち並び、すっかりお洒落な印象になったグリニッチ・ヴィレッジであるが、当時は貧しい芸術家志望の若者、そして年金生活者が暮らす古ぼけた街であった。やがて彼らの孤独が作家の心にも侵食してくる。

そして若い人たちも、老いた人も、孤独な人が多く、そのために二人連れの若い人たちは、これ見よがしに歩いて、あたかもほかの人間の孤独から自分たちだけ抜け出してゐるのだと誇示してゐるやうであつた。

大体においてグリニッチ・ヴィレッジというところは、金持はみな孤独であり、若い人たちはみな貧乏であり、旅行者は何か冒険はないかと思つて、ほつつき歩いてる町にすぎなかつた。（中略）

雪は、そのさみしい生活の間によく降つた。華氏の十四度の日もあつて、外に出ると眼が痛くなり、顔が硬(こわ)ばつた。（『旅の絵本』）

グリニッチ・ヴィレッジの木賃宿(きちんやど)は、養老院代わりに暮らす老人たちで溢れており、物珍しい東洋人の新参者であった三島を待ち構えては話しかけてくる。異国の地で不安と老醜の中にいると、憂鬱でたまらなくなる。それでも、懐具合(ふところぐあい)を考えれば気分転換に飲みに出かけることもままならない。その頃日本では『美徳のよろめき』（一九五七年）が爆発的なヒットとなっていた。人気作家の三島が雪の降る灰色の大都会のうらぶれたホテルで、孤独な日々を過ごしていたなどと誰が想像できただろうか。

アメリカ的デカダンス

だが、こうした不安と孤独、東洋から来た無名の旅行者ゆえの自由のない交ぜになった状況ゆえに、三島はニューヨークのもうひとつの顔に触れることができたのだろう。鉛色の空から薄日が射す冬枯れの公園をひとり歩き、まるでヨーロッパの一角にいるような錯覚に陥る瞬間にも、三島は歴史を重ねたヨーロッパにはない無限のエネルギーを、ニューヨーカーたちの横顔に嗅ぎ取ったのではなかったか。

自分の別荘の庭での焼肉料理や、ヨットやはだしの生活や、禅やヨーガへのあこがれや、さういふものを、人はアメリカ人の物質文明機械文明からの逃避と簡単に片づけるが、私がこの国で全般的に感じたことは、活力そのものが反対のものにあこがれてゐるといふもつと自然な動機であつた。かれらは無意識に自分たちの無限の活力が怪物を作り出すのをおそれてゐて、なるたけ無効のものにそれをそそぎ出さうとしてゐた。かれらの活力はもう生活を快適にするものは全部作り出してしまつたので、あとは怪物を作り出すほかないのであるが、それを作り出す正直な勇気を持つてゐるのは芸術家だけなのである。（『旅の絵本』）

目まぐるしく流行を取り入れてはそれに凝る流行好きなアメリカ人の、一見すると浅薄な東洋趣味はあまりあるエネルギーの健全なる消費の対象である。一向に枯れることのない彼らの活力は、一歩まちがえば凶悪犯罪へと発展しかねないほどの起爆力を持っている。いつ化けるともわからない魔物の力を、馬鹿馬鹿しいことに注ぎ、使い果たす一般人に対し、この魔物を操り、作品として昇華できるのは芸術家をおいて他にいないことを三島は看破した。ここに三島の芸術への強い想いがある。

ニューヨークの芸術家たちは、だれしも、何らかの意味で少し病んでゐた。日本の文士のやうな健康優良児にはお目にかかつたことがない。しかしニューヨークで病んでゐるといふことは、パリや前世紀末のウィーンで病んでゐたといふこととすこしちがふのである。（中略）ヨーロッパでは頽廃とエネルギーとは、かつて結合したことがなかつた。アメリカで、それもニューヨークで、はじめてその調合が試みられたのである。ニューヨークの病める芸術家たちは、一つの文明の個性的表現を作り出し、身を以てそれを生きてゐる。それはセントラル・パークで、行人を的にピストル射撃の練習をして、何人かの無辜（むこ）の市民を殺したティーン・エージャアの犯罪とも、どこかでこつそりつながつてゐる世界である。（『旅の絵本』）

一九五八年一月十五日付の『朝日新聞』に掲載されたこの文章は英訳され、一部のアメリカの識者から誤解を受けたようだが、三島は「アメリカ人は単純で肉体的健康そのもので、深い藝術感覚がない」、「アメリカには頽廃（デカダンス）がない」という日本のインテリ層が永い間、固持し続けた通念を破ろうとしたのだと、翌年の四月にドナルド・キーンに宛てた手紙の中で弁明している。(5) その言葉に嘘偽りはないだろう。

ニューヨークの芸術家の病気とは「一つの文化の深いどろどろした奥底に生き、その文化のあらゆる否定面と悲劇的運命を代表して」病むということで、そこで初めて文化の最高表現が得られるのであり、アメリカにも、本当のデカダンスがあり、しかもそれは、生活に倦み疲れ衰滅する時を待つヨーロッパのものとは異なり、特殊なアメリカらしいものであること、それがニューヨークの芸術家に顕著であることを三島は訴えたかったのだ。(6) ドラッグや酒に溺れたり、性的倒錯や奇妙な隠遁（いんとん）生活を試みたりしながらも、生にすがりつこうとする反作用的エネルギーは、高い摩天楼の先に必死に姿を見せている青空や大都会の中で響き渡る野生の叫びのごとく、かえって生物としての人間の本性を曝き出すのかもしれない。

ニューヨーク・シティ・バレエ（NYCB）

いつ開くともわからない芝居の上演を待ちわびながら、舞台芸術のメッカであるニューヨークのすべての芝居を見て歩いた三島が、人に会えば、「一番の見もの」だと熱く語ったのが、ニューヨーク・シティ・バレエであった。

私はニューヨークでシティ・バレエにほとほと感嘆して、会う人ごとに、ニューヨークでぜひ見るべきものは、シティ・バレエだと宣伝して歩いた。（『旅の絵本』）

ニューヨーク・シティ・バレエはその名の通り、ニューヨークを本拠地とするバレエ団である。アメリカにバレエを普及させたいと願ったバレエ評論家リンカーン・カースティン（Lincoln Kirstein, 1907-1996）が一九三三年にロシアから振付師ジョージ・バランシン（George Balanchine, 1904-1983）を招いて設立した。同じくニューヨークを本拠地とする世界最高峰のバレエ団のひとつアメリカン・バレエ・シアターと並び称されるアメリカを代表するバレエ団である。

カースティンは、バランシンがヨーロッパで立ち上げた前衛的なバレエ団の公演に強い感銘を受け、私財の一部を投じて彼をアメリカに迎えたのである。ダンサーの育成が必至であるとのバランシンの意向を汲み、カースティンはまずバレエ学校を創立。一九三五年には学校の生徒と卒業生で現在のバレエ団の前身となるアメリカン・バレエとして公演を行った。ニューヨーク・シティ・バレエとなるのは、一九四八年にニューヨーク・シティ・センターと専属契約を結んでからのことである。

バランシンの好みを反映してロシアの作曲家ストラヴィンスキー（Igor Stravinsky, 1882-1971）の音楽を使用する傾向があり、古典作品や物語性のある作品よりも、抽象的な小品を得意とする。このバレエ団の舞台と衣装には独特の美しさがあり、三島の審美眼の高さが窺える。

私自身も何度か観に行ったことがあるが、初めて観る作品がほとんどで、どれも正統派バレエというよりは前衛的で個性を感じさせるものであった。衣装の色も、彩度を落とした淡い色合いで、クリスタルなどの装飾もほとんどない、シンプルでシックな印象を与える。クリスマスシーズンに上演されるバランシン振り付けの『くるみ割り人形』はニューヨークの冬の風物詩だが、東京やモスクワで観たものに比べると、舞台の色彩も淡く、抑え気味であり、子どもたちのマイムやクリスマスツリーが十二メートルまで伸びて巨大化するなど、このバレエ団独自の演出もある。特に吹雪の中で薄い水色の衣装をまとった雪の精たちが舞う「花のワルツ」は幻想的で、まるで白銀の世界に誘（いざな）われるかのような気持ちになる。

少年時代から歌舞伎好きの祖母の影響で歌舞伎に親しんだ三島は、バレエも含め、生涯を通じて舞台芸術を愛した。だが、演劇の聖地でありったけのミュージカルや演劇を鑑賞した三島が強く感銘を受けたのがこのニューヨーク・シティ・バレエであったことは興味深い。

バレエ「檻（おり）」

三島が訪れた一九五七年には、ニューヨーク・シティ・バレエは、現在のリンカーンセンターではなく、タイムズ・スクエア近くのニューヨーク・シティ・センターにあった。

あのシティ・センターといふ小屋で、とにかく毎夜千人以上のお客を相手にして、あれだけ実験的で野心的で前衛的な仕事をどんどんやつてゆくといふことは、たとへ市の予算で賄はれてゐる興行だとしても、大へんなことだ。（『旅の絵本』）

鑑賞した作品の中で三島が「これこそアメリカ文化の真髄の表現」と思わず脱帽したのが、「檻」（*The Cage*, 1951）である。約十四分間の小品ながら、魅せるものがある。人間で言えば少女とおぼしき雌蜘蛛が女王蜘蛛をはじめ大人の雌蜘蛛たちから、雄蜘蛛を籠絡（ろうらく）し食い殺すまでの一連の愛の手ほどきを受ける。やがて一匹の魅力的な雄蜘蛛と出会った雌蜘蛛は「蜘蛛の性行為とはこんなものかと想像されるやうな、極度にエロティックな、（そこらのストリップ・ショウのエロティシズムなどこの比でなし）、不気味な、ネバネバした長いデュエット」で表現される激しい性交の末、雄蜘蛛を殺す。

ストラヴィンスキーの《バーゼル協奏曲》（《弦楽のための協奏曲ニ調》*Concerto in D for String*

Orchestra, 1946）の愛称で知られる戦慄的なヴァイオリンの音に合わせ、蜘蛛の足を想起させるねっとりとした体のくねりが続いたかと思えば、鞭の一振りのようなドスのきいた動きが昆虫の俊敏さを思わせる卓越した振り付け。黒幕に銀色の蜘蛛の糸をはっただけの薄暗い舞台。肌の色に近い布地に黒い螺旋状（らせんじょう）の模様をあしらっただけの身体の線も露わな裸身を思わせるレオタード。シンプルな舞台装置と衣装のおかげで、かえってダンサーたちの身体の動きだけに目が行き、そのエロティシズムと凄まじいまでの野性の生命力が鮮明に浮き彫りになる。

「檻」と『サロメ』

「檻」はニューヨーク出身の振付師で、ニューヨーク・シティ・バレエのバレエ・マスターを務めたジェローム・ロビンズ（Jerome Robbins, 1918-1998）の初期の代表作のひとつで、一九五一年の初演では日本でも知られるバレリーナ、ノラ・ケイ（Nora Kaye, 1920-1987）が演じて評判をとった。一九五七年に三島が観たのは、カナダ人バレリーナのメリッサ・ヘイドン（Melissa Hayden, 1923-2006）とメキシコ人ダンサーのニコラス・マガラネス（Nicholas Magallanes, 1922-1977）の舞台であった。初演時ほどの迫力に欠けるとの新聞評は目にしていたが、初見の三島は「圧倒的な舞台」であったと賛辞を惜しまなかった。ロビンズの生誕百周年にあたる二〇一八年五月にもニューヨーク・シティ・バレエで上演されたが、今日でもその衝撃は薄れていない。[7]

圧巻なのは雄蜘蛛が殺戮される場面であろう。黒い小さなレオタードから剝き出しになった精悍な右半身が雄の肉体的な若々しさを表している。その彼が女王蜘蛛と十二匹の雌蜘蛛たちに次々と挑まれ、精も根も吸い取られ、やがて力尽き、生贄（いけにえ）のように雌たちの手に高々と祭り上げられる。

地面にたたき落とされる雄蜘蛛。その身体の上につい今しがたまで交わっていた雌蜘蛛が仁王立ちになり、雄の両脇腹を両手で容赦なく刺す。暴力的に踏みつけられ、やがて悶絶し、気を失った雄蜘蛛は床を蹴り転がされる。まるで性交の続きのように手足をひくひくさせながら全身に覆いかぶさる彼女の甘い肉体に圧迫され、息絶える。このエロスの果ての死と原始の生命との壮絶な結合に観客は息をのむ。

そこにはエネルギーと頽廃（たいはい）との全き結合があつた。このカクテルの国「アメリカ」は、最も調和しないはずの異質の酒の調合に成功したのであつた。雌蜘蛛（めすぐも）が雄蜘蛛との性交のあとで雄蜘蛛を食ひ殺すすさまじいバレエには、ヨーロッパのどこの国の作品にもない味はひがあつた。（『旅の絵本』）

現代でも衝撃的なこの作品が、七十年近く前にどれだけ観る人の気持ちを煽（あお）ったかは想像に難くない。自分の楽曲がこれほどまでに扇情的な踊りで表現されたことにストラヴィンスキーもはじめは困惑したと伝えられる「檻」。だが、三島はむしろ「男性のマゾヒズムと女性のサディズムの極致であつて、こんなに性的な戦慄的なバレエといふものを、私は未（いま）だかつて見たことがないのである」と興奮を隠さない。この暴力的な凄まじい頽廃が奏でる究極のエロスは、この五年前、三島が初めてニューヨークを訪れた夜に見た『サロメ』と重なる。

無垢な少女だったサロメがヨカナーン（洗礼者ヨハネ）に情欲を感じ、最後にはこの聖人の切断された首に接吻し、エクスタシーのさなかで殺されるというエロスとタナトスとの結びつきがこの劇の終わりを飾っているからだ。だが、ヨカナーンとサロメの死で幕が下りる『サロメ』には見られない「生」への執着、エネルギーが「檻」にはある。雌蜘蛛が雄蜘蛛を食い殺し、自分の養分にするという強い生命力の中に、三島はこの若い大国と衰滅に身を委ねるヨーロッパとの間に潜む決定的な相違を見出したのだろう。

オスカー・ワイルド『サロメ』
（オーブリー・ビアズリー挿絵）

情熱の炎――「希望による拷問」の地、ニューヨークから持ち帰ったもの

三か月が過ぎ、『近代能楽集』の上演の見込みがないことを確信した三島は、ついに帰国を決意する。

もうニューヨークは、「明日は……」「明日は……」と待ち暮さねばならぬ牢屋ではなくなつてゐた。リラダンの小説の題名、あの「希望による拷問」は終つてゐた。私はもうすべてを許すことができた。(『旅の絵本』)

舞台芸術の中心地であるニューヨークで自作が上演されるという華々しい夢を捨てるのは容易なことではなかったにちがいない。一九五七年十二月二日付の『東京新聞』の夕刊に掲載された「背景をニューヨークに替へる――三島由紀夫「近代能楽集」の上演を語る」という記事の中で、ニューヨーク公演のプランについて細かく言及していることからも、三島がはかない望みをつないで「希望による拷問」に甘んじていたことがわかる。

その年末、三島はひっそりと希望と孤独の交錯する大都市を後にした。だが、彼が持ち帰ったものは失意だけではなかっただろう。この長い旅では自分に向き合い、芸術家としての立ち位置

について認識を新たにした。

私は結局、ニューヨークの芸術家のやうに病むこともできず、日本の文士のやうに健康であることもできず、おそらくその中くらゐのところなのであらう。（『旅の絵本』）

三島は『旅の絵本』のニューヨークの逸話を「ニューヨークの炎」という章で締めくくっている。グリニッチ・ヴィレッジの片隅のお湯の出ないアパートで寒さと飢えと戦いながら、売れない絵や小説を一生懸命書いている若者たちの姿に「芸術に精進してゐる」という感を深くしていた矢先、殺風景な寒々しいスタジオで若い女性舞踊家がリハーサルを行う様子を見学しながら、それを確信するに至る。

黒衣を着て、はだしで、真剣なかがやく瞳をして、十二音音楽の録音にあはせて踊る彼女の姿は、実に美しく、毅然たるものがあつた。窓のそとには冬の雨にぬれたニューヨークの灰色の石塊のやうな街が見えてゐるが、彼女が躍つてゐる空間には、とにかく一種の炎があつた。私もどうかしてかういふ炎を、日本へ持つてかへりたいと思ひます。（『旅の絵本』）

三島は彼女の舞踊にどんな逆境にも屈しない情熱の炎を見た。純粋な芸術への献身とエネルギーの炎を見たのだ。それはヨーロッパでも日本でさえもついぞ見なくなった、炎であった。そして、この炎こそ、目には見えないが、三島がニューヨークから日本へと持ち帰った最も得難いものだったのではないだろうか。それはあの自決の日までこの作家が心の中に持ち続けていたものだったのかもしれない。

［註］

（1）本文中の三島由紀夫の作品からの引用は、特記しない限り、すべて『決定版　三島由紀夫全集』全四十二巻（新潮社、二〇〇〇―二〇〇四年）による。引用の際には、本文中の括弧内に作品名を記す。

（2）前出の三島由紀夫全集の「年譜」によれば、三島のニューヨーク滞在は五回を数える。最初は一九五二年一月十日から二十日まで。二回目は一九五七年七月十九日から八月二十八日まで滞在し、カリブ旅行をはさみ、同年十月二日から十二月三十一日まで滞在。三回目は一九六〇年十一月十日からおそらく三週間ほど滞在。一九六一年九月にも二週間米国に滞在しているが、主に西海岸で仕事をしており、ニューヨークを訪れたかは不明。四回目は一九六四年六月二十日から七月二日まで滞在。五回目は一九六五年九月九日からおそらく二十二日頃まで滞在。その他にも、三島の「私はもう六、七回ニューヨークへ行つた」（「手で触れるニューヨーク」、〈初出〉『毎日新聞』一九六六年一月一日付）という記述から、年譜からは判明しないニューヨーク滞在が数回あったとも考えられる。

(3) 福島次郎『三島由紀夫――剣と寒紅』(文藝春秋、一九九八年)。

(4) Donald Richie, ed. by Leza Lowitz, *The Japan Journals 1947-2004* (Stone Bridge, 2004).

(5) 三島由紀夫『三島由紀夫　未発表書簡　ドナルド・キーン氏宛の97通』(中央公論社、一九九八年)。

(6) 三島由紀夫　前掲書。

(7) "The Power of Jerome Robbins' The Cage in the #MeToo Era," *Dance Magazine*, March 19, 2018 10:34 A.M. EST.
https://www.dancemagazine.com/metoo-dance-2549851363.html

7. J・D・サリンジャー『ライ麦畑でつかまえて』

――セントラル・パークの回転木馬にて

第7章

1. ストロベリー・フィールズ（イマジンの碑）(Strawberry Fields, Imagine Medallion)
2. 南側の池 (Central Park South Pond)
3. セントラル・パーク動物園 (Central Park Zoo)
4. アメリカ自然史博物館 (American Museum of Natural History)
5. グランドセントラル駅 (Grand Central Station)
6. ブルーミングデールズ百貨店 (Bloomingdale's)
7. ラジオシティ・ミュージックホール (Radio City Music Hall)
8. ペン・ステーション (Penn [Pennsylvania] Station)
9. ニューヨーカー・ホテル (New Yorker Hotel)
（作中の架空のホテル エドモント・ホテル (Edmont Hotel) のモデル）
10. ウィカー・バー (The Wicker Bar, Seton Hotel)
11. 回転木馬 (Carousel)

I

ストロベリー・フィールズ・フォーエヴァー

その日、私は真夏の陽だまりの中にひとりで立っていた。「ヘイ、タバコ代をめぐんでくれないか？」ふり向くと、派手なピンク色のTシャツにジーンズ姿の男が話しかけてきた。不健康なほどに細い体とロック風のいでたちが一瞬若者のような印象を与える。だが、よく見ると薄化粧を施した顔には皺が刻まれていた。タバコをくわえ、ニヒルな笑みを浮かべた彼のヘアスタイルは、晩年のビートルズのジョン・レノン（John Lennon 1940-1980）を彷彿とさせた。レノンの崇拝者か、平和主義の活動家か、あるいはかつてミュージシャンを志した若者の数十年後の姿だったのか。

イマジンの碑

ストロベリー・フィールズには、その日も多くのビートルズファンが集まっていた。特に人々が取り囲んでいたのが「イマジンの碑」である。レノンの名曲「イマジン」（“Imagine,” 1971）からその名をとった碑には、献花が絶えることがない。“IMAGINE” の文字をモザイクで縁取った中心の円からモザイク

ダコタ・アパート（著者撮影）

が放射線状に伸び、より大きな円を描いている。まるで地面に広がるダーツの的のようだ。記念写真を撮る人々。東京の日比谷公園二十個分以上の広さを誇るセントラル・パークの中でも、この一隅は特別な聖域である。

「イマジンの碑」は、西七二丁目のダコタハウスと呼ばれる瀟洒（しょうしゃ）な高級アパートメントから通りを隔てた真向かいに位置する。ダコタハウスは、レノンが最期の日々を過ごした自宅であったが、このリバプール出身のミュージシャンが四十歳という若さで凶弾に倒れて以来、世界中で知られるようになった。

犯人の愛読書

一九八〇年十二月八日のことであった。午後十一時前にレノンを乗せたリムジンがダコタハウスに停車した。「レノン?」降り立ったレノンに暗闇から誰かが声をかけた。レノンがふり向く間もなく、その背を目がけて五発の弾が発せられた。世界中の音楽ファンが悲しみに暮れたあの日からおよそ四十年が経とうとしている。
引き金を引いたのはマーク・チャップマン（Mark Chapman, 1955-）というテキサス州出身の二十五歳の青年であった。警備員の通報で現場に駆けつけた警官たちにチャップマンはすぐに取り押さえられた。だが、警官たちが到着するまでの間、奇妙なことにチャップマンは逃走しようともせず、舗道に腰かけ一冊の本を読んでいた。その本こそが『ライ麦畑でつかまえて』（*The Catcher in the Rye*, 1951）だったのである。

人種や宗教の壁を超えて平和を希求する未来を音楽に託したレノン。なぜチャップマンが銃弾を放ったのか、その動機を私は知らない。だが、殺害後に『ライ麦畑でつかまえて』を読んでいたと知った時、なにか犯人の孤独な心に直に触れてしまったような気持ちになった。レノン襲撃事件の翌年、一九八一年にレーガン大統領の暗殺を試みたジョン・ヒンクリー（John Hinckley, 1955-）の時も同じだった。事件当日にヒンクリーが宿泊していた部屋にもこの小説が残されていたという。ふたりの犯人が、殺人決行の時に『ライ麦畑でつかまえて』を手にしていた……これは偶然だったのか。

『ライ麦畑でつかまえて』の新しさ

『ライ麦畑でつかまえて』は、アメリカは西部の療養所にいるニューヨーク出身の十七歳の少年ホールデン・コールフィールドが、一年前のクリスマスシーズンのことを思い返し、その時の出来事を語るという告白体の長編小説である。

ホールデンは成績不振で退学の宣告を受け、寄宿制のプレップスクールを出奔する。列車でペンシルヴァニア州から実家のあるニューヨークに舞い戻るが、彼は自宅には戻らない。冬の大都会をさまよいながら、アメリカの富裕層に顕著に見られるスノビズムや大人の欺瞞に対してことごとく軽蔑や反発を感じる少年が、疎外感や孤独感を一層強め、自身の拠り所を探そうとする物語である。

内容はもちろんのこと、この作品を特別なものにしているのは、そのスタイル（文体）である。一九五〇年代の若者が使った、いわゆる当時の「若者言葉」が多用される口語体で描かれており、まさに内容と文体がぴたりと一致しているのだ。文芸評論家の江藤淳（一九三二―一九九九年）が評するように、「生を切断する時間の感覚」によって生彩を与えられた軽妙で滑らかな会話の新鮮さがあった。[1] すなわち、少年の心の「いま」、「その瞬間」が、当時のティーンエイジャーが使う話し言葉で語られることで、読んでいる私たちにダイレクトに伝わってくる、そのスタイルの斬新さこそが『ライ麦畑でつかまえて』の醍醐味（だいごみ）である。

『ライ麦畑でつかまえて』はたちまちのうちにベストセラーとなった。それ以来、多くのアメリカ人がティーンエイジャーの時に読み、共感する青春小説の古典的名著としてアメリカ国内では二五〇〇万部以上を売り、現在でも多くの読者を得続けている。

これはアメリカに限ったことではない。世界各国で翻訳され、その売り上げは二〇〇八年の段階で六〇〇〇万部を超え、現在も年に五〇万部以上が売れ続けている。『ライ麦畑でつかまえて』の人気は、日本においても例外ではなく、アメリカで刊行された翌年の一九五二年には『危険な年齢』（橋本福夫訳）というタイトルで翻訳が出ており、その後も、一九六四年にこの小説の邦題として定着した野崎孝訳『ライ麦畑でつかまえて』が刊行された。野崎訳の累計発行部数は二五〇万部以上を突破している。さらに、二〇〇三年に村上春樹が『キャッチャー・イン・ザ・ライ』と題する新訳を出し、新たなファンを獲得した。

なぜ、いまも人気なのか

二〇一〇年一月、作者のJ・D・サリンジャー（Jerome David Salinger, 1919-2010）が長い隠遁生活の末、老衰により九十一歳で亡くなった。その年の冬、ニューヨークを訪れていた私は、地下鉄の向かいの席でペーパーバック版の『ライ麦畑でつかまえて』を熱心に読んでいる初老の女性を見かけた。年季の入ったペーパーバックだ。サリンジャーの訃報を耳にして、若き日の愛読書を本棚から取り出して読んでいたのだろうか。

思えば私が初めて原文で読み通した最初の長編小説は、この『ライ麦畑でつかまえて』であった。だが、当時はアメリカよりもイギリスに興味があったはずだし、なぜこの小説をわざわざ原文で読みたいと思ったのか。なぜこの小説でなくてはならなかったのか、その明確な理由が思い出せない。おそらく若い日の私は当時自分の目指す専門領域などを超えて、もっと個人的なもの、いわば心の中の空洞を埋めてくれるものを求めて『ライ麦畑でつかまえて』を手にしていたのだと思う。

いずれにせよ、覚えているのは、自分が落ち着ける場所と話を聞いてくれる人を探しながら時にシニカルになったり、ユーモラスになったりする少年の語りが、まるで自分の分身が話しているように身近に感じられたことだ。そして、何よりも心に鮮やかに残っているのは、生粋（きっすい）のニューヨーカーであるホールデンが革のトランクを手に、赤いハンティング帽をかぶり、いかにも慣れた感じで歩き回る大都会ニューヨークの街そのものであった。セントラル・パーク、アメリカ自然史博物館、グランドセントラル駅、ブルーミングデールズ百貨店、ラジオシティ・ミュージックホールといった作中に登場する様々な名所を、辞書やガイドブックで調べることで、まだ見ぬ異国の情景を思い浮かべた、わくわくしたひと時が、つい先日のことのように蘇る。

この小説は「大人のインチキな社会に反抗する神経を病んだお金持ちのお坊ちゃんの物語」とか、「作者サリンジャーの無垢（イノセンス）への憧憬が投影された物語」と捉えられてきた(2)。もちろん、それらはこの小説の大切なテーマではあるのだが、私にとって『ライ麦畑でつかまえて』は大都会ニューヨークが孕（はら）む怖（おそろ）しさと、それでも人を惹きつけてやまないとてつもない魅力とを鮮やかに見せてくれた小説として心に刻まれている。『ライ麦畑でつかまえて』は他の街を舞台にしては成立しない。ニューヨークが舞台でなければならないのだ。

II　マディソン・アベニューのユダヤ人

この長編小説には母胎となった作品がある。一九四一年に書かれ、五年後に『ニューヨーカー』（*The New Yorker*）に掲載されたホールデンが登場する三人称の短編小説「マディソン・アベニューはずれの、ささやかなる反乱」（"Slight Rebellion Off Madison," 1946）である。そのタイトル通り、ニューヨークの高級街マディソン・アベニューに住むお金持ちの少年のささやかな反抗の物語であり、作者のサリンジャーが少年時代を過ごしたのも同じ場所であった。

現在はフランスやイタリアなどヨーロッパの有名な子ども服ブランドの数々が、店を構えるマディソン・アベニュー。六〇丁目付近にはバーニーズ・ニューヨークの本店もある。五番街から少し東側に入ったこのアベニューは隣のパーク・アベニューとともに、誰もが知る有名ブランド店が居並ぶ五番街よりも、むしろ排他的な高級感が漂っている。地元のハイセンスな人たちが日常に使う高級品を求めにやってくるという感覚だろうか。

以前もうすぐ誕生する姪のためにおくるみを買おうとこのアベニューを歩いたことがあった。淡いピンク色や水色の小さな靴下やレースの帽子など、ショーウィンドーのディスプレイがあまりにも洗練されていて、つい立ち止まり、店内に足を踏み入れてしまうのだった。品質も最高のものばかりであった。

ニューヨークの富裕層は子どもを大切にするため、ベビー服もヨーロッパの高級品を求める傾向が強いと噂には聞いていたが、まさかこれほどとは。ひとつのお店でおくるみを買ったら、次の店ではビジューのついたベビー用の髪飾りや哺乳瓶ホルダーなどが売っていて、気がついたら両手いっぱいにショッピングバッグを抱えていた。

作者のサリンジャー自身もホールデンと同じくマンハッタンで生まれ育ったニューヨークっ子である。生前筋金入りのマスコミ嫌い、人間嫌いとして知られたサリンジャーだが、彼が孤高の作家となったのは、生来的なものはもちろん、ニューヨークという環境によるものも大きかったのではないか。

ユダヤ人である父親と、結婚のためにカトリックからユダヤ教へと改宗したアイルランド人の母親との間に生まれ、宗教的に微妙な立場にあった。このことはアメリカ社会を生きていく上ではかなりの重荷であったはずだ。

40丁目から北向きに眺めたマディソン・アベニュー

サリンジャーが十三歳の時、食品の貿易会社で成功を収めた上昇志向の強い父親の意向により、一家は富裕なユダヤ人が多く住むアッパーイーストサイドにあるパーク・アベニューのアパートメントへと引っ越した。そもそもアッパータウン自体が富裕層しか住めない地域であるが、西側

（ウェストサイド）と東側（イーストサイド）とでまた格の違いがある。西側は有色人種であっても金持ちであれば住める傾向にあるが、東側はそういうわけにはいかない。富裕層であることは前提で圧倒的に白人、それもWASPが多い。日本でも名を知られるハリウッド女優やスポーツ選手であっても、住まいはアッパーウェストサイドであったりする。

アメリカにおける目に見えない階級制がそこには横たわっている。成功して一攫千金を手にするというアメリカン・ドリームを実現してもなお、手に入れられないもの——それは人種と出自である。そこに半分ユダヤ人の少年が移る。しかも、時代はユダヤ人が嫌悪されていた戦後のことである。サリンジャーの疎外感や孤立感は並大抵のものではなかった。[3]

ホールデンと作者サリンジャー

サリンジャーは、『ライ麦畑でつかまえて』刊行後二年で、ニューヨークを離れ、ニューハンプシャー州コーニッシュにあるコネティカット河付近に九十エーカーある美しい森を購入した。日本人の感覚だと、約十一万坪、東京ドーム八個分ほどの広大な土地である。その中の小屋でそれまでの都会暮らしとはかけ離れた世捨て人のような生活を始め、その姿を人前に見せることは滅多になくなった。

こうした兆候は『ライ麦畑でつかまえて』を刊行した三十二歳の頃にすでに見られた。著者の写真や略歴を大きく掲載することや各紙への書評用の献本も拒否、書評も送らないようにというサリンジャーの意向を受け入れる形で本は刊行された。[4] 販売促進のための広告、宣伝の類も拒絶された。しかも、当時は戦後間もない時期で、いわゆる戦争小説が人気を博していた時代であった。ところが、それにもかかわらず、この無名に近い新人作家の初の長編小説を手に取る人の数は多く、出版後三か月の間に十回にわたって増刷がくり返されるという根強い人気を誇った。『ニューヨーク・タイムズ』のベストセラー欄では、順位は最高でも四位であったが、ベストセラーのリストには二十九週間にわたってとどまり続けたのだ。

隠遁生活を始めた年に出版した『ナイン・ストーリーズ』（*Nine Stories*, 1953）でサリンジャーは作家としての実力を認められた。そして、一九六一年に刊行された『フラニーとズーイ』（*Franny and Zooey*）でついにベストセラーの一位を獲得した。

『ライ麦畑でつかまえて』の人気が圧倒的になったのは、実は、六〇年代になってからのことである。よく知られているように、保守的な五〇年代とは変わり、六〇年代は黒人や女性、ゲイ・レズビアンといったマイノリティが権利を主張した時代である。同時に、世界的に若者の大反乱が起こった時代でもある。文学ではビート・ジェネレーションの出現で、若者がロックなど自分たちの世代に特有の文化を持つようになる。その土壌の中で、まさに「若者たちのバイブル」となった『ライ麦畑でつかまえて』は、戦後最大のベストセラーとして爆発的な人気を博したのだ。

だが、単行本では『大工よ、屋根の梁を高く上げよ／シーモア・序章』（*Raise High the Roof Beam, Carpenters and Seymour: An Introduction*, 1963）の刊行を最後に、一九六五年以降は新たな作品すら発表されず、それまで唯一の手段であった小説を媒介にした読者とのコミュニケーションの道も断たれたまま、半世紀以上が過ぎていた。それにもかかわらずサリンジャーの死は大きく報道された。

名誉欲や世俗的な感情に流されることなく、頑(かたく)なに自分の主義を貫いた作家。その孤高の生涯は、嘘くさいものに溢れたニューヨークを逃れ、森のはずれの小屋で聾唖(ろうあ)者のふりをして暮らしたいと願った『ライ麦畑でつかまえて』の、そのホールデンの世界を透明な水晶のように結晶させているように思うのは私だけだろうか。

Ⅲ

大人の世界への抵抗

クリスマスを迎えようとするニューヨークの街。家族や友人と過ごすクリスマス休暇。その心浮き立つシーズンとは裏腹に、ホールデンは放校処分になったことを家族には内緒にしたまま、プレップスクール（ペンシー校）の寮を出奔してひとり列車に乗ってニューヨークへと向かう。土曜日の深夜のことであった。自宅には学校から放校処分の知らせが届く水曜日に戻ることにして、それまでの四日間はニューヨークのホテルに投宿して遊んでやろうと思いついたのである。

この小説は一人称の自伝小説ではあるが、ディケンズ（Charles Dickens, 1812-1870）の『デヴィッド・カッパーフィールド』(*David Copperfield*, 1849-1850)のように誕生の日から時間を追って詳細が語られる従来のスタイルとは大きく異なる。しかも、語られるのは、ペンシー校を出た土曜日の夜からニューヨークを出ようと決意する月曜日までのたった三日間の出来事だけである。そもそもホールデン自身が『デヴィッド・カッパーフィールド』風に書き始めるつもりがないことを冒頭で断っており、その理由は読む人にとって退屈極まりないからとしている。〔※1〕

さらに、これが『ライ麦畑でつかまえて』の核心なのだろうが、「うちの両親は、僕が自分たちのプライベートなことをほんの少しでもしゃべろうものならそろって脳内出血を起こすだろう」と予測されるからなのである(5)〔※1〕。ホールデンに言わせれば、彼の両親は「いい人たち」ではあるが、「そういう事柄に関してはひどく神経質な性質(たち)」なのだ〔※1〕。ペンシー校の先生は「ご両親は威厳のある方々」と評するが、ホールデンは「『威厳ある』だって。僕が心底嫌いな言葉だ。嘘くさいじゃないか。聞くたびにヘドが出そうになるぜ」と心の中でつぶやく〔※2〕。周囲に立派に見られることには心を砕くが、内実は自分たちの体面や立場が脅かされることばかり気にして常にびくびくしている――身近にいる偽善的で表層的な大人に対する客観的な眼差しが物語の冒頭にすでに現れている。

夜の電話ボックスで

“phony”(「嘘くさい」)という言葉は、何度もこの小説の中でくり返される。その他にも

“moron”（「低能」、「ばか」）などの言葉が頻繁に使われる。さらに、保守層や教会関係者らから激しい弾圧を受ける原因のひとつになったのが、作中で多用される神への冒瀆（ぼうとく）を表す汚い言葉——“goddam”（「ちくしょう」）が二三七回、“bastard”（「野郎」、「ろくでなし」）が五十八回、“chrissake”（「頼むから」、「ほんとにもう」、「いやはや」）が三十一回——であった。第二次大戦終結後間もない一九五一年当時、少年の口から「嘘くさい」という言葉が口癖のごとく発せられ、神への冒瀆とみなされる言葉が頻繁に発せられるこの新しい小説を、社会や体制に対する反発を孕んだ作品と受けとめる評論家も少なからずいた(6)。

実際、ホールデンが放校処分になったのはペンシー校が初めてではない。実は、その前に学校を四回替わっているのだ。いずれも有名な学校だったが、長続きしなかった。学校を去る日、ホールデンは寒さに震えながらフットボールの試合を、ひとりガタガタと震えながら眺めていた。震えていたのは、部屋に置いていたコートを盗まれたからだ。「お金持ちが集まる学校であればあるほど、泥棒が多いんだ。嘘じゃないぜ」と有名校の内実が語られる〔※3〕。嘘くさい人間や物事に囲まれた生活から飛び出したホールデン……。彼は何を求めてニューヨークに戻ったのだろうか。自分が育ち慣れ親しんだあの摩天楼の街なら、少なくともペンシーにいるよりはましだと踏んだのだろうか。

しかしながら、ニューヨークのペン・ステーションに着いて列車を降りるなり、その期待は裏切られる。誰かに電話をかけようと勇んで電話ボックスに入ったものの、週末の深夜にダイヤルを回す相手がひとりも見つからないのだ。思いついても、あれこれと考えるうちにかけぬ方がいい理由ばかりが思い浮かぶ。その間、二十分である。ついにホールデンは公衆電話を後にする。ホールデンには真の友人がいないのだ。

友達の数を語る人は多くても、少ないことを口にする人はほとんどいないだろう。現代でも、インスタグラム上に友人と楽しそうにしている写真をアップする人は多くても、孤独な姿をわざわざ曝け出す人は少ないのではないだろうか。だが、孤独でたまらない時、つらい時に、いざ受話器をとってアドレス帳を繰ってみても、その相手が見つからない。そんな経験はないだろうか。最初にこの作品を読んだ時、私が共感したのはこの公衆電話の部分だったように思う。無意識のうちに自分の心をすべて曝け出せる存在――ホールデンが語りかける「君」（"you"）のような存在を、私も求めていたのかもしれない。

ニューヨークのもうひとつの顔

自宅の庭のように知り尽くしていると思っていたニューヨークの街も、十六歳の世間知らずの少年にはまた別の顔を見せる。道を間違えてもタクシーの運転手はなかなかUターンをしてくれないし、ようやくたどり着いたホテルから見えるのは、窓の向かいの部屋のハンサムな初老の男性が女装をしている光景や、若い男女がお互いの顔や身体にハイボールか何かを口から吹きかけている光景だった。

翌朝になって、こうした倒錯者たちがどうしているかと向かいの窓を見てみると、シェードは下ろされている。「あの人たちも朝になるとお上品の極みになっちゃうんだな」とホールデンは思う。明らかに他人に見られるために夜にはシェードを上げていたはずの性的倒錯者たちも、そんな忌まわしい夜の出来事などなかったかのように昼間の上品な仮面をかぶる。そんなふたつの顔を持つ大都会の闇が少年の憂鬱に拍車をかけるのだ。

　ホールデンはニューヨークに舞い戻って来たこの土曜日の夜だけでも、さんざんな目に遭う。まず、ホテルのバーでシアトルからニューヨーク見物にやってきた田舎者の醜い三人組の女たちに勘定を払わせられて滅入ってしまう。気を取り直そうと、今度はグリニッチ・ヴィレッジにタクシーを飛ばしてジャズを聞きに行くが、そこでも通俗的な知り合いに台無しにされる。さらに、落ち込んでいたためにホテルのエレベーター係にそそのかされて娼婦を買うはめになり、何もしないのに多額の金をふんだくられる。その上、この美人局（つつもたせ）の男に殴られるという屈辱を味わうのだから、泣き面に蜂もいいところである。

　このエレベーター係による乱暴は、世間知らずの金持ちの坊ちゃんに対する、つまり階級差に対する歪んだ形の復讐と言ってもいい。ホールデンにとって、その夜に体験したことは、親に守られて暮らしていた時には知らなかったニューヨークのもうひとつの顔、すなわち大都会の悪夢だったのである。

IV

「無垢」への執着

サリンジャーは二度目の結婚をした時、二児の父親となった。長女マーガレットの筆による『我が父サリンジャー』(*Dream Catcher: A Memoir*, 2000)を紐解けば、そこには長身でハンサムな若き日のサリンジャーが笑顔を向けている。特にセピア色の写真の中で、幼いマーガレットに話しかけている彼の優しく穏やかな笑顔には、伝説で語られるような偏狭な世捨て人の面影はない。だが、マーガレットが妊娠した時には、「育てられもしない子どもをこんな『ひどい』世の中に送りだす権利はおまえにはない、中絶を考えることを期待する」と痛烈な言葉を浴びせた。(7) マーガレットの母親クレアが子を宿した時も不快な態度を示し、彼女を疎んじた。(8) 無垢なものへの徹底した執着が、彼を豹変させたのだろうか。

無垢への執着は『ライ麦畑でつかまえて』においても大人になること、社会の一員になることから逃れたいという願望として表れる。ホールデンは、ニューヨークに戻って二日目の日曜日に淋しさのあまり心ならずも同じマンハッタンに住むガールフレンドのサリー・ヘイズに電話をかけて芝居に誘う。自分と同じ上流階級の彼女は、ルックスは完璧で芝居や何かの知識は豊富だが、皮相的で自分の身分に露ほどの疑いも抱かずに浪費社会にどっぷりと浸かっている。サリーはホールデンと行った芝居の幕間に、パーティーで一度会っただけのアイビーリーグに通う学生と自分たちの知人の動向についてホールデンそっちのけで喋りまくる。サリーが自分たちの属する上流階級をいかに愛しているかが伝わってくるエピソードである。その後、彼女はホールデンにラジオシティのスケート場に行くことを提案する。だが、それは自分を魅力的に見せるコスチュームを貸してくれるという理由からに過ぎない。

お金持ちでマンハッタンの一等地に住んで社会的地位もある。有名校に通い魅力もある——そんな自分が大好きでその力で他人を従わせようとするWASP的な価値観、現代の日本でいう〈勝ち組〉であることを誇っているサリー——そんな彼女にホールデンは「嘘くささ」を感じ、心の中で悪態をつくのだ。そのくせ、彼女の美しさに惑い、従ってしまう弱さもある。挙句の果て、つい気を許してサリーにニューヨークを離れて小川の流れているような土地にふたりで住まないかと興奮気味に誘ってしまう。だが、案の定サリーは気を悪くして「そんなことできるわけないで

ラジオシティ・ミュージックホール
(© Rdikeman at the English Wikipedia)

しょ」と断言する。きちんと大学を出て結婚した後なら好きなことができるというのが彼女の主張だ。だが、ホールデンも負けてはいない。

大学なんて出てからじゃ、いまとはまったくちがうことになっちゃうんだよ。ふたりともスーツケースやなにかを持ってエレベーターで階下に降りていかなくちゃいけないだろう。みんなにさよならの電話をして、ホテルから絵葉書を出さなくちゃね。そして僕はそこそこいい会社で働いて、大金を稼いでいるんだろうね。タクシーとマディソン・アベニューのバスに乗って仕事に行って、新聞を読んで、いつだってブリッジをしているんだろうね。そして映画館に行ってばかげた短編映画や予告編やニュース映画を見たりしているんだろうね（中略）いまと同じはずなんかないじゃないか。僕が言おうとしていること、君にはまるでわかりゃしないいんだからさ。〔※4〕

「いま」を逃したら、自分もひとつの社会構造にはまり込んで身動きがとれなくなる。手遅れになる前に、まだ逃げ出せるいまのうちに……。ホールデンにそんなことを実行する度胸があったかどうかは定かではない。きっとできなかったにちがいない。ヒッチハイクで西部に行って自活すると妹のフィービーに宣言したにもかかわらず、彼はそれを実現できずにその一年後には療養所にいたのだから。ただ、この時のホールデンは、とにかくたったいま、この虚偽に充ちた街から逃げ出したい、その気分を共有する相手を求めていたのだろう。だが、それも叶わない……。

キャッチャーとは誰なのか

ホールデンはその日の朝、朝食を食べている時に、隣に座ったふたりの尼に好感を抱く。だが、自分がベーコンエッグを食べているのに、ふたりがトーストとコーヒーだけの質素な朝食をとっているのを見ると気が滅入ってしまう。さらに、彼女たちがクリスマスに華やぐ五番街の高級デパートの前で、みすぼらしいバスケットを手に寄付を募っている姿を想像するだけで切なさがこみあげてくる。だが、サリーの母親がふたりのような慈善活動をする姿は想像できないのだ。呼びかけを無視して通り過ぎる人、お金だけを無愛想に投げ入れ笑顔も見せずに去って行く人、そんなことにうんざりし、じきにバスケットを誰かに押しつけて洒落たレストランにランチを食べに行くのがオチだと想像する。

そして、尼たちが決してその洒落たレストランに行くこともないのだと思うと、たちまちホールデンの胸は切なさでいっぱいになる。学生寮でも自分の高級なスーツケースより安いスーツケースを持つ学生と同室になるのは切なくなるから嫌だった。ホールデンが金銭に執着心がなく、むしろ濫費に走るのは、自分の属する社会へのささやかな抵抗なのかもしれない。

だが、この「ささやかな抵抗」は、決して社会を変える原動力になることはない。決して彼がその苦難を乗り越えて成長する契機にもならない。むしろ、ホールデンは自分の原点に戻ろうとしているようにさえ見える。つまり、無垢な自分に……。嘘くさくて神経に障ることに溢れたニューヨークの雑踏の中で両親に連れられている六歳くらいの男の子の姿を目にした時、ふとホールデンの心は和らぐ。

小学校時代に連れて行かれた、アメリカ自然史博物館の漁をするエスキモーやインディアンの女も同じ役割を果たす。それらは変わることなく、いつも同じ姿で来場者を迎える。変質しないものへの愛着は幼くして亡くなった弟のアリーを追想する場面にも通じる。夭折したアリーは決して大人になることがない、純粋なる無垢の象徴なのだ。ハリウッドで脚本を書き、世俗化した兄とは対照的だ。妹のフィービーもアリーと同じだ。クリスマスプレゼントを買うために貯めていたお金を兄ホールデンに全額渡し、一緒に西部に行こうとスーツケースを一生懸命に運んできたフィービー。この小さな妹こそ彼の心を理解できるたったひとりの存在なのだ。そんなフィービーと話している時にはホールデンも素直になる。

将来何になりたいかと尋ねるフィービーにホールデンは自分の望みを語る。


とにかく、とてつもなく大きなライ麦畑でゲームかなにかしている小さな子どもたちを僕はいつだって心に思い描いているんだ。何千人もの小さな子どもたちがいて、周囲には誰もいないんだ。大人はって意味だよ、つまり僕以外いないってことだね。そしたら、僕はイカれた崖っぷちかなにかの上に立つだろう。僕がしなくちゃいけないことはね、その崖を飛び越えて行こうとする子たちを一人残らずキャッチすることなんだ。もしも子どもたちが崖めがけて走ってきているのに、前を向いていないなんて場合には、僕はどこからか姿を現してその子たちをキャッチしなくちゃならない。それこそが僕がいつも望んでいたことなんだ。僕はただライ麦畑の「つかまえる人（キャッチャー）」になりたいんだ。アタマがヘンだよね。でも、それが僕が唯一、心の底からやってみたいことなんだよ。アタマがヘンだって自分でもわかってはいるんだけどね。〔※5〕

無鉄砲に走り出す子どもを身を挺してキャッチする大人……ホールデンがなりたいと思うものこそ、彼がニューヨークで探していたものなのかもしれない。決して年をとることのないネバーランドのようなライ麦畑で誰かが無垢な自分をキャッチしてくれることを願う。それは現代のおとぎ話でしかないのだろうか。果たしてニューヨークはネバーランドにはなり得ないのだろうか。

V

セントラル・パークの回転木馬

二〇一八年の秋、セントラル・パークの名物メリーゴーラウンドを久々に見た。こんなレトロな遊具はもう時代に取り残されて見向きもされていないのかと思ったが、その日も子どもたちは喜んで乗っていた。なぜかほっとする。この乗り物の存在を知ったのは、『ライ麦畑でつかまえて』を読んだ時だった。この回想録の最終場面――ブルーのコートを着たフィービーが木馬に乗る姿をホールデンが眺めている箇所だ。

セントラル・パークの回転木馬

現在の場所にメリーゴーラウンドが初めて設置されたのは一八七一年だという。現在のものは二代目である。一九五〇年にコーニーアイランドから移築されたというから、七十年以上も木馬たちはこの巨大な公園を訪れる人々を見守ってきたのだ。もしかしたら、『フイ麦畑でつかまえて』執筆時のサリンジャーの頭にあったのは初代のメリーゴーラウンドだったかもしれない。それでも、彩色された木彫りの馬が、オルガンの音楽に合わせて上下に動きながら回るのを見ると、私の心の中の『ライ麦畑でつかまえて』の光景も一緒に回り出す。

メリーゴーラウンドは、日本語では「回転木馬」と訳されるように、回転するばかりでどこか目的地に向かって進むわけではない。ホールデンのニューヨークでの彷徨も無目的で孤独を深めていく回転木馬に乗るような経験と言える。

イギリスではヘンリー・フィールディング

(Henry Fielding, 1707-1754) の『トム・ジョウンズ』(*The History of Tom Jones, a Foundling*, 1749) から十九世紀のディケンズの作品、つまり近代文学の成立当初から小説の黄金期のヴィクトリア時代に至るまで、主人公が旅の道中で様々な経験をすることで成長を遂げる教養小説(ビルドゥングスロマン)が好まれてきた。そこでは主人公が無垢な子ども時代を経て大人へと成長する過程が描かれる。作風は異なるが、夏目漱石（一八六七―一九一六年）がその構成力に脱帽したジェイン・オースティン (Jane Austen, 1775-1817) の作品のヒロインたちも必ずある経験を通して精神的な成長を遂げ、結婚に至る。イギリス、いやヨーロッパ文学で求められていることはまさに〈成熟〉なのだ。

ところが、一方のアメリカは、〈成熟しないこと〉が求められる。つまり、翻訳家柴田元幸（一九五四年―）の言葉を借りれば、「少なくとも小説に関しては、アメリカほどイノセンスに重きを置くところ、大人になることに重きを置かないところはない」からなのである。(9) マーク・トウェイン (Mark Twain, 1835-1910) の『ハックルベリー・フィンの冒険』(*Adventures of Huckleberry Finn*, 1885) のハックにしろ、フィッツジェラルドのギャツビーにせよ、たしかに成長することはない。この系譜に当てはめれば、ホールデンはたしかにアメリカ文学の正統的主人公である。

映画『ナイトミュージアム』(*Night at the Museum*, 2006) の舞台として話題になったアメリカ自然史博物館。ホールデンはこの博物館でひとり考えている。

けどね、その博物館でいちばんいいところは、みんなが持ち場を離れずにいつもちょうど同じ場所にとどまっているということなんだ。誰も動こうとはしない。ひょっとしたら君は一〇万回そこに行くかもしれない。すると、エスキモーは相変わらずちょうど二匹の魚を釣り上げたばかりのところだし、鳥たちは相変わらず南に向かって飛んでいるところだし、鹿たちはかわいらしい角と細い脚をして相変わらず水たまりから水を飲んでいるところなんだ。そして、あの裸のおっぱいのインディアンの女も相変わらず同じ毛布を織っているところなんだよ。誰ひとりとして前と少しも違わないんだ。唯一違っているものがあるとしたら、それは君の方なんだ。君がそれだけ歳をとったとかそういう話じゃないんだよ。正確に言うと、そういうことではないんだ。（中略）君はどこか以前の君とは違っているということなんだ。（中略）ある種のものって、ずっとそのままの状態であり続けるべきなんだよ。大きなガラスケースのひとつに固定して、そのままにしておけるようにすべきなんだ。そんなこと不可能だってことはわかっているんだよ。でも、とにかくそれが不可能だなんてものすごく残念なことだよね。〔※6〕

成熟することには痛みが伴う。無垢を失う悲しみもある。だが、成長しないことは自然に逆行する行為でもある。それはもしかしたら成熟よりも苛酷な行為なのではないだろうか。無垢な状態でとどまりたければ、時を止めてしまうか、あるいは時の酸化を受けない真空の瓶に自らを閉じ込めるしかない。そうでなければ、いつも疎外感に苛まれながら決して見つけることのできない安住の地を求めて動き続けなくてはならない。それはメリーゴーラウンドの回転のように、エンドレスに続く終着点の見えない旅なのだ。もしかしたら、それは『ティファニーで朝食を』のホリーがさすらう姿と重なるかもしれない。

ホールデンがニューヨークで出会う人々——妹のフィービー、サリー・ヘイズ、カール・ルース、アントリーニ先生、タクシーの運転手たち、性倒錯者たち、シアトル出身の醜い女たち、エレベーター係、娼婦、ふたりの尼、レコード店の女性、ジャズピアニスト、ゲイの演奏家、バーテンダー、クローク係の女性、小学校の校長秘書など——を思い返してみると、家族や旧友以外にも、実に様々な職種の大人たちと触れ合っていることがわかる。しかも、ホールデンの自宅が近くにあっても誰もそれを知らず、嘘を言っても通じてしまう。そんな大都会だからこそ、ホールデンの彷徨は実現する。これだけ多くの大人と触れ合っても成長せずに、心の中で自分をキャッチしてくれる場所、すなわちライ麦畑をひたすらに探す少年。

アメリカ自然史博物館

「成熟」と「無垢」のはざまで

『ライ麦畑でつかまえて』は一時的にかかる「文学的麻疹」みたいなものとする評者もいる[10]。多くの人はこの小説を青春の通過儀礼として読み、通り過ぎていくのかもしれない。そして、夢中になった一時期を懐かしむ。だが、大人になったら、この本には直接に心に訴えるものはなくなってしまうのだろうか。そこにあるのは若き日の熱情への懐古だけなのだろうか。

もちろん、いつまでも少年時代にとどまり続ける人々もいる。自分の居場所を求め、さまよいながらホールデンを心の拠り所にしている人もいる。チャップマンやヒンクリーのように拡大解釈をして社会的自殺の道連れにする人もいるだろう。だが、それだけだろうか。

娘のマーガレットは自著の中で「わたしの知るニューヨークはホールデンのニューヨーク、すなわち自然史博物館と、動物園と回転木馬と鴨の泳ぐ池のあるセントラル・パーク、そしてドアマンと高級ホテルのロビーだった」と書いている[11]。サリンジャーはニューヨークでは、池の鴨を見に行ったり、セントラル・パークの動物園のアシカを見たり、とにかく『ライ麦畑でつかまえて』に登場する場所にしか行かなかった。

完全な無垢を保持するのが難しいように、完全な成熟も難しい。自分をふり返ってみても、この年齢になってもどっちつかずのままだ。だが、アメリカ自然史博物館のエスキモーのように、鳥や鹿たちのように、インディアンの女のように、いつでも頁を開けばホールデンはそこにいる。革のスーツケースを手に、赤い帽子をかぶって寒さに震えながらいまもこの街のどこかをひとりさすらっている。メリーゴーラウンドの横を通り過ぎながら、私は考えた。一体いまの私はホールデンとどのような再会を果たせるだろうかと。

［註］

(1) 江藤淳『全文芸時評』上（新潮社、一九八九年）。
(2)『ユリイカ　詩と批評　特集＊サリンジャー――荒廃のなかのイノセンス』（青土社、一九七九年）、『ユリイカ　特集＊サリンジャーをさがして』（青土社、一九九〇年）。
(3) マーガレット・A・サリンジャー、亀井よし子訳『我が父サリンジャー』（新潮社、二〇〇三年）。
(4) 田中啓史「評伝　J・D・サリンジャー」、『ユリイカ　特集＊サリンジャーをさがして』（青土社、一九九〇年）。
(5) J・D・サリンジャーの原作『ライ麦畑でつかまえて』（J. D. Salinger, *The Catcher in the Rye* [Penguin, 1958]）からの本文中の引用はすべて著者の訳による。
(6) 村上春樹・柴田元幸『翻訳夜話2　サリンジャー戦記』（文藝春秋、二〇〇三年）。
(7) マーガレット・A・サリンジャー、亀井よし子訳　前掲書。
(8) マーガレット・A・サリンジャー、亀井よし子訳　前掲書。
(9) 村上春樹・柴田元幸 前掲書。
(10) 尾崎俊介『ホールデンの肖像―ペーパーバックから見るアメリカの読書文化』（新宿書房、二〇一四年）。

(11) マーガレット・A・サリンジャー前掲書。

8. ポール・オースター『ガラスの街』〈ニューヨーク三部作〉
——どこにもない街（上）

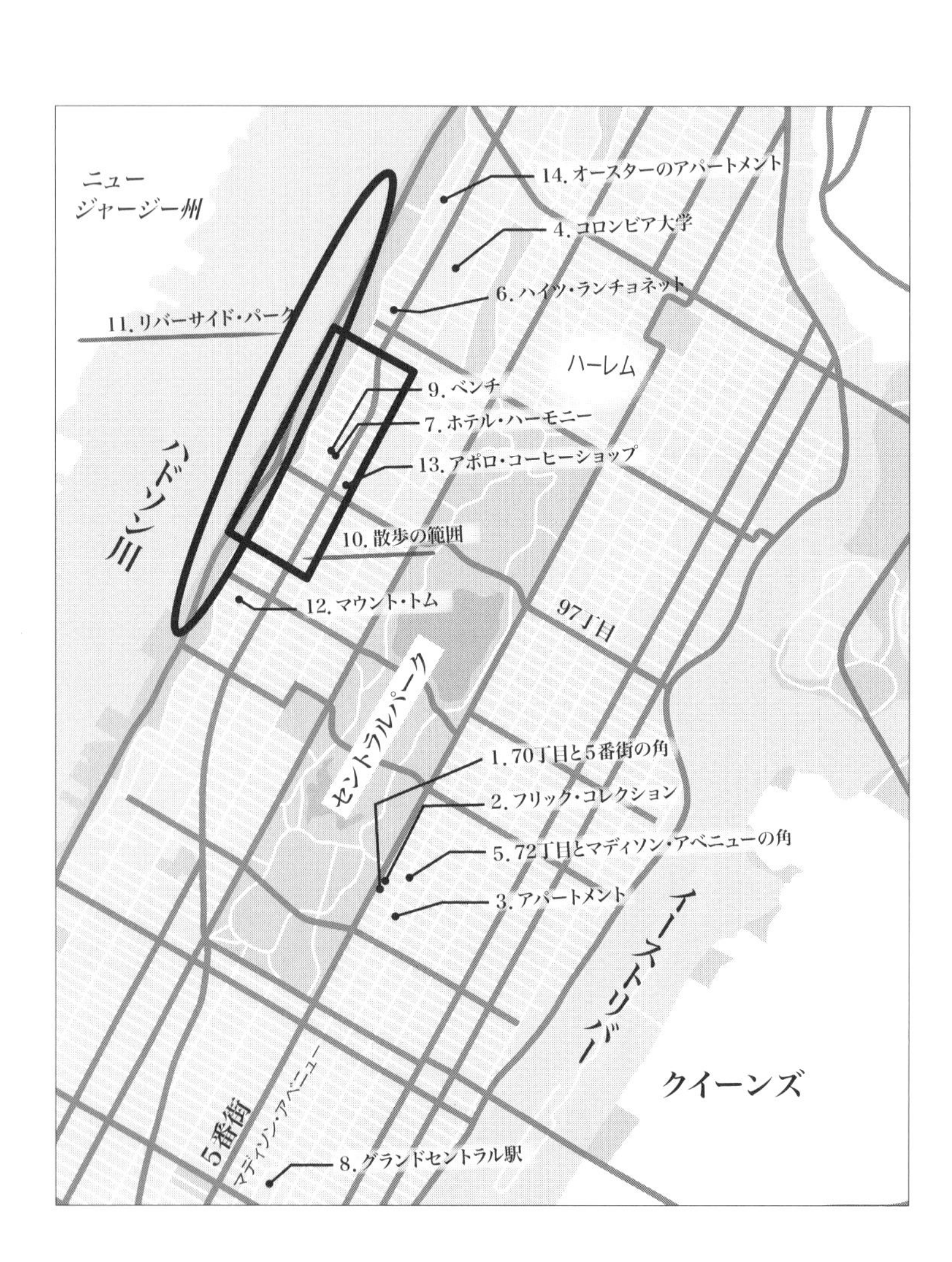

ニュー
ジャージー州
14. オースターのアパートメント
4. コロンビア大学
6. ハイツ・ランチョネット
11. リバーサイド・パーク
ハーレム
9. ベンチ
7. ホテル・ハーモニー
ハドソン川
13. アポロ・コーヒーショップ
10. 散歩の範囲
12. マウント・トム
97丁目
セントラルパーク
1. 70丁目と5番街の角
2. フリック・コレクション
5. 72丁目とマディソン・アベニューの角
3. アパートメント
イーストリバー
クイーンズ
5番街
マディソン・アベニュー
8. グランドセントラル駅

8．ポール・オースター『ガラスの街』〈ニューヨーク三部作〉

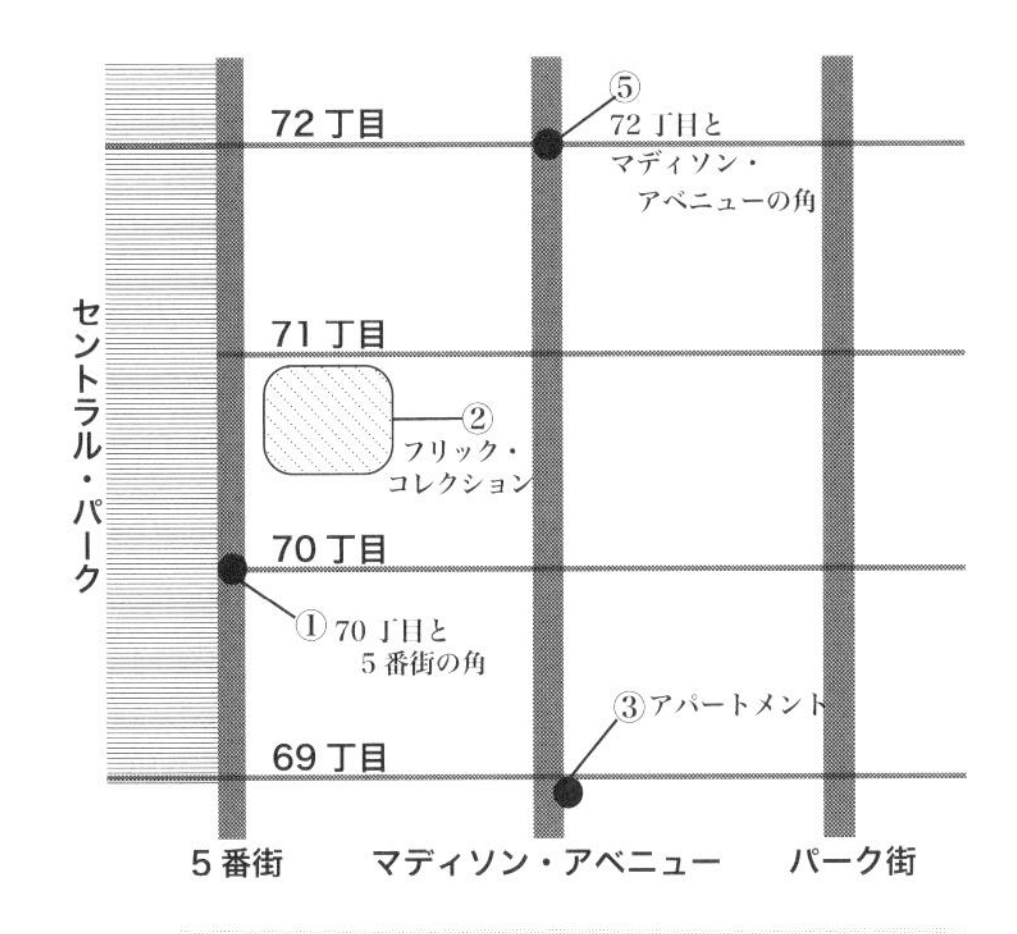

第8章

1. 70丁目と5番街の角 (Chapter 2)
2. フリック・コレクション (Frick Collection, Chapter 2)
3. ピーター・スティルマンのアパートメント (Chapter 2, 3, 13)
4. コロンビア大学 (Columbia University, Chapter 6)
5. 72丁目とマディソン街の角 (Chapter 5)
6. ハイツ・ランチョネット (Heights Luncheonette, Chapter 5)
7. ホテル・ハーモニー (Hotel Harmony, Chapter 7)
8. グランドセントラル駅 (Grand Central Station, Chapter 7)
9. クインがスティルマン老人を待ちぶせしていたベンチ (Chapter 8)
10. スティルマン老人の散歩の範囲　(Chapter 8)
11. リバーサイド・パーク (Riverside Park, Chapter 9)
12. マウント・トム、リバーサイド・パークの端 (Mount Tom, Chapter 9)
13. アポロ・コーヒーショップ (Apollo Coffee Shop, Chapter 7)
14. オースターのアパートメント (Chapter 10)

I

ジャズ・ピアノ「ガラスの街」の夜

夜のしじまの部屋の中で流れるジャズ。このムーディーなピアノの旋律を耳にすると、東京にある私の家の窓にマンハッタンの摩天楼が、そしてその人工的な光の向こうに厳然と存在するあの漆黒の闇が目の前に浮かび上がってくる。それもそのはずだ。私が聴いている音楽は、ニューヨークを舞台にした小説を多く書き、自身もブルックリンに住む現代アメリカ小説を代表する作家ポール・オースター(Paul Auster, 1947-)の作品にインスパイアされて生まれた楽曲集なのだから(1)。

エンパイア・ステート・ビルディング（著者撮影）

実際、音楽を感じさせるオースターの文章ならジャズになっても不思議はない。ユダヤ系の両親のもとに生まれたオースターは、一九八〇年代半ばに『ガラスの街』(*City of Glass*, 1985)、『幽霊たち』(*Ghosts*, 1986)、『鍵のかかった部屋』(*The Locked Room*, 1986) というニューヨークを舞台にした探偵小説の形式を借りた一連の小説を発表する。いわゆる〈ニューヨーク三部作〉("The New York Trilogy," 1987) である。この作品で世界的に注目を集め、ポストモダニズムの作家と目されて以来、自伝やエッセイを含む三十近い作品をコンスタントに発表し、現在も衰えを知らぬ創作力を見せている。

私が学生時代にこの〈ニューヨーク三部作〉を手にとったのは、イギリスの出版社 faber and faber のペーパーバックの表紙が目にとまったからだ。灰色に煙った摩天楼へと向かっていくトレンチコート姿の男の後ろ姿を背景に、星条旗、真っ赤な髑髏(どくろ)などが浮き上がったミステリアスな表紙——まさにいま部屋に流れているジャズの雰囲気そのままである。背表紙にあった著者紹介欄の小さな顔写真からもはっきりとわかる、黒髪のハンサムな青年の射すくめるような眼光の鋭さも手伝っていたかもしれない。だが、この本を読んでみようと思ったのは、何よりも本のタイトルにある「ニューヨーク」という言葉に惹かれてのことであった。

オースターとニューヨーク

無類のニューヨーク好き、それがオースターである。この作家にとって、ニューヨークは単に作品の舞台や居住地であるだけではない。それ以上の、精神の拠り所という印象を受ける。ニューヨークの隣の州、ガーデン・ステートと呼ばれるニュージャージーで生まれ育ち、やがて高校一年生になったポール少年は、大好きな映画を観るために何かと言えば四十五分もの時間をかけて、ニューヨークへと逃避するようになる。[2] 二人称で語られる精神をめぐる自伝『内面からの報告書』(*Report from the Interior*, 2013) には、オースターがマンハッタンにあるコロンビア大学に進んだ時のことが次のように綴られている。

一九六六年夏。君のコロンビアでの第一学年はすでに終わった。コロンビアは君の第一志望校だった。質の高い英文科がある一流大学だからというだけでなく、それがニューヨークに、君にとって当時世界の中心だった――いまも中心である――場にあったからだ。人里離れたキャンパスに閉じ込められ、時代に取り残された場所で勉強してビールを飲む以外何もすることがないなんていうより、この街で四年間を過ごす方がずっと魅力的だった。(中略)むろん大学生活にはそれほど刺激のない部分も多々あり、一人で侘しく落ち込むこともあったし、寮は醜く、大学当局は官僚的で冷たかったが、何しろ君はニューヨークにいたのであり、授業のない時間はいつでも逃げることができた。[3]〔※1〕

若い頃からいかにニューヨークという街が彼にとって特別な意味を持っていたかが伝わってくる。さらに、オースターは作家高橋源一郎(一九五一年―)との対談でこの大都市の魅力を次のように明確に語っている。

（ニューヨークは）みんなの街です。それがニューヨークのいいところです。非常に荒っぽい場所でもありますが、ここは世界で唯一、万人に属している街だと思います。世界中から来た、いろんな言語を喋る人がここに住んでいる。ニューヨーカーの四十パーセントは外国生まれです。これだけ違った人種、民族の、違った宗教を持つ人たちが集まっていて、この街がそれなりに機能しているというのはすごいことだと思います。この街を包んでいる、民主的精神のようなものの賜物ではないでしょうか。これはほかのどこでも見たことがありません。だから、ニューヨーカーの一人であることを私は誇りに思います。[4]

このオースターの言葉を読んだ二〇一三年頃には、もう休みの度に取り憑かれたようにニューヨークを訪れることはなくなっていた。だが、「ニューヨーク」という言葉を耳にする度、鮮やかに蘇ってくるあの感覚、ひとたびあの街に足を踏み入れると感じた、心が解き放たれるような心地よさ、それは何も私ひとりが感じているものではなく、むしろ、訪れるすべての人が共有する普遍的な感覚なのだ。ニューヨークは「世界で唯一、万人に属している街」――だからこそ、多くの小説や映画の舞台にもなってきたことは百も承知なのに、万人に属していると思うと、ニューヨークに対する自分の特別な思いが私の中で風船がしぼむように小さくなるのを感じた。自分の大事にしているものが平均化されてしまったような淋しさとでも言おうか。

しかしながら、最近になって、遠い昔に読んだ〈ニューヨーク三部作〉を読み直してみて、「万人に属している街」というオースターの言葉の意味が、それまでと異なる響きを持つようになったのである。

II

一本の間違い電話から始まる物語……

冒頭で紹介したＣＤに収められた十一曲の中には“City of Glass”（「ガラスの街」）と“Ghosts”（「幽霊たち」）と題されたナンバーが入っている。「ガラスの街」は何か不吉な事件が起こりそうな、静かなメロディがくり返され、やがて主旋律が伴奏から微妙に外れていく。まるで本来あるべき姿から逸脱していく、いや、本来あるべき姿へと戻っていく人間の心の軋みを表しているかのように……。

そう、物語は一本の間違い電話から始まる。『ガラスの街』はその電話が発端で人生を狂わせた、あるいは人生を取り戻した男の物語なのだ。

ダニエル・クインは三十七歳。五年前に妻子を失って以来、ニューヨークのアパートメントでひとり、つましく暮らしている。ウィリアム・ウィルソンというペンネームでミステリー小説を書くことを生業（なりわい）としており、その毎日は無感動なままに過ぎていく。そんな彼が、ある夜に私立探偵ポール・オースター宛ての電話を受ける。依頼は命を狙われているから護（まも）ってほしいというものだった。

ピーター・スティルマンの依頼……

クインはオースターになりすまし、電話の主ピーター・スティルマンに会うためにマディソン・アベニューにある高級アパートメントへと向かう。そこで聞かされたスティルマンの話は耳を疑うような奇怪なものであった。ボストンの名門スティルマン家の出で、コロンビア大学の宗教学科の教授であったピーターの父親は、妻の死後、大学を辞職し、窓に板を打ちつけた光の入らない部屋に息子を誰にも接触させずに九年間幽閉した。火事をきっかけにピーターは救出され、言語療法士で後に妻となったヴァージニアの助力でようやく話すことができるまでになった。十三年の月日が費やされた。だが、スティルマンの話は支離滅裂で、身体の動きも、糸のないマリオネットが動いているように、自然の流れを欠いていた。

ヴァージニアによれば、十三年前の火事の後に裁判にかけられ、精神異常との判定を受けて監獄にいたピーターの父親が近く出所してくるという。そのことを知ったピーターは父親が自分に復讐することをひどく怖れた。そこで父親を見張って、何を企んでいるのかを探り出してくれる探偵が必要になったというのだ。

スティルマン老人を追って……

こうしてピーターの父親であるスティルマン老人を尾行する日々が始まった。老人はホテルを出て散歩する以外、特にこれと言った行動を起こそうとしない。そう、何も起こらないのだ。クインは老人の行動をつぶさに赤いノートに書きとる日々を過ごす。ついに業を煮やしたクインは、ピーターの父親に三回の接触を試みる。そして大胆にも三度目には、息子のピーターの名を借りて接触を図るのだ。ところが、息子の名前を聞いても、老人に動揺は見られなかった。

しかし、四度目の接触のチャンスは訪れなかった。スティルマン老人はホテルをチェックアウトして行方をくらましてしまったからだ。クインはヴァージニア・スティルマンに電話をかけるが、つながらない。いつかけてみても話し中なのだ。

ニューヨークの通りとイエロー・キャブ（著者撮影）

見張りを通して……

こうして危険人物をとり逃し、依頼人との連絡も断たれたクインがとった行動は、凡人の想像をはるかに超えたものだった。それは、ピーターを護るために、彼のアパートをほぼ二十四時間、ひたすら通りを隔てた向かい側から見張るというものだった。最低限の食料を近くの店で買い求め、排便もゴミ捨て場で行い、入浴や着替えは放棄するという壮絶な見張りが続く。
長い間そうしているうちに、外見もまさに悪臭漂う浮浪者になり果て、金も底を尽きた。さらに、追い打ちをかけるように、ピーターの父親、スティルマン老人が投身自殺を図ったことが発覚する。もはやクインの任務そのものも消え去ったのである。

社会的自己の喪失……

久しぶりに自分のアパートメントに戻ってみると、見知らぬ女が住んでいた。クインが見張りに没頭している間にすべては変わってしまっていた。何か月も家賃を滞納したため、家財や持ち物は売り飛ばされ、新しい入居者が住み始めていた。クインはついに「自分という存在の果て」[5]まで到達してしまったことを悟り、自分には「もう何も残っていない」という事実を認識する〔※2〕。

クインはピーターのアパートメントを訪ねるが、鍵はかかっておらず、そこにはもう誰も住んでいなかった。クインはその空洞の中でひとつずつ靴や衣服をはぎ取り、窓の外に捨てた。すべてを脱ぎ捨てたいま、クインは生まれたままの姿に戻った。職や住居といった社会での居場所も、何もかもを失ったクインは、もはや自分がクインだと証明できる物を何ひとつ持たない。あるのは自分自身だけなのだ。ニューヨークという巨大な空間の中にある空っぽの部屋の中で、クインは無になった自己、つまり純粋な自己に向き合うのだ。

彼は床に寝て誰かが用意してくれた食事をとり、赤いノートに言葉を綴り続けた。「私」は、作家ポール・オースターからクインの動向を聞き、彼はピーターのアパートメントに行ったのだと確信する。しかし、部屋には赤いノートが残されていただけで、クインの姿はなかった。

Ⅲ

『ドン・キホーテ』のパロディ

作者オースターはこのユニークな小説を出版社に持ち込んだが、ことごとく断られたという。それは多くの編集者が探偵小説という枠内でこの作品の価値を捉えようとしたためであり、実際に初期の書評では探偵小説として評されることが多々あった。[6] だが、オースター自身が断言している通り、この小説は「推理小説とはほとんど関係がない」のであり、探偵小説という形式は「あくまで目的を追求する手段として、まったく違う場所へ行く方法として」使われただけなのだ。[7]

むしろ、この作品は「自己」の解体や作品の中でピーターの父親の書いた論文の内容の説明が延々と続いたり、間違い電話は偶然だったのか、罠なのか、ピーターが言ったことは真実だったのか否か、曖昧な点や矛盾を孕むというポストモダニズムの特徴を強く持っている。

さらに、オースター自身がインタビューの中で『ガラスの街』について、「クインの物語は『ドン・キホーテ』(*Don Quijote*, 1605/1615) を暗示していて、この二つの本が掲げる問いはよく似ている。狂気と創造性の境界線はどこにあるのか。あんな真似をするクインは、狂っているのか否か？」と語っていることから、(8) この物語をオースターが好む『ドン・キホーテ』のパロディとして読むことも可能だろう。

だが、同時に、『ガラスの街』はそのタイトルが暗示するようにニューヨークというガラスのように透明な、つまり「どこにもない街」をテーマにした物語として読むこともできるのではないだろうか。

希薄な「生」からの脱却

そもそも夜中の間違い電話を受けた時のクインの精神状態も、ガラスのように色のない、無味乾燥なものであった。死にたいとも思わないが、生きていることが嬉しいわけでもない。「自分が自分の死を生き延びたような、死後の生を生きているような」現実感のない毎日のくり返し〔※3〕。クインは「とっくの昔に、自分をリアルだと考えることをやめていた」のである。彼がいま生きているのだとすれば、それは自作の探偵小説の主人公であるマックス・ワークの「架空の身体を介した、一段へだたった生」であった〔※4〕。

クイン自身は、自分が消えるままに任せ、隠者めいた奇妙な生活の奥にこもっていく一方、ワークは他者たちの世界で生きつづけた。クインが消えれば消えるほど、その世界でのワークの存在はますます堅固になっていった。（中略）本を書いているあいだワークになったふりをすること、たとえ頭のなかだけであれその気になれば自分だってワークになる力があるのだと思えること、それがクインを励ましたのである。〔※5〕

この時のクインにとって「書く」という行為は、架空の人生を生きることであり、それは「生」を疑似体験することにほかならなかった。物語のあらすじをたどるだけでは、一本の電話がきっかけで見知らぬ他人になりすまし、その人物に代わって任務を遂行するなど不可能であるように思えるし、なぜそんな酔狂な真似をするのか理解しがたい。

だが、社会との繋がりを最小限にし、フィクションの世界でマックス・ワークとなって生きるクインの場合、現実世界で他人になりすます土台は十分に整っていた。いや、むしろウィリアム・ウィルソンという筆名でマックス・ワークを生きてきた五年間は本番前の予行演習ではなかったのだろうか。すると、偶然の電話は必然だったとさえ思えてくるから不思議だ。電話はかかるべくしてかかってきたのであり、他人、しかも探偵とくれば、クインがその人物になるのは当然の成り行きにしか思えなくなる。

同化する街

以前、サラ・ジェシカ・パーカーがウェスト・ヴィレッジにある自宅で『ヴォーグ』のインタビューを受けるという企画があった。ニューヨークで好きな行動を聞かれ、「散歩」と答えたのが印象的であった。[9] たしかに、セントラル・パークでも、通りでも散歩をする人の姿をよく見かける。ニューヨーカーは散歩が好きなのだろうか。
事件が起こる以前のクインが何よりも好んだのも、散歩だった。クインは雨でも暑くても寒くても、ほとんど毎日、ただ足の向くままニューヨークの街を歩いた。

ニューヨークは尽きることのない空間、無限の歩みから成る一個の迷路だった。どれだけ遠くまで歩いても、どれだけ街並や通りを詳しく知るようになっても、彼はつねに迷子になったような思いに囚(とら)われた。街のなかで迷子になったというだけでなく、自分のなかでも迷子になったような思いがしたのである。散歩に行くたび、あたかも自分自身を置いていくような気分になった。街路の動きに身を委(ゆだ)ね、自分を一個の眼に還元することで、考えることの義務から解放された。それが彼にある種の平安をもたらし、好ましい空虚を内面に作り上げた。世界は彼の外に、周りに、前にあり、世界が変化しつづけるその速度は、ひとつのことに長く心をとどまらせるのを不可能にした。動くこと、それが何より肝要だった。片足をもう一方の足の前に出すことによって、自分の体の流れについて行くことができる。あてもなくさまようことによって、すべての場所は等価になり、自分がどこにいるかはもはや問題でなくなった。散歩がうまく行ったときは、自分がどこにもいないと感じることができた。そして結局のところ、彼が物事から望んだのはそれだけだった――どこにもいないこと。ニューヨークは彼が自分の周りに築き上げたどこでもない場所であり、自分がもう二度とそこを去る気がないことを彼は実感した。〔※6〕

何という不可思議な、そう、トポスの描写であろうか。散歩とは、クインが自己をニューヨークという街に同化させる行為なのだ。自己の内面には決して向き合わずに、次々と目に映るものへと心を移していくこと。そうすることでニューヨークはどこでもない場所になり、そこに属するクインもどこにもいない人間になれるのだ。存在しながらその実体がない――この点において巨大な人工都市ニューヨークとクインは一体化する。

ふと私の心の中のニューヨークの断片が浮かび上がる。夏の夜のセントラル・パーク――飛び交う蛍のほのかな光と緑の匂い、頬をくすぐる生暖かい微風、冬のダウンタウン――灰色の空気に映えるブラウンストーンのアパートメント、その扉を飾る赤と緑のクリスマスリース、降り注ぐ雪の間に垣間見えるエンパイア・ステート・ビルディングの姿。あの目まぐるしく変化する外界の景色に身を委ねる心地よさ。もしかしたら私があれほどまでにニューヨークを渇望したのは、クインのように自己をあの巨大都市に滅却させるためだったのかもしれない。あの街に足を踏み入れる度に感じた解放感とは、自分を縛っているあらゆる物から自由になること、自分を無にすることだったのかもしれない。

アメリカに楽園を

『ガラスの街』の頁を繰りながら、以前はすっと読み流してしまったピーターの父親、スティルマン老人の著書『楽園と塔　初期の新世界像』が心にひっかかった。クインがコロンビア大学の図書館までわざわざ足を運んで熟読するスティルマン老人の本の内容の説明に、オースターは

コロンビア大学

十三章から成るこの小説のほぼ一章分を費やしている。この章をニューヨークという街との関連から捉えると、アメリカという大国の使命、さらにニューヨークという街のアイデンティティが浮き彫りになる。

『楽園と塔　初期の新世界像』は二部構成である。第一部では、探検家たちが新大陸アメリカを発見した際に、第二のエデンの園、ユートピアを発見したと考えたことが伝えられている。第二部では、イギリス十七世紀の最大のピューリタン詩人ミルトン（John Milton, 1608-1674）の『失楽園』（*Paradise Lost*, 1667）に依拠し、エデンの園を追放された時から言葉の堕落が始まったと指摘する。つまり、禁じられていた林檎（りんご）をアダムが口にした時に、人間は初めて罪を知る。その瞬間、"taste"

という言葉が「口にする」と「知る」の両義を持つようになったというのである。それまでは言葉はただ事物を表す平明なものだったのに、楽園追放を機に両義性を持つ曖昧なものとなり、堕落する。

さらに、重要なことは歴史以前の物語としてバベルの塔の物語が聖書の中で大きな意味を持つと指摘し、バベルの塔の物語を楽園追放の反復と捉えている点である。

スティルマン老人は、神の怒りは、バベルの塔の頂(いただき)を天まで達せさせるという情熱に憑(つ)かれて一致団結した人類の潜在的な力に向けられたのだという説を紹介し、バベルの塔の廃墟を目にした者は、知っていることをすべて忘れてしまうという伝説を強調する。

そして、ミルトンの秘書でピューリタンのヘンリー・ダークという人物が書いた、アメリカに楽園を打ち立てることの正当性を論じた『新バベル』という書物を紹介している。少し長くなるが、ダークの考えを次に引用する。

> 楽園への道を記した地図は存在しないし、人をその岸に導いてくれる航海道具もない。むしろそれは、人間のなかに内在している。それは「彼方(かなた)」をめぐる観念、人間がいま―ここにいつの日か築けるかもしれぬ「彼方」をめぐる観念なのである。ユートピアとは、ダークも述べたようにその「言葉面(づら)」からして「どこにもない場所」なのだ。夢に見られたこの場所を人がつくり出せるとすれば、それは、自分の両手で建設することによってでしかありえないだろう。（中略）バベルの町――すなわちバビロン――とは、ヘブライ人の地のはるか東、

メソポタミアに位置していた。そのバベルがどこかの地の西にあったとすれば、その地とは、人類原初の地たるエデンであるにちがいない。「生（うめ）よ繁殖（ふえ）よ地に満盈（みて）よ」という神の命に応（こた）える、地上全体に広がっていこうとする営みも、必然的に、西へ向かって進んでいくものになるだろう。そして、キリスト教世界全体において、いかなる地よりも西の地といえば、まさにアメリカをおいてほかにないではないか？　したがって、イギリス人植民者たちが新世界へ渡ってきたのも、いにしえの神命を実行したものと見ることができる。アメリカとは大いなる流れの、最後の一歩なのだ。ひとたび大陸に人が満ちたなら、人類のありように変化が訪れる機も熟していることだろう。〔※7〕

ユートピアが新世界アメリカに建設され、ラテン語の「どこでもない場所」（英語の"nowhere"）を指す言葉だという発想は、当然のようにニューヨークに結びつく。天の頂（いただき）まで到達することを目的にしたかのようにそそり立つ摩天楼、人間の欲望の渦巻く現代のバベルの町ニューヨークは訪れる者の心を無にしてくれる楽園だということがにわかに明確になってくるのだ。

バベルの塔と「言葉」

同時に、バベルの塔と言えば「言葉」でもある。オースターの作品には小説家がよく登場する。それどころか初期から現在の作品に至るまで「書く」ということが大きな問題として論じられてきた。どうやらオースターにとって「書く」という行為は、「生きる」ことに通じているようだ。

だからこそ、「言葉」は重要である。『楽園と塔　初期の新世界像』では人類の堕落が言葉の堕落を伴ったとするならば、楽園を復活させることで言葉も復活するはずであると説く。ダークはエデンで話されていた「原初の無垢なる言語」に戻ること、すなわち「自分のなかにも無垢の状態」、「己の内なる真実」を取り戻すことも夢ではないと主張する。〔※8〕

実は、ヘンリー・ダークなる人物は、世間からの非難を怖れたスティルマン老人が自分の意見を託すために捏造（ねつぞう）した架空の人物である。すなわち、ダークの楽園建設の考えはピーターの父親の思想そのものなのである。ダークが新バベルの建設が始まると預言した一九六〇年は、まさにピーターの幽閉が開始された年だった。スティルマン老人は、息子であるピーターが堕落した人類の言葉ではなく、新バベルを象徴するかのような自己の真実を伝える無垢な言葉を使い始めると、本気で信じていた。だからこそ、息子を幽閉したのではなかったか。それほどまでに老人の言葉に対する執着は強固であった。

それを証明するかのように、ただ無目的にマンハッタンを彷徨しているかに見えたスティルマン老人の足取りを、どこで曲がってどの方向に向かったかにいたるまで逐一クインがノートに記した足跡を線でつないでみると、それは毎日ひとつのアルファベットの形を示すことがわかってくる。『ガラスの街』はこうした探偵小説風の謎解きもちりばめられているので時にぞくぞくする面白さがみなぎってくるのだが、驚くべきことに、それらのアルファベットを順番に並べて浮かび上がってくる言葉は、"THE TOWER OF BABEL"（バベルの塔）なのだった。それが故意だったにしろ、偶然だったにしろ、ピーターの父親が自分の考えに凄まじいまでの執念を持って

リバーサイド・ドライブ（著者撮影）

いたことが否応なく伝わってくるではないか。

スティルマン老人の気ちがいじみた人生は、オースターの言葉を借りれば、「狂気と創造性」というクインと共通の問題に行きつき、ふたりは「どこでもない場所」であるニューヨークを、輪唱で歌うがごとく、一定の距離を置いて同じように歩き回るのだ。そして、ある日老人だけが忽然と姿を消す……。

　スティルマンはいなくなってしまった。老人は街の一部と化した。ひとつのしみ、句読点、はてしなく続く煉瓦壁のなかの一個の煉瓦となった。クインが死ぬまで毎日この街を歩きつづけたところで見つかるまい。〔※9〕

クインはリバーサイド・ドライブを歩いている時に、二週間ずっと尾行する中で自分が「見えない糸で老人につながれていた」ことに気がつき、「自分の半身を失ったような気がした」のである〔※10〕。クインの空っぽの心は、ポール・オースターに扮して仕事をしているうちに狂気のスティルマン老人と同化し、老人が失踪したことで再び空洞に戻ったのである。

Ⅳ

不在の場所に身を置くこと

スティルマン老人を見失った後、クインはすぐさま考えを改めた。目的は老人の尾行ではない。ピーターを護ることにあるのだと自分に言い聞かせ、新たなスタートラインに立つことを心に決める。つまり、もともと事件を託されるべきだったポール・オースターという探偵を探し出し、彼にすべてを白状し、ふたりで協力して難局を乗り越えようと考えたのだ。

電話帳を調べ、ニューヨークにたったひとり存在するポール・オースターという名前を見つける。クインはオースターのアパートメントの呼び鈴を押す。

万年筆を手に玄関に出てきた男は、私立探偵などではなく作家だった。まさに作者ポール・オースター本人の風貌、職業、家族構成の男が登場する。クインはいままでの出来事をオースターにすべて告白し、手付金としてヴァージニア・スティルマンから彼の名で受け取った小切手を託す。オースターは小切手を現金化してクインに渡す約束をする。

用事が済んでも去りがたく、クインは誘われるままにオースターの手作りのハムオムレツのランチまでご馳走になり、ふたりで『ドン・キホーテ』について語り合う。ここまではすべてが順調だった。ところが、彼の家族に会った途端に、すべてがガラガラと崩れ去ってしまう。ヨーヨーを手に持った可愛らしい息子、きわめつけはオースターの美しい妻を目にした瞬間だった。「俺はもう駄目だ」と思うと、それまで封じ込めていた感情が一気にクインの中に押し寄せて、二度と立ち上がれないほどに彼を打ちのめしたのだ。

あんまりだと思った。何だかまるで、自分が失ったものをオースターに見せつけられているような、オースターにからかわれているような気がした。嫉妬（しっと）と、憤怒（ふんぬ）と、胸をずたずたに引き裂く自己憐憫（れんびん）がクインの胸を満たした。自分にもこんな妻とこんな子どもがいたら。一日中のんびり家にいて、昔の本をネタにたわごとを書き綴（つづ）り、ヨーヨーとハムオムレツと万年筆に囲まれて暮らせたら。助けてくれ、とクインは一人祈った。〔※11〕

夕飯の誘いを断って、オースターのアパートを後にしたクイン。

クインはもうどこにもいなかった。何もなく、何も知らず、何も知らないことだけは知っていた。はじまりに送り返されたばかりか、いまやはじまりよりもっと前にいた。はじまりよりはるかずっと前、想像しうるいかなる終わりよりも悪い場に。〔※12〕

その日を境に、依頼人であるヴァージニアとは連絡がとれなくなった。何度かけても電話はつながらず、話し中の発信音が鳴り続けた。そうした状況の下、クインはスティルマン夫妻を護るための最後の手段――何かあった場合に助けに駆けつけるためにふたりを見張り続けるという途方もない行動に出る。そんな折、浮浪者たちを眺めながらその頭に浮かんだのは詩人ボードレール（Charles Baudelaire, 1821-1867）の次の言葉だった。

私はつねに、私がいまいない場において幸福であるように思える。あるいは、もっと露骨に言えば――私がいまいないところがどこであれ、そここそ私がいまいる場なのだ。さらにまた、恐れずに言うなら――どこでもいい、この世界の外であるなら。〔※13〕

どこでもない場所、すなわち、世界の外に身を置くことの幸福感――人と接触することで生じる軋轢（あつれき）や煩雑さから身を遠ざけ、嘆きや苦悩さえも自らに禁じた孤独な人間が到達する境地、それこそがユートピアである。その心境に最も適した場所がニューヨークであり、それゆえにこの都市は現代の楽園となる。

「自己」と「他者」との境界線

ニューヨークがどこでもない街であるように、クインは本当に誰でもなくなった。だからこそ、店の鏡に映った、何か月もの間、昼夜を問わぬ見張りを続けた果てに浮浪者になり変わった自分の姿を目にしても、クインは慌てもしなければ嘆きもしない。拍子抜けするほどあっさりと「新しいクイン」を受け入れるのだ。

どうでもいいことだ。かつてはある人物で、いまは別の人物になった、それだけのことだ。よくも悪くもなっていない。違っているというだけの話なのだ。〔※14〕

これは、スティルマン老人が息子のピーターの名を借りたクインにさほど驚いた風もなく、恬淡な反応を返す時の言葉に似ている。

あなたは息子と同じように見える。もちろん、ピーターは金髪であなたは黒髪です。……だが人間というのは変わるものです。ある時はこういう人間であっても、あっという間に別の人間になったりする。〔※15〕

この小説での自己と他者は、もっと根源的な部分で結びついているのだ。人のアイデンティティとは外見だけではなく、もっと本質的な「個」にあること、よけいなものをそぎ落とした時に浮かび上がってくるものであり、元の素の状態に還元された「個」は「他」との同一性を示し得る。

厳密に言えば、自己は一瞬たりとも同じ自己ではなく、他者も自己の中に入り込んでいる以上、完全な他者ではないという自己定義の曖昧さ。スティルマン老人の語る生まれる以前の卵（つまり、生きていない）でありながら、（言葉を喋って）生きているハンプティ・ダンプティが「人間の置かれた状況のもっとも純粋な具現化」であるように〔※16〕、私たちは常に自己に矛盾を抱えて生きている。そして、それこそが人間存在そのものだというスティルマン老人の遺した揺るぎない信念に誘（いざな）われる。

言葉の「主人」になること

自分のアパートメントで新たな女主人に自分が元住人であることを証明しようと試みても何も変わらない。クインは女の眼にはただの不潔でおぞましい浮浪者にしか映らないのだ。クインは諦める。

一日中ここでこの女とやりあっても、アパートメントは取り戻せまい。もう自分の住むところはなくなってしまったのだ。自分はいなくなってしまったのだ。何もかもなくなってしまったのだ。〔※17〕

すべてを失ってからがクインにとっての真の人生の始まりなのだ。その意味で、事件は素の自分に戻るためのイニシエーションに過ぎなかったのだ。

いまや事件は彼にとってずっと前の出来事であり、もうそれについて考えたりはしなかった。それは人生における別の場所へ至るための橋だったのであり、すでに橋を渡ってしまったいま、その意味も失われたのだ。クインはもはや自分自身に興味がなかった。〔※18〕

住居も職も失い、すなわち「社会的なダニエル・クイン」を失って、一糸まとわぬ素の状態に戻って赤いノートと向き合った時、初めてクインの言葉は現実味を帯びてくる。すべてを失って、初めてクインは探偵小説の中の「架空の生」を生きるために書くのではなく、誰かの行動を記録するためでもなく、ただ真の心から真の言葉を紡ぎ出すことができるようになったのだ。

世界の無限の優しさを彼は思い出し、これまで自分が愛した人々一人ひとりの優しさを思い出した。いまではもう、そうしたことすべての美しさ以外はいっさいどうでもよかった。そのことを書きつづけたいと思った。それができなくなると思うと胸が痛んだ。にもかかわらず、赤いノートの終わりに彼は潔く(いさぎよ)向きあおうとした。自分はペンなしで書く力があるだろうか、書く代わりに話せるようになれるだろうかと自問した――おのれの声で闇を満たし、言葉を発して空気のなか壁のなか都市のなかに送り出すのだ。たとえ光が二度と戻ってこないとしても。〔※19〕

にわかにスティルマン老人がハンプティ・ダンプティを「人類救済への鍵を指し示している」

「予言者」と定義した言葉が鮮やかに蘇ってくる。『鏡の国のアリス』(*Through the Looking-Glass, and What Alice Found There*, 1871) から引用されるハンプティ・ダンプティの言葉――「私が言葉を使うときは……私がそれに持たせたいとおりの意味を言葉は持つのであって、それ以上でもそれ以下でもないのだ……問題は……どっちが主人かってこと、それだけさ」――それは「人間が人間の語る言葉の主人となること、言語をして人間の必要を叶えせしめること」というスティルマン老人が生涯かけて求めた、言語をめぐる哲学の結論であり〔※20〕、それこそが「人類救済」への鍵であり、そこにしか人類の未来への希望はあり得ないのだ。

そして、いまクインは自分の本質に戻ることで初めて自分の語る言葉の主人になった。もうウィリアム・ウィルソンでも、マックス・ワークでも、ポール・オースターでも、スティルマン老人でもない。真の自分の心に向き合った時に紡ぎ出される言葉、その言葉を発すること、すなわち自分の心を外界に曝け出すこと、それこそが生きることなのだ。逆説的な言い方だが、クインは真の意味で不在になった時、初めて真の意味で生き始めたのである。

ユートピアに生きて

オースターと「私」が部屋で見つけた赤いノートの最後の一文は「赤いノートにもう書くところがなくなったらどうなるのだろう?」だった。〔※21〕書くところがないということは彼の死を暗示しているのかもしれない。だが、おそらくそのことは本質的な問題でも、追求すべき問題でもないのだろう。『ガラスの街』は「赤いノートをできるかぎり忠実にたどってきた」と自負する「私」の次の言葉で結ばれる。

私の思いは依然クインとともにある。彼はいつまでも私とともにいつづけるだろう。彼がどこへ消えていったにせよ、私は彼の幸運を祈っている。〔※22〕

そう、クインのその後は誰にもわからない。だが、私たちは赤いノートに綴られた言葉によって、クインの死と再生の物語を、彼が言葉の主人となった証を見ることができるのだ。オースターは『ガラスの街』を「小説の体裁を取った、隠れた自伝」と語っているが、[10]それはオースターが作品に登場するからではない。オースターとは、実は作中に出てくる社会が認識している作家のポール・オースターではなく、クインなのであり、クインは「私」でもあり、読者ひとりひとりでさえあることを暗に示しているのだろう。

タイトルが示す通り、ニューヨークという迷路のようなガラスの街は無色透明で「どこにもない街」(ユートピア)という意味で、長年人類が夢見てきた現代の楽園である。

一方でガラス("glass")という言葉には、古くは「鏡」の意味があり、現在でも「拡大鏡」("magnifying glass")や「姿見」("looking glass")のように使われる。もしかしたら、この「ガラスの街」には「鏡」の意味も込められているのかもしれない。もしもそうであれば、ニューヨークは私たちを映し出す鏡でもある。

あのガラスのように空虚な巨大な迷路の中で自己を見失うことで、実は自己の本質に向き合うことを余儀なくされるからだ。そして、同じ問題を抱えた個々がそれぞれこの現代の楽園と結ばれている。

［註］

（1）Jeff Gardner, *The Music of Chance*（Axolotl, Recorded in 1999）"Jazz compositions inspired by the works of Paul Auster" と銘打った、ニューヨーク生まれのジャズピアニスト Jeff Gardner がプロデュースしたCDで、Gardner によれば、「ポール・オースターの本にはその本を表す音楽がある」という。

（2）ポール・オースター、柴田元幸訳『内面からの報告書』（新潮社、二〇一七年）。

（3）Paul Auster の *Report from the Interior* からの引用は、柴田元幸訳『内面からの報告書』による。

（4）「ポール・オースター × 高橋源一郎　対話　誰もが複数の声を持っている」、『MONKEY 特集　青春のポール・オースター』（スイッチ・パブリッシング、二〇一三年）。ちなみに、『MONKEY』は、オースターの翻訳の第一人者である柴田元幸が責任編集を務める文芸雑誌で、新創刊号を記念してオースターが特集された。

（5）Paul Auster の *City of Glass* からの引用はすべて柴田元幸訳『ガラスの街』（新潮社、二〇〇九年）による。

（6）「訳者あとがき」、『ガラスの街』（新潮社、二〇〇九年）。
（7）ポール・オースター、柴田元幸・畔柳和代訳『空腹の技法』（新潮社、二〇〇〇年）。
（8）ポール・オースター、柴田元幸・畔柳和代訳 前掲書。
（9）“Sarah Jessica Parker Answers 73 Questions”March 14, 2014.
Question 3 Interviewer: “What’s your favorite activity in New York city?”
Sara Jessica: “Walking.” https://www.vogue.com/article/questions-with-sarah-jessica-parker
（10）ポール・オースター、柴田元幸・畔柳和代訳 前掲書。

9. ポール・オースター
『幽霊たち』『鍵のかかった部屋』〈ニューヨーク三部作〉
——どこにもない街（下）

アッパータウン
10. リバーサイド・ドライブ
ニュージャージー州
セントラルパーク
ハドソン川
57丁目
9. プラザホテル
ミッドタウン
6. アルゴンキン・ホテル
クイーンズ
ブロードウェイ
11. ポート・オーソリティー・バスターミナル
イーストリバー
8番街
7. チェルシー
ダウンタウン
5番街
ソーホー
ブロードウェイ
イースト・ヴィレッジ
4. センター・ストリート
5. チャイナタウン
8. 市庁舎
ブルックリン
3. ブルックリン橋
2. オレンジ・ストリート
1. ブルックリン・ハイツ

9. ポール・オースター『幽霊たち』『鍵のかかった部屋』〈ニューヨーク三部作〉

第9章

「幽霊たち」

1. ブルックリン・ハイツ (Brooklyn Heights)

2. オレンジ・ストリート (Orange Street)

3. ブルックリン橋 (Brooklyn Bridge)

4. センター・ストリート (Center Street)

5. チャイナタウン (Chinatown)

6. アルゴンキン・ホテル (The Algonquin Hotel)

「鍵のかかった部屋」

7. チェルシー (Chelsea)

8. 市庁舎 (New York City Hall)

9. プラザホテル (Plaza Hotel)

10. リバーサイド・ドライブ (Riverside Drive)

11. ポート・オーソリティー・バスターミナル (PABT [Port Authority Bus Terminal])

I

ブルックリン、新旧ふたつの顔を持つ街

もう十年前になるだろうか。マンハッタンの中心街から地下鉄のブルーの八番街線に乗って三十分ほど、列車はようやくハイストリート・ブルックリンブリッジ駅に到着した。ブルックリンと言えば、ドラマ『セックス・アンド・ザ・シティ』で、夫と子どもと快適に暮らすためにこのブルックリンに移り住むことになったミランダが、まるで都落ちでもするかのように落胆していた姿が印象に残る。通勤電車に一時間揺られて東京に通う人が珍しくない日本人からすると、地下鉄で三十分の距離はさほど不便な場所には思えない。実際、ニューヨークでも働く人の大半は、近郊のブルックリンやブロンクス、クイーンズ、隣のニュージャージー州から通ってくる。だが、ニューヨーカーにとっては、シティ（マンハッタン）とその他の区との間には厳然とした違いがあるのだろう。

たしかに、ブルックリンには、古くから製造業を営む中小企業が多い。そのため、昔ながらの工場があり、マンハッタンと比べると、どこか懐かしい風情が漂っている。その一方で、ニューヨーク市が大金を投入し、再開発を進めているため、大型倉庫を改造した現代的な複合施設などが建ち並んでもいる。最近観たブルックリンを舞台にした映画『マイ・インターン』（*The Intern,*

2015）でも、急成長中のアパレル企業が、かつては電話帳を作成していた会社の建物を改築して使用しているという設定になっていた。新旧両方の顔を持つこのエリアは、近年は観光地としても人気が高まっている。

多くの映画でもおなじみのブルックリン橋――イースト川に隔てられたマンハッタン南端とブルックリンとを結ぶ、あの大きな橋からは対岸のマンハッタンの夜景が一望でき、迫力のある巨大な高層ビル群の光に圧倒される。ブルックリン橋の周辺はダンボと呼ばれ、スタイリッシュな流行発信の地として当時からすでに注目を集めていた。

ブルックリン橋の十字架

初めて降りる駅なので、不安そうにしていたのだろう。労働者風の初老の男性が「どこに行くんだい？」と私に声をかけてくる。「ブルックリン橋に行きたいのですが」と答えると、男性は人の好い微笑を湛（たた）えて「すぐ近くだよ。ついておいで」とウィンクをして歩き出した。五分ほどの短い時間だったが、道すがら、男性は橋の補修工事に携わったことがあるのだと誇らしげにその時のことを語った。

間もなく重厚な石造りの二本の支柱から鋼鉄製のワイヤーが放射線状に伸びた大きな吊り橋が見えてきた。「さあ、お目当てのブルックリン橋だ」と男性が弾んだ声で言う。一八七〇年の着工から十四年近くの歳月を経て一八八三年に開通した、この吊り橋はニューヨークの多くの橋の中でも最も古い橋のひとつだ。建設中には三十人近い人々が命を落としたという。教会のステン

ブルックリン橋（© Postdlf）

ドグラスを彷彿とさせるアーチ型の大きな空洞を左右対称に持つ、薄茶色の支柱の頂には星条旗がはためいていた。

まさに絵葉書のような光景に歓声を上げて見入っている私の肩を叩いて、道案内をしてくれた男性は「それじゃ、ブルックリン散策を楽しんで」と言うと、もと来た道に向かって歩き出そうとした。驚いて「こちらの方向に用があったのではないの？」と聞くと、「家はあっちなんだ」と笑う。一人旅の心細さからだろうか。わざわざ案内してくれたのかと、見知らぬ人の親切に胸が熱くなる。その瞬間、ふり返った男性の、洗いざらしのブルーのシャツから覗く赤く日焼けした毛深い胸元に目がいった。そこには磔刑に処されたイエスがあしらわれたゴールドの十字架がかかっていた。容赦なく降り注ぐ真夏の太陽を一身に受けるかのように、十字架は金色の光を放ってきらめいていた。その後、橋の写真を撮ったり、ダンボのおしゃれなカフェでコーヒーを飲んだり、雑貨店の数々を見て回ったはずなのに、あまりそのことは記憶に残っていない。いまブルックリン橋と聞いて私が真っ先に思い出すのは、男性の胸できらりと輝いていた、あの金色の十字架なのだ。

オースターとブルックリン

このブルックリンこそ、ポール・オースターその人が住む街である。オースターが無類のニューヨーク好きであることは前章ですでに述べた通りだ。作家としてのデビュー作である〈ニューヨーク三部作〉の第一作目『ガラスの街』はマンハッタンの街が克明に描かれていた。だが、オースターのシナリオによる映画『スモーク』(*Smoke*, 1995)や『ブルー・イン・ザ・フェイス』(*Blue in the Face*, 1995)、小説『ブルックリン・フォリーズ』(*The Brooklyn Follies*, 2005)など、オースターが一九八〇年から暮らしているブルックリンを舞台にした作品も忘れがたい。

前章では、『ガラスの街』が、実はガラスのように無色透明の「どこにもない街」、すなわち、「現代の楽園」ニューヨークを暗に物語っていることを指摘した。さらに、ひとたび職業や肩書き、家族や住居といった社会的な身分を示すものを失えば、人間は「素」の自己に向き合わざるを得なくなり、そんな自己を映し出す鏡のような役割を果たすのがニューヨークという街であるとも語った。「ニューヨークは万人に属している」とオースターは言う。つまり、鏡に映った「自己」は、実は同じように鏡を覗き込む「他者」との境界線が曖昧になるからだ。

〈ニューヨーク三部作〉の中のほかのふたつの作品、第二作目の『幽霊たち』と第三作目の『鍵のかかった部屋』も基本的には『ガラスの街』と同じテーマを扱っている。いわば『ガラスの街』の変奏曲(バリエーション)とも言えるこれらの作品に触れながら、この喧噪の大都会でくり広げられ、語られる物語にしばし耳を傾けてみたい。

II

『幽霊たち』——現代の寓話物語

『幽霊たち』は、三部作の中で最も短く、時代設定は一九四七年。戦後間もない時代である。サリンジャーの『ライ麦畑でつかまえて』が刊行されたのがこの四年後なので、空気感は前作の八〇年代とはかなり異なる。『ガラスの街』と同様に、「探偵」が登場するが、今度の舞台はマンハッタンではなく、ブルックリンである。

登場人物は、主人公の若き私立探偵のブルー、依頼人のホワイト、探偵事務所の元上司のブラウン、そしてブルーがホワイトから見張るようにとの依頼を受けたブラックの四人のみである。

このように、「色」の名前を持っているというだけで、オースター自身も指摘しているように、

『幽霊たち』が一種の「寓話」であることが予測できる。もともとこの作品が戯曲に手を加えたものであることも影響しているのだろう。[1]

ご存じの通り、「寓話」とは、辞書的な意味では「教訓や処世訓・風刺などを、動物や他の事柄に託して語る物語」であり、ヨーロッパでは、特に中世の時代に信仰心や道徳心を育むために、詩や戯曲に常套的に用いられた手法でもある。一九四〇年代のニューヨークを舞台にした『幽霊たち』という「寓話」から、われわれは何を読み取ることができるのだろう。

ブルックリン・ハイツ

『ゴドーを待ちながら』との共通点

任務を遂行すべくマンハッタンからブルックリン・ハイツのアパートメントに移ってきたブルー。ホワイトによって用意された、このアパートメントの一室から真向かいの部屋に住むブラックの動向を観察し、週に一度ホワイトに報告書を送るのが彼に任ぜられた仕事だった。最初は浮気調査か何かにちがいないと気楽に引き受けたブルーだったが、来る日も来る日も、ブラックは窓辺の机で物を書いているだけで報告すべき出来事が何も起こらない。しかも、この仕事には期限がないのである。

よく指摘されることだが[2]、まるでオースターが敬愛するサミュエル・ベケット（Samuel Beckett, 1906–1989）の二十世紀を代表する前衛的な戯曲『ゴドーを待ちながら』（*Waiting for Godot*, 1954, フランス語版 1952）——二人の男が誰とも知らぬゴドーの到来をひたすら待っているだけで当の本人は現れず、何も起こらない——のごとく、ブルーは何のためにブラックを見張っているのか、ブラックが誰なのかもわからないまま時間が過ぎていく。

『ゴドーを待ちながら』と『幽霊たち』との共通点は、寓話性という形式だけではなく、むしろ、「神」の不在と、到来しない「神」という不条理を生きようとしたベケットの世界とオースターの作品の根底からたちのぼる生への不安とが重なるところだ。

直面する自分

何事も起こらず、いつ果てるともわからないこの任務そのものに不安があることはもちろんだが、時が経つにつれ、別の不安がブルーを捉えるようになる。誰とも会わず、話すこともなく、ひたすらに「ブラックという名の漠然たる影」のみを観察するだけの閉塞的な状況は[3]、ブルーに思いがけず自分自身に対峙する機会を与えることになる。

これまで常に物事の表面を追って生きてきた彼は、いまや探偵生活で初めて、いや、生まれて初めて「自分自身に拠って立つことを余儀なく」される事態に陥っていくのである。味わったことのないあまりにも手持無沙汰の状況が、それまでブルー自身にとってさえ未知の領域であり、手つかずの、それゆえに暗黒の存在であり続けてきた「自分の内部にある世界」に目を向けさせたのだ。

たとえば、ブラックを追ってブルックリン橋を歩いて渡る時、ブルーは幼い頃に物知りの父親が話して聞かせてくれたマンハッタンの摩天楼やブルックリン橋の建築の裏話を思い出し、父親の死から長い年月が過ぎたことに愕然（がくぜん）とする。その意識の連鎖で、フランスでスキーをしていたある青年が、ずっと前に行方不明になった父親が氷の中で凍っている姿を見つけ、その顔は息子のものよりも若かったという気味の悪い話に想いを巡らすといった具合に。

われ知らず考えることがブルーをたまらなく不安にさせる。「想（おも）いにふける」（英語の speculate）ということは、「観察する」という意味のラテン語（*speculatus*）を語源としていることであり、それは「鏡」（ラテン語で *speculum*）という言葉とも関連している。すなわち、考えることとは、実は、鏡に自己の内面を映し出し、観察することなのだ。そして、ブルーの場合、アパートメントの窓の向こうには鏡の中の自己のごときブラックがいるのだ。

道の向こうにいるブラックを見張っていると、ブルーは何だか鏡を見ているような気がしてくる。事実彼は、自分がただ単に一人の他人を見ているだけでなく、自分自身を見つめているのだということに思いあたる。〔※1〕

いつしかブルーは自分がブラックという影を通して自分自身に向き合っているという事実に思

い至るのだ。すっかり思索的になったブルーは、報告書を書くということの本来の意味についても考えずにはいられない。

何も起こらないことを報告するだけの報告書は、報告書でありながら、その本来の機能を果たしているとは言いがたい。言葉が表すものと実体との齟齬を感じることで、ブルーの不安は煽られ、焦燥感が募っていく。

「幽霊たち」が遺したもの——書くということ

見張りを続けるうちに、ブルーの生活も人生も失われていく。連絡も取らないまま放っておいた恋人は彼に見切りをつけて新しい男をつくり、かつては信頼していたブラウンも引退して別世界の人間になって、いまや共有するものなど何もない。どうしようもない孤独感と空虚感が漂う部屋から窓の外に目を移せば、向かいのアパートメントで同じように独りで物を書いているブラックの姿が見える。ブルーにはブラックがますます鏡に映る自分のことのように思えてくるのだ。

ついに意を決し、ブルーはブラックに直に接する策に出る。探偵という職業柄、変装はお手のものである。物乞いに扮してブラックの自宅のアパートメントの前に佇んでいると、ブラックが親しく話しかけてくる。追いかける者が変装して、追いかけられる側に接触するという方法は、『ガラスの街』でマンハッタンを徘徊するだけのスティルマン老人に、探偵クインが近づく場面を彷彿とさせる。

だが、『ガラスの街』とは異なり、ブルーとブラックとが交わす会話の中では、作品のタイトルでもある「幽霊たち」という言葉が何度も出てくる。アメリカ人作家の暮らしぶりを知るのが趣味だというブラックは、英米文学を代表するいまは亡きホイットマン（Walt Whitman, 1819-1892）やソロー（Henry David Thoreau, 1817-1862）、ディケンズ、ホーソーン（Nathaniel Hawthorne, 1804-1864）、つまり「幽霊たち」について語った後に意味深長に言う。

書くというのは孤独な作業だ。それは生活をおおいつくしてしまう。ある意味で、作家には自分の人生がないとも言える。そこにいるときでも、本当はそこにいないんだ。〔※2〕

ここでそれまでブラックが語ってきた、死して存在しない「幽霊」と、書くという作業を通して作品の中に自分を埋没させ、実人生において不在である作家という「幽霊」とが重なり合う。「幽霊」とは、まさに自己のアイデンティティを失った人間を象徴しているのだ。それならば、自らの実人生を失いつつあるブルー自身もまた「幽霊」に当てはまる。

「ウェイクフィールド」との共通点

この会話で最も印象に残るのはブラックが別れ際に語るウェイクフィールドの物語である。アメリカの小説家ホーソーンの短編小説で、(4) ウェイクフィールドという男が妻に数日間旅行に出ると告げて家を出たきり、自宅近くのアパートに住みつき、二十年もの間、残された妻の動向をこっそりと窺うという物語である。

妻に愛想が尽きたわけでもなく、借金の取り立てから逃げるといった事情があったわけでもない。ホーソーンは作中でその理由を明らかにしてはいないが、ある時、ふと自分の人生の軌道から外れたいと願う人間心理の闇に足をすくわれてしまっただけのことなのかもしれない。心の中の衝動的な暗い願望に忠実に従ったことで、実人生が狂ってしまう。妻は未亡人として老いていき、同じく年老いたウェイクフィールド自身も、かつては自分を迎え入れてくれた暖かいわが家の炉辺(ろばた)を、雨に打たれながら窓の外から眺めているのである。

精神が目の前の現実とは別の場所を浮遊している時、一体どちらが真の自己なのかを明言することは難しい。むしろ私たちは実務をこなす自分と、思索する自分とのふたりを常に持ち、実人生という表面的な自分と、自己の内面の闇の間を行ったり来たりしながら懸命にバランスをとって生きているのではないだろうか。もちろん、そんなことは普段は意識していない。だからこそ初めて「ウェイクフィールド」を読むと、その生の実態を垣間見てしまった鈍い衝撃が、黒いインクの一滴が水を徐々に濁らせるように、心の中にじわじわと広がっていくような、そんな気分を味わうのかもしれない。

ウェイクフィールドの物語に示唆されるように、ブルーとブラックの関係はひとりの人間の中に存在するふたりの人間――行動する主観的な自己と自己を見つめて自分の人生を記憶する客観的な自己――を象徴的に表しているのだ。そして、「書く」こととは、すなわち「生きる」ことなのであり、ブラックが紡いだ「物語」は「人生」の記録なのである。この意味で、作家に限らず人は常に物語を紡いでいることになる。

鏡に映る顔

ブルーは、保険会社の社員になりすまし、ブラックを追って地下鉄に乗り、マンハッタンのタイムズ・スクエアの駅で下車する。ついに一年以上も続く見張りの仕事が新たな局面を迎える時がやってきたのだ。ブルーは偶然を装いアルゴンキン・ホテルのバーでブラックと向かい合わせに腰かけ、彼と同じ酒を注文する。自然と始まる会話。そして、あろうことか、ブラックの方から、自分は探偵であり、ある男を見張っているのだが、何も事件が起こらないのだと語る。それは言うまでもなくブルーの現状そのものである。

不意をつかれたブルーは、保険会社の社員を装っていることも忘れ、見張られている男はそのことに気がついているのかと尋ねる。それは、ブラックがブルーの存在を知っているのかという質問でもある。すると、ブラックはそれまでと打って変わった震え声で「もちろん知ってますとも。だからこそ意味があるんです」と答える〔※3〕。

その男には私が必要なんだ、と目をそらしたままブラックは言う。彼を見ている私の目が必要なんです。自分が生きているあかしとして、私を必要としているんです。〔※4〕

その頬に涙が一筋流れた途端、ブラックは席を立ち、姿を消した。ブラックは見張ってくれる

ニューヨーク市地下鉄

ブルーの目を必要としている――その言葉はブラックがうっかり漏らした本音なのか、あるいはブルーをさらに別の行動に移らせるための誘い水なのか、ブルーは見極めることができない。

だが、この一件によって、一年以上続いた無為の状況が打開されたことは確かだった。ブルーは依頼人のホワイトがブラックと同一人物であることを確信するに至る。さらに、自分が見張りを続けてきたブラックは「哀れな、打ちひしがれた、誰でもない男」、つまり、ブルー自身と同類であることを知ったのだ。カードが揃った以上、ブルーは新たな一歩を踏み出さざるを得ない。

ブラックの書く物語

ブルーは留守中のブラックの家に忍び込み、彼が毎日書いていたものは何なのか、机に積み重ねられていた書き物の紙束を盗んで自室に引き返す。これまでブルーの生活の中心に据えられたものを覆っていた大きなヴェールを外す瞬間がついに到来したのだ。しかし、目を通してみると、何とそれはブルーがホワイト宛てに毎週書き送っていた報告書だったのである。

ブルーがブラックの部屋のドアをノックし、開いているドアを開くと、そこには拳銃を手にしたブラックがいた。ブラックは無情にもブルーのことはもう必要ではなくなったと言い放つ。ブラックを助けてやりたいと友好的な気持ちで部屋を訪れたブルーは我を忘れ、容赦なくブラックを殴り、血まみれの彼を放置したまま部屋を後にする。自分のアパートに戻ったブルーはブラックが書いていた物語を読むが、そこにはすでにブルーが知っていることが書かれていただけであった。物語はここで突然に終わる。最後に「私たち」にブルーが部屋を出てどこか異国にでも行ってくれていたらという希望を語らせながら……。

色が示す寓意性

この物語の寓意性を四人の登場人物の色から考えれば、白は「無垢」や「純潔」、"white lie"(人の気持ちを傷つけまいとして言う罪のない嘘)のように邪気のなさを示し、何色にもまだ染まらない「素」の状態を示すことから、そもそも存在しないキャラクター("nobody")であるホワイトにふさわしい。茶色はセピア色に近く、ブルーにとって過去の世界を代表するブラウンにうってつけの色であろう。黒は欧米でも「悪」や「死」を連想させる不吉なイメージがあることから、死への憧れ、虚無といった、暗い衝動や虚空を象徴するブラックのために選ばれるのは当然という気がする。

色相、明度、彩度の三次元のうち、明度だけしか持たない色を無彩色というが、白と黒はこの無彩色に属し、まさに「無」を象徴しているように思われる。そして茶色は有彩色に入るが、無彩色に近い印象を与えるし、実際、小説の中では過去を示していることから、これも現在を生きる人間には「無」に近いとも言える。

こうして見てみると、四人のうちブルーだけが有彩色であり、「生」を感じさせる。それは「青」が海や空を表す「自然」の色だからにほかならない。しかしながら、欧米では「青」は"blue blood"（貴族、名門の出）などの高貴なイメージカラーであると同時に、"blue film"（成人映画）のように「高貴」とは真逆の猥褻（わいせつ）で低俗なイメージをも喚起する。

もちろん、"blue Monday"（憂鬱な月曜日）や"I am in the blues"（ふさぎこんでいる）が表す「憂鬱」や「鬱屈」といった意味も「青」にはある。『幽霊たち』のブルーは、この「青」という色が持つ多義性そのものと言えるだろう。時には崇高であり、時には猥褻でありながら、憂鬱にふさぎこみ、孤独に涙を流す「人間」そのものを代表するのがブルーなのかもしれない。

「現代版ウォールデン」として

相手を見張り、その相手の行動を観察するという探偵の仕事は、心の中の自己と向かい合い、自己が何者かを見極めようとする自己探求の過程に通じる。オースターはかつてインタビューの中で『幽霊たち』を「都会のまっただなかのウォールデン池」と呼んだ。[5]

「ウォールデン池」とは、マサチューセッツ州コンコード郊外にある池を指す。アメリカの作家で思想家のソローが一八四五年から二年二か月の間、この池のほとりに建てた丸太小屋で自給自足の生活をしたことで知られる。そもそもウォールデン池は、ソローをはじめ、ホイットマン、ホーソーン、メルヴィル（Herman Melville, 1819-1891）といったアメリカのルネッサンス期を代表する作家たちに大きな影響を与えたエマーソン（Ralph Waldo Emerson, 1803-1882）の所有する土地の中にあった。ソローは自らの師である、この偉大な哲学者かつ思想家のすすめで、このような実験的生活を試みたのだ。

したがって、ソローのウォールデンでの暮らしは、エマーソンの思想から生まれた「超絶主義」、すなわち植民地時代のピューリタニズムの閉塞感から脱却し、人間の内面に重きを置く、アメリカ的ロマン主義や自己の直観によって真理を把握する「自己信頼」の実践とも言える。

この人里離れたウォールデン池の岸辺で、アメリカ的価値観から隔絶して孤独のうちに送ったソローの丸太小屋での生活の記録をまとめたものが『ウォールデン　森の生活』（*Walden; or, Life in the Woods*, 1854）である。自然観察の中に文明批評、独居生活から湧き出てくる哲学的思索などが織り込まれたこの古典的名著は、多くの作家や詩人に影響を与えてきた。

オースターも、もちろん、そのひとりである。日本でも明治時代にはすでに翻訳され、知識人必携（ひっけい）の書となったが、アメリカ人にとっては特別な意味を持つ書物なのだろう。

私が森へ行ったのは、思慮深く生き、人生の本質的な事実のみに直面し、人生が教えてくれるものを自分が学び取れるかどうか確かめてみたかったからであり、死ぬときになって、自分が生きてはいなかったことを発見するようなはめにおちいりたくなかったからである。[6]
〔※5〕

こう願って森での生活に入ったソロー。その考えは、「自由」がいつしか生活に縛られ、そんな自分を省みることなく、静かなる絶望を抱いて暮らすアメリカ人の心に、いまでも響くものを持っている。

ニューヨークから抜け出して小川のほとりに住みたいと語る『ライ麦畑でつかまえて』のホールデン、森の中で鉄壁の隠遁生活を送った作者サリンジャーにも、ウォールデンの影が見えないだろうか。もしかしたら、華やかなファッション界から退き、イースト・ヴィレッジの街角で細々とシャッターを切り続けたソール・ライターにも……。『ウォールデン　森の生活』は、アメリカ人にとってひとつの根源的な理想であり、心の故郷なのである。

『幽霊たち』では、ブルーが退屈を紛らわすために『ウォールデン　森の生活』を読む場面がある。彼がこの本を手にしたのはブラックが読んでいたからだ。しかし、そこに書かれたことが、自分の置かれた不可解な状況を理解する手がかりになるなどとは露ほども思わず、内容を追うのに疲れ、ついに本を投げ捨ててしまう。だが、ブルーが図らずも実践することとなった孤独な日々は、ソローの森の生活と基本的には変わらない。舞台がマサチューセッツの森ではなく、ブルックリンのアパートメントの一室に移っただけだ。そこにどれだけの違いがあるだろう。自然の中であろうと、都会であろうと、人はひとりになれば、自己と向き合わざるをえないのだ。

ただ、このオースターの「現代版ウォールデン」では、孤独であることを認識するために、「他者の眼」が必要とされる。だからこそ、ブルーにはブラックが、ブラックにはブルーが必要不可欠だったのではないか。大都会では他者とのつながりの中で初めて孤独は成立するものであり、その孤独の中で、初めて自己と対話することが可能になるのかもしれない。[7] そして、ソローが自然の実相の中に自分の精神を見出したように、『幽霊たち』では、人間の心を映し出すのは、ニューヨークというメガロポリスなのだ。

III

『鍵のかかった部屋』

第三作目の『鍵のかかった部屋』も前二作と同じテーマを踏襲している。だが、『ガラスの街』に顕著だった観念性や、『幽霊たち』に見られる寓話性は払拭され、探偵は登場するものの、あくまで脇役であり、小説としてずっと楽にストーリーを追える展開となっている。

ある日、主人公である「僕」のもとにソフィーという見知らぬ女性から一通の手紙が届く。ソフィーは「僕」の幼友達ファンショーの妻だという。

ファンショーは「僕」とは赤ん坊の頃からの知り合いで青春時代までの多感な時期を一心同体

かと思うほどに密に過ごした。優れた能力と人格を持ちながら世俗的な野心を持たず、他の友人たちとは隔絶したものを内に持つファンショーを「僕」は英雄視し、憧れもした。だが、お互いに大人になって別々の道を歩むようになり、音信不通の状態となった。その彼がニュージャージーの実家に行くと告げたまま忽然と姿を消したというのだ。それも、身籠ったソフィーを残してである。

まるで先に挙げた「ウェイクフィールド」を地でいくような事件である。ちなみにオースターは「ウェイクフィールド」の作者ホーソーンの短編小説のタイトルからファンショーの名前を借りている。[8]

だが、さらに厄介なことに、ファンショーは夥しい量の文章を残しており、その作品を出版するか破棄するかの判断を「僕」に下してほしいとソフィーに頼んでいたのだ。このように、突然の依頼によって人生が一変するという展開は前の二作と同じである。

ファンショーの作品をじっくりと読んだ「僕」は、刊行に値すると判断した。「僕」の鑑識眼は間違っておらず、彼の作品は評価も高く、ヒットもした。その過程で「僕」は若く美しいソフィーと愛し合うようになる。

オースターの人生の影

ちなみに、『鍵のかかった部屋』は三作品の中で最もオースター自身の伝記的要素がちりばめられている。しかも、それらは「僕」とファンショーそれぞれにふり分けられているのである。ニュージャージーで生まれ育ったというふたりの設定も同じだし、初体験をニューヨークの売春宿で済ませた経緯などもオースターの自伝『冬の日誌』（*Winter Journal*, 2012）の内容と重なる。また、新進気鋭の評論家という肩書きで雑文を書いて暮らしている「僕」の生活は、〈ニューヨーク三部作〉を上梓する以前のオースターの生活であり、タンカーの乗組員、フランスで別荘の管理人や電話交換手といった雑多な職業を転々としたファンショーの経歴もまた作家自身と重なる。

オースターは一九七九年に前妻のリディア・デイヴィス（Lydia Davis, 1947-）と離婚し、精神的に辛い時期を過ごしたが、そのわずか二年後に現在の妻シリ・ハストヴェット（Siri Hustvedt, 1955-）と知り合う。彼女と出会ったことで暗闇に光が射し込んだかのように人生が一変したオースターは、それまで知らなかった自分になったかのように感じるのだ。[9]『ガラスの街』はシリがいなかったらクインのようになっていたはずの自分を書くことで、「シリへのオマージュ」、彼女への「小説の形をしたラブレター」になっているのだと作家は過去のインタビューで熱く語っている。[10]この感覚は『ガラスの街』に限らず、『鍵のかかった部屋』にも表れている。真に結ばれるべき男女が睦み合う行為は、復活の儀式のごとく、「僕」を、新たな「僕」として生まれ変わらせる。

ソフィーのものになることを通して、僕はあたかも、自分がほかのあらゆる人々のものになったような気がした。世界における僕の真の場は、どこか自分を超えたところにあることが見

市庁舎　（「僕」とソフィーが結婚式を挙げた場所）

えてきた。あるいはその場は僕の内部にあるのかもしれない。だが同時にそれは、位置を確定できるような場ではない。自分と自分でないものとのあいだにある、小さな穴のごときものなのだ。僕は生まれてはじめて知った。このどこでもない場所こそ、世界の正確な中心であることを。(11)　〔※6〕

作中では何もかもが順調に進んだかのように思えたが、ある日、死んだはずのファンショーから手紙が届く。本の刊行を喜び、ソフィーを幸せにしてほしいこと、ただし、自分のことは決して探さないように、もしも探し出したら殺すという内容だった。

「僕」はソフィーとの関係が崩壊することを怖れてこの事実を告げぬまま、彼女と結婚する。だが、彼女と暮らし始めた「僕」は仕事がまったく手につかなくなり、苦しまぎれにファンショーの伝記の執筆依頼を引き受けてしまう。その伝記を書く間、「僕」を悩ませる「自己を捉えることの難しさ」という問題は、三部作全体を貫くテーマでもある。

おそらくわれわれは自分自身のために存在しているのだろうし、ときには自分が誰なのか、一瞬垣間見えることさえある。だが結局のところ何ひとつ確信できはしない。人生が進んでゆくにつれて、われわれは自分自身にとってますます不透明になってゆく。自分という存在がいかに一貫性を欠いているか、ますます痛切に思い知るのだ。人と人とを隔てる壁を乗りこえ、他人の中に入っていける人間などいはしない。だがそれは単に、自分自身に到達できる人間などいないからなのだ。〔※7〕

ファンショーの正体

生きているファンショーを故人として伝記の中に葬り去るという行為が「僕」の精神を蝕(むしば)んでいく。人の「生」をめぐる種々の思索が頭の中をめぐっては消えていく。また、執筆のために幼友達の足跡をたどるうちに「僕」は自分を見失ってもいく。こともあろうにファンショーの母親と過ちを犯す。さらに、ファンショーが一時期滞在していたパリで手がかりを見つけようとして神経衰弱に陥り、死の一歩手前まで自分を追い詰めることになる。

ファンショーはそこにいた。彼のことを考えまいと僕がどんなに頑張ろうと、逃れることはできなかった。思いもよらない事態だった。息のつまるような状況だった。彼を探すのをやめたいま、彼の存在はいままで以上に重く僕にのしかかっていた。すべてがあべこべになっていた。何か月ものあいだ僕が彼を見つけようとしたあげくに、あたかも彼のほうこそが僕を見つけ出したような感じがした。まるで、いままで僕がずっと、ファンショーを探していたのではなく、ファンショーから逃げていたかのように。〔※8〕

ファンショーを探そうとする行為は、ファンショーがどこか別の場所にいることが前提となる。しかし、実はファンショーは常に「鍵のかかった部屋」の中にいたのである。

> ファンショーは一人でその部屋の中にいて、神秘的な孤独に耐えている。おそらくは生きていて、おそらくは息をしていて、神のみぞ知る夢を夢みている。いまや僕は理解した。この部屋が僕の頭蓋骨の内側にあるのだということを。〔※9〕

タイトルの「鍵のかかった部屋」とは、心の中に存在する閉ざされた部屋のことを指す。つまり、無意識の中に存在はしていても、決して覚醒させてはならないものなのだ。ファンショーは「僕」の心の中に棲む暗い欲望なのである。「僕」がファンショーに憧れたのは、子どもの頃から彼の落ち着きの向こうに潜む「大きな暗闇」ゆえであり、それは「自分を試したい、危険を冒してみたい、物事のぎりぎりのところまで行ってみたいという欲求」であったのではないだろうか。日常生活を脅かし、破滅しかねない危うい冒険。このロマンへの誘惑は魅力的である。ウェイクフィールドやファンショーが衝動的で無軌道な失踪ゆえに罪のない妻を泣かせ、自らの人生をも狂わせてしまったほどに……。この欲求に蓋をして鍵をかけて暮らさなくてはならない危うさは「僕」だけの問題ではない。むしろ万人に共通するものだろう。

自分自身の死をめぐる想いとともに生きてゆくのと同じように、ファンショーとともに生きることを僕は学んだ。ファンショーが死そのものだというのではない。だがファンショーは死と似ていた。彼は僕の中に巣食う死の代名詞として機能していた。〔※10〕

〈ニューヨーク三部作〉を締めくくるこの物語の最後の舞台はニューヨークではなく、ボストン、いや、正確に言うと、ニューヨーク行きの列車を待つプラットホームである。「僕」は伝記を書くことはとうに打ち切ったが、ファンショーと対峙するためにボストンに足を運ぶ。ファンショーは鍵のかかった部屋のドア越しに死に取り憑かれた自分について語る。

「生」を象徴する街へ

実はファンショーは、一時期ニューヨークにいたのである。そして、ソフィーと「僕」が暮らすアパートメントの前でキャンプを張ってふたりの生活を見守っていた時期があること、その間「僕」に対して殺意を抱いていたことを明かす。だが、意を決しニューヨークを離れ、ようやくこの鍵のかかった部屋の中で死ぬ覚悟を決めていることを告白する。必死に止めようとする「僕」の涙声が、ファンショーの心に届くことは決してない。

言われるままに、茫然となって「僕」はファンショーが綴った赤いノートブックを手に駅に向かう。雨に打たれ、転びながら……。駅に着いた「僕」はノートブックの頁を一枚また一枚とひきちぎり、ホームに捨てていく。ニューヨーク行きの列車が出発する時に「僕」は最後の一枚を破り捨てた……。

暗い死への欲望を心の中の鍵のかかった部屋に残したまま、すなわちその欲望を内に抱えて封印したまま、「僕」はその魔物と共存していく道を選んだのだ。それにしても、ファンショーの最後の言葉――ノートブックを持ってニューヨークに帰りたまえ。僕の頼みはそれだけだ――は示唆的である。おそらくニューヨークは「生」を象徴する場所なのだ。それゆえ、ファンショーはニューヨークを離れ、ボストンに逃げてきたのだろう。その彼が「僕」にニューヨークへ帰るよう促すということは、生き続けるように頼んでいることにほかならない。「僕」は自分の正確な居場所であると同時に、「世界の正確な中心」である妻の元へ、彼女が待つニューヨークへと戻っていくのだ。

〈ニューヨーク三部作〉はそれぞれが独立した作品だが、どの作品も孤独、内なる自己との対話、生や死といった人間の根源的な問題に対する哲学的思索を孕（はら）んでいるという共通点がある。眠らない街ニューヨークの、あのエネルギー、摩天楼の瞬く夥しい光の向こうに暮らす多くの人々、朝靄（あさもや）の通りを行き交う車の音やクラクションの喧噪……。

コンクリート・ジャングルの雑踏の中で孤独のうちに自己と向き合う――私たちはそんな瞑想を求めてこの街を訪れるのではないだろうか。もしかしたら、この「街」は私たちの心の中にだけ存在し、アメリカにもどこにも属していないのかもしれない。

［註］

（1）ポール・オースター、柴田元幸・畔柳和代訳『空腹の技法』（新潮社、二〇〇〇年）。

（2）柴田元幸、「訳者あとがき」、『幽霊たち』（新潮社、一九八九年）。

（3）Paul Auster の *Ghosts* からの引用はすべて柴田元幸訳『幽霊たち』による。

（4）一八三五年に *The New England Magazine* の五月号に発表され、一八三七年に短編集 *Twice-Told Tales* に収録された。アルゼンチン出身の短編小説の奇才で、英米文学に関する評論も著しているホルヘ・ルイス・ボルヘスは、この「ウェイクフィールド」を文学における最高傑作のひとつとして絶賛している。

（5）ポール・オースター、柴田元幸・畔柳和代訳　前掲書。アメリカの作家で思想家のヘンリー・デイヴィッド・ソローの『ウォールデン　森の生活』について、オースター自身はしばしば語り、『幽霊たち』の中でもブラックが読んでいる場面がある。

（6）ヘンリー・デイヴィッド・ソロー、飯田実訳『森の生活（上）』（岩波文庫、一九九五年）。

（7）ポール・オースター、柴田元幸・畔柳和代訳　前掲書。

（8）ポール・オースター、柴田元幸・畔柳和代訳　前掲書。一八二八年にホーソーンは匿名で *Fanshawe* という長編の習作を自費出版したが、反響はなかった。

（9）ポール・オースター、柴田元幸訳『冬の日誌』（新潮社、二〇一七年）。
（10）ポール・オースター、柴田元幸・畔柳和代訳　前掲書。
（11）Paul Auster の *The Locked Room* からの引用はすべて柴田元幸訳『鍵のかかった部屋』（白水社、一九九三年）による。

エピローグ
ニューヨークと私

I

五番街のスコール

ティファニー本店やプラザホテルまで歩いて数分の、セントラル・パークを臨むレストランで早めの夕食をとっていた時だった。先ほどまで晴れていた空がいきなり暗くなってきた。嫌な予感。次の瞬間、スコールのような大雨が降り始めた。かの五番街が目と鼻の先という場所柄だろうか、いつもはお洒落をした人たちが闊歩していてピープル・ウォッチングにはうってつけの店なのだが、その日、大きな窓から見える優雅な光景は急変した。突然の雨に狼狽（ろうばい）しながら、とりあえずバッグで頭を覆って地下鉄の入り口を目指す人、タクシーを拾おうと車道に出て手をふり上げる人など、それまで初秋の陽射しを楽しんでいた人々は、まさに蜘蛛の子を散らすように一目散に走り出した。

食後のお酒でもゆったり飲んで夕立が通り過ぎるのを待っていられたらいいのだが、あいにくそういうわけにもいかなかった。いますぐ店を出なければ、せっかく入手したチケットが台無しになってしまう。

そう、私はその日、初演以来、入手困難と言われ続けてきたミュージカル『ハミルトン』(*Hamilton*, 2015) を見ることになっていた。しかも三列目のセンター席である。豪雨だからと言ってキャンセルするわけにはいかなかったのだ。

一番ホットなミュージカル

アメリカ建国の父のひとりアレクサンダー・ハミルトン（Alexander Hamilton, 1757-1804）の伝記をもとにしたこの二幕物のミュージカルがオフ・ブロードウェイで初めて上演されたのは二〇一五年。たちまち高い評価を得て、半年後にはブロードウェイで上演されるようになり、翌年の二〇一六年にはトニー賞をはじめ数々の賞を受ける快挙となった。

二〇一七年三月にフィンランドで開催されたフィギュアスケートの世界選手権で取材を行った際、アメリカ代表のジェイソン・ブラウン（Jason Brown, 1994-）選手が、帰国したらニューヨークで『ハミルトン』を観ることになっていると目を輝かせて語っていた姿が忘れられない。実際、次のシーズンの彼のショートプログラムはこの『ハミルトン』であった。私が訪れた二〇一八年にもニューヨーク、サンフランシスコ、シカゴ、ロンドン（イギリス）、オーストラリアで公演されているほか、カナダのバンクーバーを含む全米ツアーが行われており、その日も劇場は満席で、カーテンコールの拍手と口笛が鳴りやまなかった。

意表をついたキャスティング

しかしながら、このミュージカルによって注目されるようになったとは言え、日本におけるハミルトンその人の知名度はそれほど高いとは言えない。だが、アメリカを訪れたことがある人ならば、一度はその顔を目にしているはずである。

日常で最もよく使う紙幣のひとつ一〇ドル札に印刷された繊細そうで柔和な、眼差しのすっきりとした、あの面長の白人男性こそがハミルトンなのだ。たしかに一ドル札の初代大統領ジョージ・ワシントン（George Washington, 1732-1799）、流通量が少ないのであまり目にすることはないが、二ドル札に印刷されているのは独立宣言の起草者のひとり第三代大統領トマス・ジェファーソン（Thomas Jefferson, 1743-1826）、五ドル札の奴隷解放宣言で有名な第十六代大統領リンカーン（Abraham Lincoln, 1809-1865）は知っていても、その他の紙幣が誰なのかはあまり気にとめない人が多いのではないだろうか。

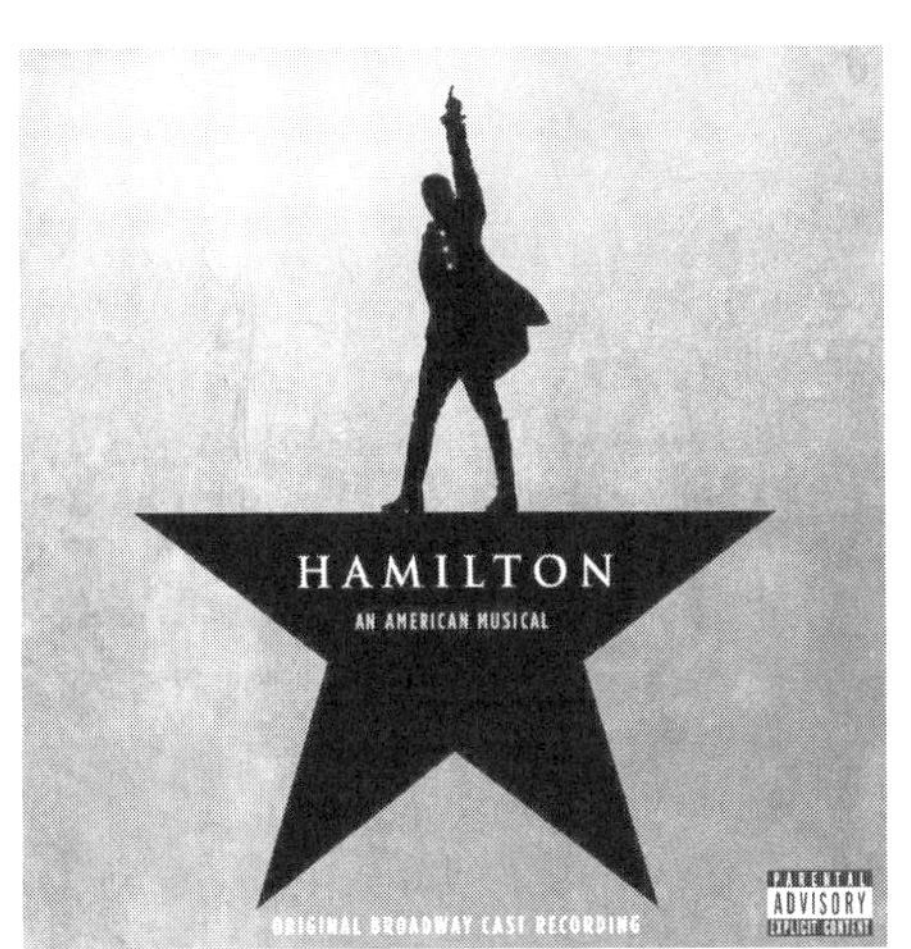

ミュージカル『ハミルトン』[CD]
(ⓒ Atlantic)

それにしても、『ハミルトン』が始まって驚いたのは、そのキャスティングであった。白人のハミルトンを演じているのは一〇ドル紙幣の顔と似ても似つかぬ俳優であった。顔の造作や体型の問題ではない。人種がちがうのである。なんとハミルトン役を有色人種の俳優が演じているのだ。それどころか、ハミルトンがその右腕となって仕えたワシントン大統領も、トマス・ジェファーソンも、決闘でハミルトンを倒したアーロン・バー（Aaron Burr, 1756-1836）も、妻のイライザ（Elizabeth Hamilton, 1757-1854）も、不倫相手のマリア・レイノルズ（Maria Reynolds, 1768-1828）も、ほとんどすべてが史実とは異なる黒人、ラテン系、アジア系の俳優が演じているのである。唯一の白人と言えば、滑稽なジョージ三世（GeorgeIII, 1738-1820）を演じた俳優だけであった。

事前に基本的な情報さえ仕入れずに劇場へと足を運んでしまったが、実は『ハミルトン』と言えば、この斬新な配役がひとつの見どころであることを後で知った。ヒップホップと現代風のR&B、ポップスなどが融合したパワフルな歌声と意表をついたキャスティングは、ハミルトンという人物を二百年の年月の壁を軽々と飛び越えて、現代の時空間に鮮やかに蘇らせることに成功しているように思われた。

一〇ドル札の英雄と二〇ドル札の英雄

キャスティングの奇抜さに目を奪われるが、よくよく考えてみると、主人公のハミルトンその人も白人ではあるが、移民なのである。裕福なアングロサクソン系の名家の出身者、いわゆる東部エスタブリッシュメントの多い建国時代の英雄には珍しく、イギリス領西インド諸島の出身である。

また、スコットランド貴族の末裔（まつえい）ではあるが、落ちぶれた商人に成り下がった父と内縁関係の母との間に生まれたという人に誇れぬ出自や、若い頃から経済的苦難を経験しているという点も他の建国の父たちとは異なる。つまり、ハミルトンは、勤勉と努力という自らの力によって恵まれない境遇から脱し、カリブ海の島からニューヨークにやってきて財務長官にまで昇りつめたアメリカン・ドリームの体現者なのである。

作詞・作曲、脚本を手がけ、初演ではハミルトン役も演じたリン＝マニュエル・ミランダ(Lin-Manuel Miranda, 1980-)は、プエルトリコ出身の両親を持つという点で中米出身のハミルトンと共通項がある。

ミランダは黒人やラテン系の俳優を積極的に起用することで、ハミルトンを移民の象徴として印象づけることに成功している。白人の支配者層が織りなす建国の歴史の物語を有色人種が演じることで、出自の問題を乗り越えて、自分の才覚で異例の出世を果たした移民の成功者、さらには移民を増やすことに前向きであったハミルトンの政策を視覚面でも強調することができるからだ。

それにしても、トランプ大統領が一〇ドル札のハミルトンではなく、二〇ドル札の第七代大統領アンドリュー・ジャクソン（Andrew Jackson, 1767-1845）の肖像画を執務室に掲げていることは、示唆的だ。

ジャクソンもハミルトンと同様に叩き上げである。無学で行政経験がないにもかかわらず、大統領に就任し、猟官制の採用、第二合衆国銀行潰しなど、一部のエリート層が既得権を保持するシステムを破壊した。過激ではあるが、特権階級に独占されていた富と権力を庶民も享受する道を切り開いたという点で根強い人気がある。

その一方で、その名は黒い歴史とともに語られもする。ジャクソンは自らの農園で奴隷を使い、移民に対して苛酷なしめつけを断行し、戦争とはいえネイティヴ・アメリカンを虐殺し、後には彼らを強制居住区に追いやったことで知られる。

悪名高き人種差別主義者でもあるジャクソンに尊敬の念を抱くトランプ大統領と、自身のミュージカル作品で移民国家米国の礎(いしずえ)を築いたハミルトンに多様性と国際色を象徴させた脚本家ミランダ。ふたりのアメリカ国家に対する対極的な視点を見ていると、アメリカ史上の指導者のうちで誰を仰ぎ見るかによって、その人の国に託す理想が表れているようでおもしろい。

二〇二〇年、二〇ドル札は、南北戦争の時代に奴隷解放に貢献したハリエット・タブマン(Harriet Tubman, 1820/21-1913)に変わる。当初は一〇ドル札が変更になる予定だったが、爆発的なヒットを果たしたミュージカルの功罪か、ハミルトンではなく、二〇ドル札のジャクソンが選ばれてしまった。人種差別を断行した白人男性が奴隷解放に尽力した黒人女性にその座を奪われる日も近い(1)。

ハミルトンとニューヨーク

ミュージカルの中で、ハミルトンの生い立ちを物語る「アレクサンダー・ハミルトン」("Alexander Hamilton")という歌がある。この中で、母親を喪(うしな)ったハミルトンが弱冠十四歳の時にはすでに兄とともにカリブ海の島の店で働き、手あたり次第に本を読み、新しい土地ニューヨークでの将来に想いを馳せていたことが語られる。

ニューヨークでは新しい自分になれる。

In New York, you can be a new man.

何度もくり返されるこの印象的なフレーズ。そこに、希望の地ニューヨークに夢を膨らませる若きハミルトンの胸の高鳴りが重なって聞こえるようだ。ニューヨーカーであるミランダならではの、このアメリカ最大の移民都市に対する賛歌なのだろう。

だが、それだけではない。実際にハミルトンはニューヨークに移ってから華麗な転身を遂げ、この都市に多大な貢献をしているのである。キングズカレッジ（現在のコロンビア大学）に通い、現在はタブロイド紙となったものの、歴史ある日刊紙『ニューヨーク・ポスト』を立ち上げ、アメリカで最も古い銀行であるニューヨーク銀行を創設し、マンハッタンはダウンタウンにあるトリニティ教会に埋葬されている。移民がニューヨークで成功を収める――いわば、ハミルトンは移民国家アメリカの初期の成功例なのである。ミュージカル『ハミルトン』がこれほどまでに人気となった背景には、トランプ政権下でクローズ・アップされた移民問題があるのだろう。

本書でも扱ったポール・オースターも、トランプ政権発足時はアメリカの行く末をかなり案じていたが、このことはやはり彼がユダヤ移民であったことと切り離せないだろう。思えば、プロローグで扱った写真家ソール・ライターも、偶然ではあるがニール・サイモンも、サリンジャーもユダヤ系の移民であった。彼らの祖先もまたハミルトンのような夢を抱いてこの地に降り立ったのかもしれない。

II

ヴェセルカにて

軽い夜食をイースト・ヴィレッジにある、二十四時間営業のウクライナ料理店ヴェセルカでとることにした。ふと三島由紀夫が『近代能楽集』の上演を待ちわびて高級ホテルを引き払って投宿したホテルがこの周辺にあったことを思い出す。

一九五〇年代のニューヨークにはまだ日本人もそれほど多くはなかった。芸術家と貧しい老人ばかりが住むこの街をさすらっていた三島の心境を思うと、切なくなる。現在では日本人街も含め、様々な国の料理店がひしめきあうこの界隈は、深夜とあって行き交う人々はすでに飲食を終えてほろ酔い加減だ。乱れた足どりの彼らは大声で笑いながら話す。その音が二重三重となって喧噪となる。この地域もいまでは三島が歩いた時のようなうらぶれた雰囲気はない。

やがて、二番街に面した九丁目の角に、緑色のひさしに白抜きで英語とキリル文字とでヴェセルカと書かれたレストランが目に入る。リーズナブルなうえ、菜食主義者やビーガンのための料理も用意してくれるせいだろうか、昼間には行列ができるほどの人気店だ。その日はさすがにもう夜も更けているのですぐに席に案内されたが、それでもひっきりなしに客が入ってくる。

ヴェセルカはソール・ライターが毎日のようにコーヒーを飲みにやって来た店だ。一九五二

ヴェセルカ
（お店のＨＰより）

年からイースト・ヴィレッジに住み、それ以来この界隈で何気ない日常の中に美を発見し続けた彼はこの気取りのない店内でファインダーを覗いたこともあったのだろうか。その時彼はファインダー越しに一体何を見たのだろう。同じ頃、同じ場所で、ニール・サイモンも雪が降り込んでくる、ベッドがようやく収まるような狭くて不便な安アパートで新婚生活を送り、後年その時のことを懐かしんだ。このヴィレッジ周辺で三島とライターとサイモンがどこかですれ違っていたとしても不思議はない。

店の看板料理である夏用の冷たいボルシチを待っていると、店内に入ってきた膝丈の鮮やかなピンク色のドレスを着て黒のピンヒールとお揃いの小さなハンドバッグを手にした大柄な女性が目に飛び込んでくる。いや、よく見ると、それは男性であった。白い肌にはきちんとメイクが施されているが、体つきは明らかに男性である。

しかし、気にとめているのは私だけで誰も彼のことを注視したりせず、食事を楽しんでいる。

グリニッチ・ヴィレッジにはゲイによる最初の暴動が起こったバー、ストーンウォール・インもある。かつてはゲイ解放運動の拠点であったオスカー・ワイルド・ブックショップもこの地にあったことを思い出す。ここではこれが日常なのだ。

同性愛の殉教者たち

ワイルドといえば、二〇一七年九月十一日から十二月二日までの約三か月間、ニューヨーク市LGBTコミュニティ・センターとヴィレッジ教会とが共同で、平等のために闘った人々を追悼するためにオスカー・ワイルド寺院をヴィレッジ教会のラッセル・チャペルに設えた。メソジスト派のこの教会は「神の愛と恩恵のもとでの進歩的で徹底した包括主義的な反人種差別」を謳う。レインボー・フラッグとトランスジェンダー・プライド・フラッグを誇らしく掲げるこの教会は、一九六九年のストーンウォールの反乱以来、性差別から人権を護ることを訴えてきたこの街にふさわしい。

ほの暗いチャペル内のステンドグラスを背景に、ワイルドの生きたヴィクトリア時代を彷彿とさせる唯美主義風の布で覆われた祭壇にはひまわりの花と白百合を活けたピンク色の花瓶がふたつ並んでいる。その前に置かれた台座には、菩提樹に彫られた約一メートル三〇センチのワイルド像が立っている。当時、同性愛者がゲイであることを暗に示すために上着のボタンホールに差したという緑色のカーネーションの絵も飾られている。そこにはワイルドのイニシャルと彼が同性愛の咎で投獄された際の囚人番号"C. 3.3."とが描き込まれている。祭壇を中心に両側の壁にはワイルドが逮捕される場面、投獄される場面、二年間の重労働刑を言い渡される場面などを描いた八枚の絵が、まるでイエスの受難を語るステンドグラスのごとくそれぞれの壁に四枚ずつ掛けられている。

ほかにもエイズで亡くなった人々、あるいは現在も苦しんでいる人々の名前が挙げられている。さらに目をひくのが、一筆書きのような小さな肖像画である。LGBTに関連する人たちの顔……。その中には、その壮絶な人生が映画化されたマーシャ・P・ジョンソン（Marsha P. Johnson, 1945-1992）やブランドン・ティーナ（Brandon Teena, 1972-1993）の顔もあった。ストーンウォールの反乱で主要な働きをしたことで知られるトランスジェンダーの活動家でアフリカ系のドラァグ・クイーンのジョンソンは、ハドソン川で謎の死を遂げた。警察は自殺と断定したが、その後頭部には大きな傷跡があったという。ブランドン・ティーナは女性に生まれついたが、男性として生きることを選び、ガールフレンドができるも、彼女の兄たちに女性であることが露見し、凌辱（りょうじょく）の末に惨殺された。

一八八二年、イギリスで流行していた唯美主義について話すという一年間の講演旅行のためにニューヨーク港に到着したワイルドは、税関申告に「何も申告するものはありません。私の天才以外には」と当意即妙に切り返したと伝えられている。チャペルに祀（まつ）られたワイルド像は、アメリカ講演旅行の際、ニューヨークのユニオン・スクエアのスタジオで撮影したポートレート写真をもとに彫られている。一世紀の時を経て、奇しくもこのニューヨークの地でＬＧＢＴの守護神のごとく祈りを捧げられることについて、彼がどんなウィットに富む答えを返すのか聞いてみたい気がした。ワイルドらしいアイロニーの言葉がひょいと出るかもしれない。

本書の中でワイルドとフィギュアスケーターのウィアーの言説に共通項があると書いたが、ソチ五輪の前にウィアーに五輪への出場がゲイに偏見を持つ人たちへの挑戦状になるのではないかと尋ねたことがある。彼はゲイであることをすでに公表していたし、当時彼が結婚していた相手やその家族にも紹介してもらっていたので、軽い気持ちだったのだ。

すると、彼は、自分は強いので誰もがゲイに寛大ではないという事実を理解できるし、人間としての自分の価値も、毎日努力していることもわかっているから、ゲイであることは問題ではないのだと語った。

誰かれかまわず何かを証明してまわる必要を感じるなんて、そんな風な気持ちには僕は決してならない。僕は自分自身に対して毎日証明しているんだもの。だから、もしも僕が隠し立てせずに五輪に行くことになったとしても、誰にもそのことを気にしてほしくない。そのことを聞いてほしくもないし、そのことについて話もしてほしくない、そう望んでいるんだ。だって、スポーツなんだから。僕がゲイかどうかなんて、たいした問題じゃないんだよ。(2)

いつものように微笑んで答えてくれていたが、そんな質問そのものがウィアーを傷つけていたのかもしれない……といまになって思う。結局、ソチ五輪には出場しなかったウィアーだったが、ゲイの代表のような気持ちで何かを訴えるつもりなどなかったのは明らかだ。色眼鏡越しではなく、ひとりのアスリート、ひとりのアーティスト、ひとりの人間として彼のスケートを見るべきだったのだ。

　いまヴェセルカの店内で、背中を向けて連れの女性と語り合うピンクのドレスを着た男性のこれまでの人生をつい忖度（そんたく）してしまいそうになる。だが、それすらも無意識の差別なのではないかと、はっとする。

　二〇一九年五月にニューヨーク市は、マーシャ・P・ジョンソンと、同じくトランスジェンダーの活動家シルヴィア・リヴェラ（Sylvia Rivera, 1951-2002）の公共の記念碑をグリニッチ・ヴィレッジに設置すると発表した。自身も定住する家を持たず、精神疾患に苦しんでいたにもかかわらず、ＬＧＢＴのホームレスの若者を保護するためのシェルターを開設したふたり。その活動が讃えられるのは、素直に嬉しい。これは、二〇一八年に始まった公共アートによってジェンダーのギャップを改良しようというプロジェクト（She Built NYC initiative）の一環である。実現すれば、このグリニッチ・ヴィレッジがトランスジェンダーを公共の記念碑とした世界で初めての場所となる。ニューヨークだからこそ、このトポスを成り立たせるのであろう。

III

ワシントン・ハイツの魔法

ワシントン・ハイツにわざわざ出かける旅人はそう多くはないはずだ。マンハッタンの中心街から三十分近くも地下鉄に揺られてせっかく降りたところで、これといった見どころも店もない。ただの住宅街があるだけだ。緩い坂道を上る。右手に見える階段を上ると、途中にベンチがある。腰かけて、向こうに建つアパートメントを見上げる。夕暮れ時には憩う人もない。路地に咲く、夏の薔薇の淡いピンク色が背景のアパートメントの無味乾燥な灰色にほんのりとやわらかな色を添えている。しばらくベンチに座っていても、時折、近所の子どもや夫婦連れが通り過ぎるだけである。

坂を下っていくと、左手にジョージ・ワシントン・ブリッジ、眼下にリバーサイド・ドライブを臨むことができる。川沿いに散歩ができるくらいの公園と舗道に並列して幹線道路が走っている。この一帯がリバーサイド・ドライブである。実は、この辺りのアパートメントの一室はサイモンの書いた傑作喜劇『おかしな二人』の舞台でもある。また、サイモン自身もワシントン・ハイツで育った。両親の仲が悪く、決して明るい思い出が多くはないはずのこの地域を、抱腹絶倒の喜劇の舞台に設定したのはなぜなのだろうか。少年時代、チャップリン（Charlie Chaplin, 1889-1977）の映画を観て暗い心が明るくなっていく経験をし、やがて自身も喜劇王（キング・オブ・コント）と称されるまでになったサイモン。暗い記憶の宿るこの地を、あえてコメディの舞台に選んだのは、彼が悲しみを笑いに変えてしまう喜劇の魔法を信じていたからにちがいない。

そんなことを考えたのは、日本を発つ少し前にサイモンが他界したことをニュースで知ったからだ。こちらに来てから、ボストン行きの列車が停電で止まったことがあった。いつ復活するともわからない列車を待っている間にマンハッタンに長年住む日本人女性と知り合いになった。サイモンの訃報に触れると、その女性は、彼の名前を日本人から聞くのは初めてだと喜び、ニューヨーカーから愛されてきた劇作家だっただけにとても残念だと嘆いていた。

ワシントン・ハイツで見かけた犬用のお触れ書き
（著者撮影）

そういえば、ポール・オースターの小説『ガラスの街』で探偵になりすました主人公のクインが尾行の相手スティルマン老人と話すのも、このリバーサイド・ドライブである。その日は犬を連れた女性がひとり歩き、ジョギングする人がひとりふたり走り過ぎていくだけで、人影はまばらであった。

コニー・アイランド・コットンキャンディ

あくる日、サイモンを偲んでブライトン・ビーチへと足が向いた。彼が書いた戯曲『思い出のブライトン・ビーチ』を思い出したからだ。まずは地下鉄でマンハッタンの中心地から一時間かけて、終点のコニー・アイランドの駅に降り立った。五分ほど歩くとビーチが見えるが、駅とビーチの間にはお土産屋さんが並び、遊園地もある。

かつてはニューヨーカーの夏の一大観光地として、また歓楽街として盛況だったこの海辺の街はやがて忘れ去られ、時代に取り残されていった。近年になって再興計画が立てられ、一時期の落ちぶれようから比べればだいぶましになったようだが、それでも、平日とは言え、遊園地の観覧車は動いてもいない。まるで鄙（ひな）びた湘南とでも言おうか。歩いていても、どこかセピア色に染まった空間にいるような感じが拭えない。いまだに子どもたちが本気で大喜びしてはしゃぎまわっていた時代を町自体が懐かしんでいるようなノスタルジックなリゾート地……。

コニー・アイランド（著者撮影）

店先で売っている毒々しい赤色のリンゴ飴や、レインボーカラーの渦巻きキャンディ、ピンクや薄いブルーの綿あめを買い求める人もいない。そういえば、アメリカのマニキュアのカラー名にコニー・アイランド・コットンキャンディという色があった。白っぽいパステル調のピンク色のカラーは、たしかにこのウィンドウに売っている綿あめ（コットンキャンディ）と同じ色だ。もしかしたら、この綿あめはニューヨーカーにとっては子ども時代を思い出させる、ほっと優しい気持ちになれるひとつの風物なのかもしれない。

オーシャン・パークウェイの老女

コニー・アイランドを後にして地下鉄に乗った。ふた駅先のオーシャン・パークウェイに降り立った時にはもう日盛りを過ぎていた。ホームの向こうには、ビーチが広がっている。うらぶれてはいても商業的な匂いのするコニー・アイランドと比べると、こちらのビーチはずっと落ち着いていて、駅を降りてビーチに行く間にも、アイスクリームや軽食を売る車が一台停まっているだけである。その車からオールディーズのメロディだけがひと気のない静かな空間に流れている。駅のすぐそばにはレンガ色のアパートメントが数棟あり、ベランダに並ぶ大きな植木鉢からは手入れの行き届いた鮮やかなマゼンダピンクやオレンジの花々が咲きこぼれていた。

さらさらの砂の上を波打ち際まで歩いて行く。ビーチパラソルの下にくつろぐ大人と海辺で遊ぶ子どもたち。遠くに白いヨットの帆も見える。プラスティック製のシャベルなどを入れた小さなバケツを提（さ）げた孫のもう一方の手をひいて、浮き輪やバスタオルなどを入れた大きなバッグを肩に下げた初老の女性がビーチから、私が来た道に向かって歩いて行く。陽射しはコニー・アイランドで降り注いでいたような、かっと照りつけるような強さをすでに失っていた。日が傾いて

オーシャン・パークウェイの老女（著者撮影）

いく。海とのお別れの時間が迫ると思うと、そこで遊んでいたわけでもないのに何か淋しいような気持ちになるから不思議だ。

人生を一日にたとえると、私は今何時くらいのところにいるのだろう。もしかしたら、この日の暮れる前の時間なのではないだろうか。この時間を過ごすのが一番辛いのかもしれない。あまりにも眩しい光の残像が瞼の裏に焼きついているから……。日が暮れてしまえば、暗いことに慣れるかもしれない。しかし、闇に慣れることなどできるだろうか。陽射しが恋しくなったりはしないのだろうか。

去りがたい気持ちで波の反射を眺めていると、後ろで何かをはたくような音が聞こえた。ふり返ると、老女が先ほどまでくるまっていた大きな白い布をはたいていた。ビーチパラソルと二脚の赤いビーチチェアを手際よく折りたたむ動作から、彼女がこの海辺に来ることが習慣になっていることは明らかだった。彼女は毎日決まった時間にあの場所にパラソルを立て、一脚のビーチチェアに荷物や飲み物を置き、もう一脚に寝そべってペーパーバックの頁を繰りながら波の音と人々のさんざめく声をBGMに一日を過ごし、ひとり家に帰って行くのだろう。日本で海水浴に行かなくなって久しいが、私が子どもの頃には老人がひとりきりでビーチで過ごす光景を目にしたことはなかった。海は子どもと若者のものであり、大人は子どもの付き添いであった。まして老人が水着を着て海辺で寝そべっている姿など想像をしたこともなかった。

しかし、いまの私にとって切実なのは彼女の姿だった。片手にパラソルを持ち、大きなチェアーを両脇に抱え、小さくなっていく老女の姿を見送りながら涙がこぼれてきた。なんと逞しい姿だろうか。私に同じことができるだろうか。

ここもニューヨークだ。地上でありながら、天上の影が映る街。自由を求めて移り住んできた人々が、その影の中にゆらめき、さまよう街。旅人としての私は、この不思議な空間にしばしたたずみ、老女の姿を見送る。

〔註〕

（1）二〇二〇年六月十一日付の『ニューヨーク・タイムズ』によれば、ムニューシン財務長官は、タブマンの肖像を配した新二〇ドル札を発表しないこと、新二〇ドル札は二〇三〇年まで刷新されないだろうことを発表した。

"Despite Unrest, Treasury Dept. Has no Plans to Speed Tubman to the $20 Note," by Alain Rappeport, *The New*

York Times, https://www.nytimes.com/2020/06/11/us/politics/treasury-department-harriet-tubman-bill.html

(2) 「ジョニー・ウィアー　音楽の最後の調べはソチで」、『フィギュアスケートDays Plus 男子シングル読本　2013 Spring』(ダイエックス出版、二〇一三年)。

映画と文学から見るニューヨーク

自由の女神像（wikipedia）

はじまりのニューヨーク――自由の女神、そして移民

ブルックリンハイツから対岸のマンハッタンをひとりで眺めていたことがある。黄昏時である。川を隔てた向こう側に林立する摩天楼に向き合うように並んだベンチのひとつに腰かけると、川の左手のはるか彼方に小さな白い像が目に入る。自由の女神、勇気と自由、そしてアメリカン・ドリームの象徴である。自由の女神がアメリカ独立百周年を記念してフランスから贈られたのは一八八六年のことだ。以来、故国から長い船旅を経てアメリカに渡ってきた移民たちが最初に目にするのがこの像であった。

この時、映画『最後の恋のはじめ方』(*Hitch*, 2005)のことを急に思い出した。恋愛下手の男性たちに女性との交際のメソッドを伝授する恋愛成就請負人を生業とする主人公ヒッチをウィル・スミス(Will Smith, 1968-)が演じるこのロマンティック・コメディの舞台は、もちろんニューヨークだ。私が思い出したのは、ヒッチがメソッドどおりになびいてくれないサラのハートをつかもうと、彼女をエリス島に連れていく場面だった。移民局のあるエリス島は移民たちが新世界に着いて最初に踏みしめる大地である。

映画の中で、ヒッチとサラはエリス島の移民博物館を訪れる。係員が台帳を調べれば一億人以上のアメリカ国民が自分の祖先を発見できるのだと語った直後、目の前に広げられている古びた

大きな台帳にサラの曾祖父のサインが発見される。実は、これは手ごわいサラを感動させようとしてヒッチが考えた奥の手であった。ところが、このアイディアは裏目に出てしまう。サラの曾祖父は殺人犯で一家にとって葬り去りたい過去だったからだ。お洒落で軽妙なコメディの中では移民の問題は女性の気をひくために利用されたに過ぎないが、そんなふうに何気なく笑い話に使われているからこそ、人口の七五パーセントが移民かその子孫だというニューヨークにおいて、この問題は身近で重要なテーマなのだと認識させられる。

ニューヨークの移民の歴史は、一六〇九年にイギリスの探検家ヘンリー・ハドソン（Henry Hudson, 1560/70-1611?）がマンハッタンに到着したことから始まる。その後、一六二六年にはこの縦に長い島の南端にオランダ人たちが植民し、その地をニューアムステルダムと名づけた。イギリスがオランダからマンハッタンを奪い、ニューヨークと改称して統治するようになったのはそれから十八年後の一六六四年のことである。

まだヨーロッパの侵略者たちが足を踏み入れる前のマンハッタンは、足元の草の間から真っ赤な野苺がかわいらしい姿をのぞかせるような未開の島だった。そこでは、ネイティヴ・アメリカンのアルゴンキン族が素朴な暮らしを営んでいた。この時、その地が世界の中心都市になるなどと誰が想像しただろう。だが、やがて、ネイティヴ・アメリカンたちは慣れ親しんだニューヨークから追われ、この地にはイギリスをはじめ、フランスやドイツ、スペイン、ポルトガル、ポーランドなどヨーロッパからの移民が増加していった。

アメリカがイギリスから独立を果たすのは、一七七六年七月四日のことである。独立戦争に勝利したこの日を境に、アメリカは自由と勇者の国に生まれ変わった。七月四日はアメリカ人にとって特別な意味があるのだ。

アメリカ建国の父のひとりであるベンジャミン・フランクリン（Benjamin Franklin, 1706-1790）は、印刷工から政界に入り、今日では米ドルの最高額紙幣一〇〇ドル札に印刷されるまでに出世した。彼は『アメリカへ移住しようとする人々への情報』（*Information to Those Who Would Remove to America*, 1784）を書き、ヨーロッパからの移住を促した。また、フランクリンは敬虔なプロテスタントとして、勤勉と節制と誠実さをもって合理的な生き方を追求したことでも知られる。その生涯を綴った自伝（*The Autobiography of Benjamin Franklin*, 1771-1790）は、アメリカ人の行動理念の基本となり、いまなお愛され続けるロングセラーである。自由と独立独歩を尊ぶアメリカの精神は、十八世紀後半にはすでに育ち、浸透しつつあったのである。

独立戦争後の一七八五年より断続的に、ニューヨークはアメリカの首都としての栄光に浴した。一七九〇年にその座をフィラデルフィアに明け渡すことになるが、その後の一八〇〇年にワシントンDCが首都になってからも、実質的にはウォール街に象徴される金融の中心都市として世界経済の中枢を担い続けてきた。ニューヨークは夢と希望の新世界であるとともに、すでにして欲望の渦巻く資本主義の聖地でもあったのだ。

アイルランド移民（十九世紀中頃）――『ギャング・オブ・ニューヨーク』

アメリカン・ドリーム――十九世紀前半の西部開拓時代、産業資本の育成策が打ち出され、科学技術の著しい進歩の中、アメリカは世界の工業先進国に躍り出て、伝説の大富豪たちを輩出した。モルガン（John Pierpont Morgan, 1837-1913）やロックフェラー（John Davison Rockefeller, 1839-1937）、中でもボート一艘（そう）から海運業に乗り出し、やがて鉄道王となったオランダ系移民のヴァンダービルト（Cornelius Vanderbilt, 1794-1877）、ドイツの貧しい農家の出身で毛皮商人から身を起こし、やがて不動産の投資で財を築いたアスター（John Jacob Astor, 1763-1848）やスコットランド移民でボビンボーイから鉄鋼王になったカーネギー（Andrew Carnegie, 1835-1919）など、貧しい移民のサクセス・ストーリーは遠い海の向こうにまで広がった。

文学においてもニューヨークに住む貧しいが正直で努力家の靴磨き少年ディックが出世していく物語『ぼろ着のディック』（*Ragged Dick*, 1867）に代表される、ホレイショ・アルジャー（Horatio Alger, 1832-1899）による立身出世の物語が大いに人気を博し、ヨーロッパで貧困にうちひしがれる底辺の人々に広まっていた「アメリカでなら一旗あげられる」という幻想に拍車をかけていった。

大西洋を渡ってヨーロッパから夥しい数の移民がニューヨークに流れ込んできた。その多くがドイツ人とアイルランド人であった。この頃には先に移住した旧移民が特権を持つようになり、新参者との間で軋轢（あつれき）が生じるようになっていた。特にアイルランド人たちは貧しい農家出身のカトリック信者が多かったため、プロテスタント系の旧移民たちから蔑まれ、迫害の対象となった。

この時代の旧移民と新たな移民との争いは映画『ギャング・オブ・ニューヨーク』（*Gangs of New York*, 2002）に描かれている。新たにアメリカにやってきたアイルランド移民とそれよりも先にアメリカに移り住んでいた白人（WASP）移民との抗争で父を惨殺され、やがて自身もその闘争に身を投じていくレオナルド・ディカプリオ演じるアイルランド移民が主人公である。血みどろの、目を覆いたくなる暴力シーンがくり返されるこの作品の中で私の心を打ったのは、暴動で火を放たれ、瓦礫の山となったニューヨークを背景に、主人公が語る次の言葉である。

父は言った〝人間は皆、血と試練から生まれる〟と。この大都会も同じだ。(1)

監督のマーティン・スコセッシ（Martin Scorsese, 1942-）がこの作品で伝えたかったことは、この一言に尽きるのではないだろうか。それまでもニューヨークを舞台にした作品を数多く手がけてきたスコセッシが三十年近くも構想を温めてきた、まさに渾身の作がこの『ギャング・オブ・ニューヨーク』である。

『ギャング・オブ・ニューヨーク』
[Blu-ray]（ⓒ松竹）

血と試練から生まれた大都会ニューヨーク――イタリア移民二世としてこの地で生まれ育ち、大量の流血と苦難を吸い取りながら人々を受け容れてきたニューヨークの受難の歴史を肌で感じてきたスコセッシだからこそ、描けるテーマであろう。暴力的な移民同士の縄張り争いとその裏にあるカトリック（アイルランド移民）とプロテスタント（イギリスからの移民）の対立、ヨーロッパ系移民と黒人たちとの対立、そんなことにはまったく無関心で、ただ貧しい移民たちを自分たちの富と権力のために利用しようとする富裕層の冷徹さが描き込まれたこの作品は、移民たちの血と試練によってあの大都会が生まれたことを改めて思い出させてくれるのだ。

一八四五年、主食であるジャガイモが病気にかかり、未曾有の大飢饉となったアイルランド。人口の半分が移民として国外へ流出としたといわれ、その多くが新天地アメリカを目指した。第三十五代アメリカ大統領ジョン・F・ケネディ（John Fitzgerald Kennedy, 1917-1963）の曾祖父も一八四九年に故国の苦難から逃れ、アメリカに渡ってきた移民のひとりである。ケネディの祖父はボストンの港湾労働者から実業家として成功を収め、政界に進出したアメリカン・ドリームの体現者である。孫のケネディは初のカトリック教徒の大統領となり、いまでも歴代大統領の人気投票では常に上位に入り、ニューヨークの国際空港にその名を冠するまでになった。一八六九年にアイルランドからアメリカにやってきたトマス・メロン（Thomas Alexander Mellon, 1813-1908）の銀行は子孫の代にはアメリカ四大財閥のひとつになった。こうした成功者を出す一方で、大部分のアイルランド人は新しい土地でも差別と貧困にあえぎ、労働で命をすり減らし、浮かび上がることはなかったのだ。

一八六一年に勃発した南北戦争。このアメリカを二分した内戦は、リンカーン（Abraham Lincoln, 1809-1865）の奴隷解放宣言で美談として語られやすいが、実際に最前線で戦った兵士の多くはアイルランドからやってきた貧しい青年たちであった。戦いだけではない。彼らは労働にも駆り出された。

しばしばコンクリートジャングルと称されるように、ニューヨークは人間が利便性を追求した果てにできた究極の人工都市である。碁盤の目のように区画が整備されたマンハッタンでは、私のような方向音痴の旅行者でもめったに道に迷うことはない。地下鉄は北上するアップタウン行きと南へ下るダウンタウン行きが基本で、通りも縦の大通りはアベニュー、横の通りはストリートとなっていて規則的だ。こうした街路網を敷くという都市計画（一八一一年委員会計画）は一八一一年に採用されたが、当初こそ反自然主義を掲げたものの、できあがってみるとあまりにも自然を無視した都市になったため、人工的な自然が後からつけ加えられることになった。ニューヨーカーたちの憩いの場セントラル・パークである。一八七三年に完成したこの巨大な公園が、実はアイルランド人たちの汗と涙でつくられたものだということを、のどかな日曜の昼下がりに公園を散歩する人々の何人が知っているだろうか。一八八三年に完成したブルックリン橋もアイルランド人をはじめとする移民たちの労苦の結晶である。竣工から十四年間、彼らは驚くべき低賃金で命がけの仕事をした。いまでは観光名所として知られるセントラル・パークもブルックリン橋もアイルランド移民なくしては語れない。

私は以前あの緑豊かな妖精の国を訪れたことがある。その時、まず印象に残ったのはその人口の少なさだった。首都のダブリンで黒ビールを飲もうと、夜の街にくり出してはみたものの、あまりにも閑散としていて驚いたことがある。ヨーロッパの最西端を目指してアイルランドを車で走った。車道の両脇に広がる野原との間には柵もないが、人を見かけないので危なくもない。自分たち以外はほとんど車が走っておらず、それどころか、車道に迷い込んでくる羊が通り過ぎるのを待つことさえあった。野原の中に頽れた石造りの住居跡が見える。打ち捨てられた家……。はるか昔にあの家の持ち主だったアイルランド人は遠く離れたニューヨークに旅立ったひとりかもしれない。ならば、最期の瞬間、その瞼の裏に羊がのんびりと草を食むあの緑豊かな故郷を映したのであろうか。

アイルランド人がこよなく愛する聖人、聖パトリックのお祭りが催される三月——アイルランドの名も知らない小さな町をいくつか通り過ぎた。緑の中をずっとドライブをして、町があって、また車で緑を通り過ぎると、こぢんまりした町が出迎える……同じ光景のくり返しであったが、どの町でも中心地には人々が集まって賑わいをみせていた。三月にニューヨークを訪れた時、オレンジと緑と白の国旗と同じ配色の服を着て、大きな緑色のハットをかぶった人たちが盛大に聖パトリックの日を祝って行進していた。彼らの姿を見て、アイルランドの聖パトリック祭の光景が心に蘇った。新天地で苦労を忍んだ移民が故国から持ち込んだ祝祭の賑わいは、ケルト風の哀調な音楽とともに子孫たちに受け継がれている。

妖精とおとぎ話の国の伝統はアイリッシュ系のウォルト・ディズニー（Walter Elias Disney, 1901-1966）にも受け継がれている。文学の世界で活躍したアイルランド移民もいる。たとえば、ニューヨークをメロドラマで沸かせ、自身も俳優として舞台に立ったダイオン・ブーシコー（Dion Boucicault, 1820-1890）。フランスの風俗喜劇の舞台をニューヨークに移し替えた翻案物『ニューヨークの貧者』(*The Poor of New York*, 1857) や主人公の黒人混血女性の悲劇を通じて奴隷問題を問う同時代の小説を翻案した『オクトゥルーン』(*The Octoroon*, 1859) など多数の翻案ドラマを手がけ、著作権法の成立にも寄与したことでも知られる。また、アメリカにおける初めての世界的劇作家もアイルランド系アメリカ人である。ニューヨークのホテルで生まれたユージン・オニール (Eugene O'Neill, 1888–1953) にはニューヨークの安酒場を舞台に夢を追い続ける敗残者たちの姿を描いた名作『氷屋来たる』(*The Iceman Cometh*, 1940) がある。アイルランド移民研究の第一人者として知られるカービー・ミラー (Kerby Miller, 1944-) は、オニールのことを人間の置かれた状況とアメリカン・ドリームを雄弁に分析した逸材と高く評価している。

ニューヨークの上流階級（十九世紀後半）――『エイジ・オブ・イノセンス』

多くのアイルランド人を南北戦争の戦地に送り込んだ徴兵制度。裕福な人々は金銭によって徴兵にとられるのを避けた。衛生状態の悪い雑多な吹き溜まりで持たざる者たちが日々の糧のために命を失っていく一方で、富裕層は贅を尽くした邸宅に住み、日夜、観劇や食事会へと着飾って出かけ、社交にいそしんだ。だが、そこでも真の自由を手に入れることができずに悩み苦しむ者もいたのである。こうした上流階級ゆえの苦悩に光を当てた

『エイジ・オブ・イノセンス』[DVD]（©ソニー・ピクチャーズエンタテインメント）

文学作品に、イーディス・ウォートン（Edith Wharton, 1862-1937）の『無垢の時代』（*The Age of Innocence*, 1920）がある。

一八七〇年代のニューヨーク。若く美しい名家の令嬢メイの婚約者で将来を嘱望される紳士ニューランドの前に、メイの従妹でヨーロッパ貴族との結婚に破れてニューヨークに戻ったエレンが現れる。エレンの奔放な振る舞いに古いしきたりを重んじる社交界の人々は眉をしかめるが、ニューランドは知的で翳り（かげ）を持つエレンに惹かれずにはいられない。やがてふたりは激しい恋に身を焦がすようになるが、それを察したメイと彼女の味方である周囲の人々によってふたりは引き裂かれていく。

自由に憧れながらも、妻を代表する社会にからめとられ、生きる屍（しかばね）となったニューランド。ヨーロッパ以上にしきたりを重視し、道を踏み外して後ろ指をさされないよう細心の注意を払う閉塞的なニューヨークの社交界に圧し潰されるニューランドとエレンの恋。個人の自由と因習的な上流社会との葛藤と社交界の空疎な人間関係が芸術的で精緻な筆致の中に浮かび上がる。

また、無邪気で従順な態度の裏で周囲を味方につけ、相手を思いどおりに動かすメイの生来的な保身術の冷徹さは、女のあざとさへの諷刺（ふうし）のみならず、自身も特権階級に属する作者ウォートンならではのこの階級に対する諷刺でもある。移民たちを戦地に押しやり、自らの身を護る処世に終始する人間たちにとって情熱など取るに足らぬ噂話の種に過ぎない。自由で気ままなように見えながら自分らしく生きようとして社会に足枷をかけられるエレンこそが無垢であり、もう真の意味での無垢な時代は終焉（しゅうえん）したのだという無力感が漂う。

『無垢の時代』は、『ギャング・オブ・ニューヨーク』を手がけた巨匠マーティン・スコセッシ監督が一九九三年に『エイジ・オブ・イノセンス』（邦題）として映画化している。アカデミー賞衣装デザイン賞に輝いたこの作品を観れば、忠実に再現された十九世紀後半のニューヨークの上流階級の服装や暮らしぶりなどを知ることができる。

すでに十一歳の時には小説を書いていたというウォートンであるが、女性が物書きになることをよしとしない母に反対され、作品を発表できないまま、銀行家と結婚した。四十歳を過ぎてから夫の健康面の問題でフランスに渡ったものの離婚。その後もフランスにとどまり、作品を発表し続けた。

ウォートンはヘンリー・ジェイムズ（Henry James, 1843-1916）に師事して作家としての才能を開花させた。大陸の作家のイメージが強いジェイムズであるが、実はウォートンと同じくニューヨークの上流階級出身である。ジェイムズは十九世紀中頃までは上流階級の邸宅があったマンハッタンのワシントン・スクエアを舞台に遺産目当ての男に騙されて独身を貫く上流階級の女性を描いた『ワシントン・スクエア』（*Washington Square*, 1880）という小説も書いている。

大都会のサラリーマン（十九世紀中頃）――「書写人バートルビー――ウォール街の物語」

それでは、この時代の一般人はどのように暮らしていたのだろうか。海洋小説の傑作『白鯨』（*Moby-Dick or, The White Whale*, 1851）で知られるハーマン・メルヴィル（Herman Melville, 1819-1891）が世にも奇妙なサラリーマンを描いた短編小説「書写人バートルビー――ウォール街の物語」("Bartleby the Scrivener: A Story of Wall-Street," 1853)に当時の一般人の暮らしが垣間見える。

小説の語り手は、ニューヨークのウォール街で法律事務所を営む初老の法律家「私」である。仕事柄、債券や抵当証書や権利証書などの法律文書を書き写す「書写人」を数多く雇ってきた「私」であるが、その中でも抜きん出て奇妙だったのがバートルビーという青年だった。バートルビーは突然「私」の前に現れた。仕事が拡張して、書写人の数が必要になった夏のある日、事務所の開け放った入り口に立っていた「生気なく小綺麗で、痛々しいほどきちんとした、癒しようもなく寄るべない人」。それがバートルビーであった[2]。

「私」は書写の仕事に真剣に取り組む落ち着いた様子のこの新人にすっかり気をよくしていたが、やがて彼は奇人ぶりを発揮するようになる……。バートルビーは書写の仕事以外は一切やろうとしない。なんとか説き伏せようとしても、「そうしない方が好ましいのです」と落ち着き払って答えるだけなのだ。そのうち、バートルビーは書写の仕事もぱったりとやめてしまう。彼が実は事務所で寝起きしていることが発覚し、追い出そうとしても、「出ていかない方が好ましいのです」と答えるだけである。ついに、根負けした「私」は事務所ごと引っ越していく。だが、「私」の移転後もバートルビーは事務所のあった建物に住み続け、住民たちに厄介者扱いされる。バートルビーの唯一の知り合いということで「私」は彼と面談させられる羽目になる。新しい職をいくつか提案するも、バートルビーは「何も変えない方が好ましいです」と答えるか、応答しないかのどちらかでまったく埒が明かない。しまいには家に引き取ろうと提案するが、それすらも「いいえ。今のところ何も変えないことの方が好ましいのです」との答え。不毛の押し問答に耐えられなくなった「私」は、部屋から一目散に逃げ出してしまう。

その後もバートルビーは事務所のあった建物の階段や入り口に座りこみ、住人たちを恐怖にさらした。浮浪者として警官に「墓場」と呼ばれる収容所に連行されたバートルビーは、「墓場」の中で何も食べずについに餓死するのである。

「私」は人づてに彼が書写人として雇われる以前、配達不能郵便取扱課で配達不能の郵便（"dead letters"）を処分していたことを知る。「私」は思う。来る日も来る日も、目的地にたどり着くことのできなかった手紙や物品を焼却するという虚しい、「死」を連想させる仕事が、もともと生気なく、寄るべなきバートルビーの精神を蝕み、少しずつ死へと向かわせたのではないかと。そして、次に彼が就いた文書を書き写すだけの書写人という仕事が彼を追い詰めたのだ。

この短編はカフカ（Franz Kafka, 1883-1924）の『変身』（*Die Verwandlung*, 1915）と並ぶ不条理を扱った作品として様々な読みが試みられてきたが、バートルビーの問題は決して十九世紀の時代に限定されたものではないだろう。「特にこだわりはありません」と言いながらも、何かを為すことも為されることもよしとしないバートルビーの態度は、アメリカン・ドリームを追うエネルギッシュな大都会で行き場を失った魂が、消極的な拒否によってかろうじて自己を保とうとしているようにさえ見える。行動力を求める近代社会の大波の中で、生産性や創造性を欠いた仕事で生活する人々の無気力さ、虚脱感。それは大都会ならではの問題ではないだろうか。

この小説からは、現代のニューヨークを思わせる活気や都市化の機運が随所に感じられる。「私」の事務所は不動産譲渡取扱、土地財産権所有権取扱など金持ちのための文書作成を主な業務にしており、「私」はかの億万長者アスターに仕事を依頼され、仕事の慎重ぶりを褒められたことを誇りにしている。成功した人物への強い憧れ、上昇志向が、野心家ではないと自認している「私」にさえ自然に備わっていることもまた、この時代の空気を感じさせてくれるのだ。上を目指すのは心理だけではない。事務所の周囲には高層ビルが立ち並び始め、景観も都市化し、まさに現代の摩天楼が形成されていく途上にある。

私の事務所はウォール街――番地の二階にあった。一方の面は、建物を上から下まで貫いた、大きな採光用の縦穴の白い内壁に面していた。この眺めは、どちらかといえば生彩を欠いた、風景画家たちの言う「生気（ライフ）」に乏しいものと思えたかもしれない。だがそうだとしても、事務所のもう一方の面に目を移せば、少なくとも対照のようなものは得られた。そちらの方角の窓からは、堂々たる高さの、年月と恒久的な日陰のせいですっかり黒ずんだ煉瓦壁が、何ものにも遮られず見渡せたからである。そこにひそむ美しさを引き出すには小型望遠鏡も無用であったが、近眼の見物人たちの便（べん）を図って、壁は我が事務所の窓ガラスの三メートル以内まで押し出されていた。周囲の建物がどれも非常に高層であり、私の事務所は二階にあるため、この壁と我が事務所の壁とに挟まれた空間は、巨大な四角い貯水槽に少なからず似ていた。

事務所の一方は白い壁に面した生気を欠いた光景。もう一方の煉瓦づくりの高い壁に「私」は

「美しさ」を見出している。経済的な豊かさと技術の革新――ガラスと鉄鋼の街が形成されていく光景を美しいと感じる「私」には都会的な価値観が備わっている。

この短編を翻訳した柴田元幸はバートルビーの物語を「大都市が成立して初めて可能になった作品」とし、十九世紀半ばのアメリカの大作家たちが「大都市という、当時生まれはじめていた、人々がたがいにとって未知の存在であることが前提となる場で何が起きるか、いち早く物語化してみせた」と指摘している。[3]

そして、一七〇年の歳月を経て今日のウォール街は「何も変えない方が好ましいです」と答え続けたバートルビーを内面から食い破るように、あらゆるものを金融商品に変えてしまい、日々刻々と変転する貪欲な資本主義のメッカとなっている。

ニューヨークのベーグル

ニューヨークの街を歩いていると、ベーグルを売る屋台をよく見かける。日本でも一時期流行したが、あのリング型の、茹でてから焼くという独特な製法のパンが東欧系ユダヤ人によってアメリカにもたらされたものだと知ったのは、ニューヨーグを頻繁に訪れるようになってからのことだ。

気をつけていると、ニューヨークではユダヤ人の影をあちらこちらに目にすることができる。日本ではめったに見かけることのないユダヤ教の会堂であるシナゴーグがホテルの向かいにあるかと思えば、日本人観光客にも人気の西八〇丁目とブロードウェイの交差点にある一九三四年創業の老舗グルメマーケット、ゼイバーズにもユダヤ人の食する清浄な料理コーシャの材料が売っている。五番街九二丁目にはユダヤ人の歴史や文化を展示物で紹介するユダヤ博物館もある。黒いスーツに黒いつばのある帽子をかぶり、顎髭（あごひげ）をはやした男たちがユダヤ教徒だと知ったのも、ニューヨークであった。

それもそのはずで、アメリカはイスラエルに次いで多くのユダヤ人が住み、その中でも最もユダヤ人の人口が多いのがニューヨークなのだ。ユダヤ人は十七世紀からアメリカに渡ってきたが、十九世紀半ばにドイツ系のユダヤ人が多く渡ってきた頃から人口が増えていく。やがて彼らの中から行商人などから身を起こして商店主や百貨店を経営する者が現れ、彼らはアッパーサイドに住むようになる。教育を受けたドイツ系移民の二世からは弁護士や医師になる者も出てきた。だが、アメリカに大量のユダヤ人が流入してきたのは、十九世紀後半から二十世紀初頭までである。新たなユダヤ移民はロシア、ウクライナ、ポーランド、ハンガリーなどからの東欧系ユダヤ人であった。このことは、十八世紀末のポーランド分割により、ロシアに多くのユダヤ人が押し寄せ、ユダヤ人政策によって抑圧を受けるようになったことに起因する。そして十九世紀後半に荒れ狂ったロシア人によるポグロムと呼ばれる略奪、暴行、殺害……。ゼイバーズの創立者も父親をポグロムで殺害され、一九二〇年代初めにウクライナからアメリカに移住したユダヤ人である。

彼らのほとんどはドイツを経由して長い船旅の末、アメリカに到着した。だが、無料で教育を受けられる希望の地という斡旋業者のふれこみを信じて、人でごったがえした不潔な船からエリス島に降り立った彼らは、ここでも失望を味わうことになる。

東欧系ユダヤ移民には行商人や飲食店を営む者もいたが、彼らの多くは熟練した衣服労働者だったので、新しい土地に移住後も、アイルランド系やイタリア系の移民のような肉体を酷使する重労働には就かず、スウェットショップ（汗を流して働く仕事場）と呼ばれる狭く換気の悪い部屋で衣装をパーツごとの分担で製作する労働者となった。彼らの多くはロウアー・イースト・サイド（マンハッタンの南東部）のスラム街に住み、劣悪な環境で過酷な長時間労働に苦しんだ。キリスト教徒ではないユダヤ人は近隣のアイルランド系移民やイタリア系移民から迫害を受けもした。それでも、ニューヨークでの生活は彼らにとって捨ててきた東欧での凄惨な迫害に怯える日々よりはましだったのだ。

『ワンス・アポン・ア・タイム・イン・アメリカ』

この時代を背景にふたりのユダヤ移民のギャングの半生を描いたのが、マカロニウェスタンの巨匠セルジオ・レオーネ（Sergio Leone, 1929-1989）監督の遺作となった映画『ワンス・アポン・ア・タイム・イン・アメリカ』（*Once Upon a Time in America*, 1984）である。イタリアの作曲家エンニオ・モリコーネ（Ennio Morricone, 1928-2020）の哀愁漂う笛の音とともに主人公のヌードルス役を演じ、自身もニューヨークのグリニッチ・ヴィレッジ生まれのロバート・デ・ニーロ（Robert De Niro, 1943-）の渋い演技が光る名作だ。

『ワンス・アポン・ア・タイム・イン・アメリカ』[DVD]
（ⓒワーナー・ホーム・ビデオ）

一九二〇年代のロウアー・イースト・サイドの人でごった返す街並み。マンハッタン橋の向こうにはブルックリンが見える。そこで窃盗や悪党の使い走りをしながら暮らす少年四人。ボスのヌードルスはユダヤ系移民のゲットーに多く見られたテネメントと呼ばれる共同賃貸住宅に住んでいる。この映画の二十世紀初頭のユダヤ人街の描写の秀逸さには定評があるが、各部屋にはトイレがなく、階ごとに廊下のトイレを共同で使用する部分も再現されている。思春期のヌードルス少年が向かいの部屋に住む少女に性交を迫る場所がこの共同トイレの中である。しかも、クリームたっぷりのケーキと交換だと袖にされてしまう。少女がカップケーキひとつで周囲の少年たちに喜んで体を与える。父親は祈り、母親は嘆くだけのヌードルスの家庭——そんな掃きだめの空気と身を寄せ合って暮らす貧しい移民の共同体意識がスクリーンから漂ってくる。

　だが、そんなヌードルスにも密かな楽しみがあった。ユダヤ系飲食店の息子である友人の妹デボラが倉庫でダンスの練習をする姿をトイレの壁穴から覗き見することだ。「アマポーラ」(“Amapola,” 1924) の甘美な旋律が蓄音機から流れ、覗くヌードルスを意識しながら、音楽に合わせて踊る、曲のタイトルのヒナゲシ（アマポーラ）のごとく美しいデボラ。デボラとのシーンにはいつも「アマポーラ」がかかるが、虞美人草（ぐびじんそう）とも呼ばれるこの花は「恋の予感」と「悲しい別れ」という花言葉を持つ。お互いに惹かれあいながらも、スターを夢見る上昇志向のデボラはストリートの不良少年に甘んじるヌードルスの気持ちを受け入れることは決してない。

　ヌードルスよりも年長のマックスが仲間に加わり、縄張りを広げていた矢先、最も幼い仲間がライバルの不良グループに射殺される。相手を刺殺し、刑務所に送られるヌードルス。刑期を終えて戻った時、アメリカでは禁酒法のもと、密造酒でギャングたちが暗躍する狂乱の時代の最盛期であった。仲間たちも闇のボスに従い、悪事に手を染めていた。やがて強盗、殺人などをくり返し、その犯罪の凶悪さはエスカレートしていく。

そんな矢先の一九三三年に禁酒法が撤廃されたことはギャングたちには痛手であった。頂点に昇りつめたいマックスと現状で満足するヌードルスとの間に溝が生じる。ヌードルスは仲間たちの連邦銀行襲撃という無謀な計画を未然に阻止しようと警察に密告するが、それが裏目に出て彼らはみな射殺されてしまう。

密告者として追われる身となったヌードルスはニューヨークを去るが、三十五年の時が流れ、何者かにニューヨークに呼び戻されたヌードルスは驚くべき事実を知ることになる。

マックスは仲間を裏切り、自分を葬って別人になりすまし、ビジネスで成功し、政界にも進出していた。そのうえ、ヌードルスの気持ちを知っていながら、デボラを愛人にして子どもまでもうけていたのである。汚職が露見し、絶体絶命となったマックスは、ヌードルスに自分を始末してもらおうと彼をニューヨークに呼び戻したのだった。だが、ヌードルスはマックスの頼みを断る。復讐かと問うマックスに、ヌードルスは物の見方がちがうのだと答える。

ヌードルスの脳裏を犯罪に成功してマックスと浮かれ騒いだ遠い少年の日がよぎる。ヌードルスの知っていたマックスは三十五年前に死んだのだ。ヌードルスにとって目の前にいる紳士然とした初老の男は野望によって別人に成り果てた見知らぬ男に過ぎない。ヌードルスが去った直後、マックスはゴミ収集車に身を投じて自らを闇に葬るのだった。

スラム化した移民街から這い上がって頂点に立ったデボラとマックスとセピア色のロマンを追うヌードルスはアメリカン・ドリームの達成者と敗残者でもある。だが、世俗的な欲望を満たすものをすべて手に入れてもなお空虚なマックスと、刑務所でかつてデボラが読んでくれた『聖書』の「雅歌」を読み、自らを奮い立たせていたヌードルスの心とではどちらが豊かなのか。

マックスを呑み込んだゴミ収集車を見送るヌードルスの横を、それまでの静寂をうち破るかのように浮かれ騒ぐ金持ちの若者たちを乗せた車が通り過ぎていく。車から大音量で流れてくるのはケイト・スミス（Kate Smith, 1907-1986）の歌う「ゴッド・ブレス・アメリカ」（"God Bless America," 1918）である。ふたりの貧しい移民の人生を翻弄し、引き裂いた巨大国家を讃える挿入歌が、物質社会の果てに広がる虚無にとどめを刺す素晴らしい演出だ。

ユダヤ移民の文学

一九二〇年代から一九七〇年代までの四十年余に及ぶギャングたちをめぐる一大叙事詩を見ていると、東欧系ユダヤ人の歴史に思いを馳せずにはいられなくなる。初期の東欧ユダヤ移民の文学はスウェットショップ詩人たち（Sweatshop Poets）の書いた詩である。最もよく知られているのがスウェットショップでプレス工として働きながら妻子を養っていたポーランドからの移民モリス・ローゼンフェルド（Morris Rosenfeld, 1862-1923）がイディッシュ語で書いた数々の詩だ。これらの詩は、一八九七年に創刊されたイディッシュ語の新聞『フォアヴェルツ』（*Forverts*、英語では『フォワード』で正式名は *The Jewish Daily Forward*）に掲載された。人による人への搾取を題材にした社会的告発の詩は移民労働者たちの思いを代弁し、工場や集会でよく歌われた。また、『フォアヴェルツ』の編集者として知られるリトアニア出身の移民エイブラハム・カーハン（Abraham Cahan, 1860-1951）も貧しい移民労働者がアメリカナイズされていく過程とその心の空白を描いた半自伝的小説『デイヴィッド・レヴィンスキーの出世』（*The Rise of David Levinsky*, 1917）を書いた。アメリカのプロレタリア文学で最も知られている作品はマイケル・ゴールド（Michael Gold, 1894-1967）の『金のないユダヤ人』（*Jews Without Money*, 1930）であろう。ゴールドはルーマニアからのユダヤ移民の両親のもとロウアー・イースト・サイドの貧しいゲットーで生まれたゴールドのこの半自伝的小説はベストセラーになった。

だが、苦しい生活の中でもユダヤ移民たちはイディッシュ演劇を楽しむことも忘れなかった。二十世紀に入ると、劇場よりも映画館に人は集まった。一九〇八年のマンハッタンの映画館の三分の一以上がロウアー・イースト・サイドにあった。映画を最初に享受したのは、実は貧しい労働者階級の人々だったのである。東欧系ユダヤ人たちはすぐに映画産業に目をつけた。そして、衣服労働者から小さな映画館の所有者に成り上がり、やがて映画配給会社を創設するようになった者もいた。現在のアメリカ映画界を牽引するフォックスもパラマウントもＭＧＭもワーナーブラザーズもその誕生には東欧系ユダヤ人が関わっているのである。

映画だけではない。現在のＩＴ企業を見渡しても、Google、Facebook、Dell などの創始者はユダヤ系であることはよく知られている。さらに遡れば、ラジオやカラーテレビを世に送り出し、ＲＣＡとＮＢＣのトップであったデイヴィッド・サーノフ（David Sarnoff, 1891-1971）も、貧しい東欧系ユダヤ移民の子だった。多くのユダヤ人と同様にサーノフの父も、家族よりも先にニューヨークに渡り、金を貯めてから家族を呼び寄せた。だが、現在のベラルーシの寒村から新しい生活に期待に胸をふくらませ、母と兄弟姉妹とともにニューヨークに到着したサーノフが見たのは、故国と同じように暮らしに窮している父親の姿だった。ロウアー・イースト・サイドの悪臭漂うむさ苦しいユダヤ人地区はニューヨーク市内で最も人口が過密な場所と言われた。通りは夫婦で切り盛りする肉屋や八百屋やキャンディを売る小さな店や屋台がひしめき合い、手押し車を押す行商人たちでいつもごった返していた。通りの売り子の中には子どもたちの姿もあった。キャンディやチョコレートや新聞を通行人に売るのは彼らの仕事だった。九歳のサーノフも街頭に立ってイディッシュ語の新聞を売って家計を助けた。だが、いくら聡明な少年であったとしても、自分が二十世紀のマス・メディア界の王となり、マンハッタンの一等地のオフィスからこの街を見下ろす日が来ようとは当時のサーノフには想像できなかったにちがいない。

教育と移民二世の文学

サーノフがホレイショ・アルジャーの出世物語ばりのアメリカン・ドリームを体現できたのは、本人の才覚と努力、意志の強さと熱心な仕事ぶりによるものであったことに疑いの余地はない。しかし、食うや食わずの生活の東欧系ユダヤ人たちが教育の機会を得たという文化背景もその成功に不可欠な要素であった。先にアメリカに住んでいたドイツ系ユダヤ人たちは、上層中産階級の仲間入りを果たし、アップタウンで暮らした。彼らは、出身地やコミュニティは違っても、同じユダヤ人である東欧系移民がアメリカに適応できるように多くの慈善団体を設立するなどして、援助の手を差し伸べた。

その中で最も功を奏したもののひとつが、教育の場の提供、すなわち、エデュケーショナル・アライアンスの設立であった。ロウアー・イースト・サイド地区で最大のユダヤ移民のコミュニティ・センターである。この図書館や体育館を備えた大きな建物の中では、朝から晩までダンスや裁縫のクラスのほか、英語や職業訓練のためのコースが開講された。労働者たちは夜学で懸命に学び、その中からは医師や弁護士など資格が必要な専門職に就く者も出てきた。サーノフ少年が新聞売りとして街角に立ったのは、こうしたエデュケーショナル・アライアンスの授業を受けた後であった。

こうして知性を手に入れた東欧系ユダヤ移民二世からは、イディッシュ文学ではなく、広くアメリカの文学を代表する作家が輩出された。一九七六年にノーベル文学賞を受賞したソール・ベロー(Saul Bellow, 1915-2005)をはじめ、バーナード・マラマッド(Bernard Malamud, 1914-1986)、アーサー・ミラー(Arthur Miller, 1915-2005)らがいる。マラマッドとベローはニューヨークを舞台に小説を、ミラーは演劇を書いている。

『店員』(一九五〇年代)——大都市での再生の物語

バーナード・マラマッドは、ブルックリンで商店を経営するロシア系ユダヤ人の貧しい家庭で育った。苦学の末ニューヨーク市立大学を卒業し、コロンビア大学の大学院で英文学の修士号を受け、その後は夜間の高校や大学で教鞭を執りながら、執筆をした。ニューヨークを舞台にした代表作には全米図書賞とピューリッツァー賞を受けた長編小説『店員』（*The Assistant*, 1957）がある。

『店員』の時代背景に特に言及はないが、一九三〇年代頃と考えられる。主人公モリスはロシアから迫害を逃れてきたユダヤ移民であり、マラマッドの父親がモデルとされている。初老のモリスは妻と娘のヘレンを養うためにニューヨークのダウンタウンとおぼしき場所で食料品店を細々と経営している。結婚のため大学を中退したモリスは、期待をかけていた息子に先立たれるという人生の憂き目に遭い、いまは近所にできたドイツ系商店のせいで店から客足が遠のいたことに頭を痛めながら、閑古鳥の鳴くせまくるしい店内で暇を持てあます毎日を送っている。

ユダヤ系新聞を買いにゆくとき鼻先に外の空気をかぐだけの暮らしなんて、どんな生まれの人間のすることなんだ？その答えはむずかしくなかった——ユダヤ人に生まれればそれでもできるのさ。彼らは生まれつき囚人なのだ。モリスもそうなのだ——あの恐ろしい忍耐、いや我慢、とにかくそんなものを持っているのだ。[4]

そこに追い討ちをかけるように、店が強盗に襲われ、有り金を奪われた挙句、怪我までさせられる。そんなモリスのもとにフランクという素性の知れないイタリア系移民の青年が現れ、雇ってほしいと申し出る。過去を清算して新しい人生を始めたいと語るフランクはモリスの助手としてよく働き、店にも客が戻ってくる。だが、彼こそは店を襲った強盗犯のひとりであった。罪悪感に苛まれたフランクは罪を贖うためにモリスのもとで働いていたのである。だが、手癖の悪い彼は店の売上金をくすね、ヘレンへの想いが受け入れられない焦りから彼女を犯してしまい、店を後にする。フランクが去った店からはまた客足が遠のき、貧困が一家を苦しめる。モリスは病に伏し、暗澹たる状況に陥った店に再びフランクが現れる。罪を贖うことはできなくても、一家を支えることが自らの再生だと心を入れ直したフランクは、モリス亡き後に割礼を受け、ユダヤ人として店を切り盛りしていくのだ。

真面目だが要領が悪く、損ばかりしているモリスといい、意志の弱いフランクといい、冴えない等身大の登場人物たちが、苦境にあっても再生を夢見て、たとえ小さな一歩であっても、それを実現しようとする姿は、優しく、そしてささやかな感動を与えてくれる。

神に選ばれし民の文学

『店員』に限らず、マラマッドの作品の登場人物はユダヤ人であることが多い。そして、彼らを受けとめる作者マラマッドの温かい眼差しは、苦難の歴史を背負い漂泊するユダヤ人の姿を通して、再生を願ってニューヨークに集まるすべての人々に向けられているように思える。それは、彼の「あらゆる人間はユダヤ人である。ただそれを知っている人は少ない」という言葉に集約されているのではないだろうか(5)。

偶然にも本書で扱った作家の半分——ニール・サイモン、サリンジャー、オースター、そして写真家ではあるが、ソール・ライター——はユダヤ系である。彼らはニューヨークにいる時に私の心によぎった作品、あるいはあの街を思い起こさせる作品の著者なのであって、彼らがユダヤ系であることはあくまでも私の個人的な選択の中の偶然に過ぎない。だが、マラマッドの言葉を借りれば、自分の心の安住の地を求め、ニューヨークを訪れていたあの頃の「私」もまた「ユダヤ人」だったのだ。自分は何なのか、どこへ向かっていくのか模索しながらさまよう、その試練を鋭く突きつけられた彼らほど、この問題を切実に抉り出すにふさわしい民はいないだろう。旧約聖書の歴史を紐解けば、この民は、捕囚と困難の波浪を渡ってきた。そして、この小さな民族は数千年の歴史を貫き、決して滅亡することはなかったのだ。その意味でも彼らはそれを文字に託すために神に選ばれた民なのかもしれない。

世界最強国を象徴する街として

マラマッドと同じく東欧系ユダヤ移民二世のソール・ベローはカナダ生まれのシカゴ育ちであるが、しばしばニューヨークを訪れた。そして、この街を舞台に、ユダヤ人を主人公にした長編小説『犠牲者』(*The Victim*, 1947) と中編小説『この日をつかめ』(*Seize the Day*, 1956) を書いた。マラマッドの『店員』は一九五七年に刊行されたが、一九三〇年代のユダヤ移民一世が主人公であった。一方、その前年に刊行されたベローの『この日をつかめ』は一九五〇年代後半を扱っている。その間にアメリカは大きな変貌を遂げた。一九二〇年から十三年間にわたって施行された禁酒法が一九三三年に終わりを告げたことは先にも触れたが、その頃、アメリカの経済は大恐慌に見舞われ、どん底にあった。映画『ワンス・アポン・ア・タイム・イン・アメリカ』の中で、密造酒で大儲けしていたマフィアが禁酒法の終了とともに裏社会で生活することに限界を感じて仲間を裏切るにいたった背景がここにある。『店員』には不況下に生きる市井の登場人物が自分なりの再生を目指す姿が描かれていた。

だが、この間にマンハッタンの街は着実にガラスと鋼鉄の摩天楼が林立する現在の姿に近づいていた。一九三〇年代には超高層ビルの建築ラッシュが始まっており、ビルはその高さをめぐってしのぎを削った。一九三〇年にはクライスラービルが完成し、世界一の高さを誇った。アールデコ調のスティール製の建物はいまもニューヨークのシンボルである。だが、翌年にはその座をエンパイア・ステートビルに明け渡すことになる。同じくアールデコ調の一〇二階建てのこのビルもニューヨークのシンボルとなり、世界最高層のビルの座を一九七一年に一部完成したワールド・トレードセンタービルに譲るまで実に四十二年間守った。いまもエンパイア・ステートビルのミニチュアはどこの土産店でも売っているニューヨーク土産の定番である。さらに、一九三九年にはロックフェラーセンターの一部が完成する。まさに、現在のニューヨークのスカイラインの大半がこの時期に完成したのである。

映画界では、一九三七年にはディズニーが初のカラー長編アニメーション映画『白雪姫』(*Snow White and the Seven Dwarfs*)を公開した。その質の高さは一九五〇年に日本でこの映画が初上映された際に若き手塚治虫（一九二八年―一九八九年）を驚愕させたというが、アメリカの国力は日本人の想像を絶するほど強大であった。第二次世界大戦に勝利したアメリカは世界の最強国になったが、その豊かさはクリスマス映画の伝説である『三十四丁目の奇跡』(*Miracle on 34th Street*, 1947) によく表れている。一八五八年にニューヨークで創業し、当時は世界最大の売り場面積を誇った西三四丁目に実在する百貨店メイシーズが舞台になっているこの映画は、クリスマス商戦のためにデパートに雇われた本物のサンタをめぐる物語であるが、戦後二年しか経過していないとは思えないほど物質的に豊かなアメリカ人の暮らしぶりには圧倒されずにはいられない。

ニューヨークは五〇年代には経済的に黄金時代を迎えた。そして、ニューヨークは世界に名だたる大企業が本社を構える、まさに世界の中心都市となったのである。国連本部がニューヨークに移ったのもこの頃だ。

『この日をつかめ』——他人を同胞に感じる街

ベローの『この日をつかめ』は、経済の繁栄に沸く五〇年代を舞台にニューヨークで生まれ育ったユダヤ移民三世のウィルヘルム・アドラーの一日を描いた作品である。

ウィルヘルムの人生は失敗の連続である。プロデューサーの甘言にのせられて大学を中退して役者を目指して挫折した若き日の過ちに加え、子ども向け遊具のセールスマンとして活躍し、はぶりがよい時期もあったが、あと一歩のところで幹部になりそこね、短気を起こして辞職してしまった最近の過ち。職業だけでなく、恋愛においても、運がない。父親の反対を押し切った末の結婚も破綻寸前である。妻との間には二児をもうけたものの、性格の不一致に悩むうちに恋人ができ、彼女と新たな生活を始めるために離婚を望むが、妻は応じず、そのうちに恋人ともうまくいかなくなる。妻とは別居しているが、金銭だけは厳しく要求される生活である。

こうして四十四歳のウィルヘルムは仕事も結婚も恋愛も八方ふさがりの状態のまま、父親のアドラー博士が住むブロードウェイのホテルに投宿する。富裕な老人が余生を過ごすこのホテルでウィルヘルムは心理学者で投資家のタムキンと懇意になる。父親に注意しろと言われたにもかかわらず、タムキンにそそのかされ、先物に投資して無一文となる。高名な医師で裕福な父親は貧しい移民一世の両親のもとに生まれ、刻苦精励の末に、ニューヨークでも指折りの内科の権威に昇りつめたアメリカン・ドリームの見本のような人物である。物質的な成功を第一義とする彼は子どもたちにも同じ道を歩んでほしいと考えてきた。だが、息子のウィルヘルムは金銭的充足のみを追求することに懐疑的である。

映画スターを夢見てハリウッドに行ったウィルヘルムだけではなく、妹のキャサリンも中年を過ぎたというのに画家になる夢を諦め切れず、父親に絵の出展のための金を無心する。そんな子どもたちに苦々しい思いを抱く父親は、ウィルヘルムが援助を乞うても、断固としてはねつける。出世した父親と出世しなかった自分とは住む世界がちがうと言い出すウィルヘルムに、父親は腹に据えかねて言い放つ。

そうだとも。一生懸命努力したからだ。わしは自分を甘やかしもしなかったし、怠けもしなかった。わしのおやじはウィリアムズバーグで織物商をしていた。わかるかね、名もない家柄だったんだよ。わしはチャンスをむだにはできないとわかっていた。(6)

自らの努力と克己心で現在の地位を築き上げたアドラー博士は、自分の忠告にことごとく背き、失敗をくり返してきた息子に憤りを禁じ得ない。だが、一方のウィルヘルムは子どもたちのために犠牲を払って老後の平穏を乱されたくないという保身一点張りの父親に冷徹なものを感じる。父親とウィルヘルムとの関係は、親の世代と子どもたちの世代との価値観のギャップを表してもいるが、同時に父親は第二次大戦後の豊かなアメリカを支える物質主義の象徴でもある。父親の知り合いの男が金銭の話に目の色を変えたのを見てウィルヘルムは辟易(へきえき)する。

ふん！　みんな、どうしてこう金が好きなんだろう（中略）金を崇拝している。神聖なお金、美しいお金。まったく、お金さまさまだ！　それがこうじて、金に関係のない話には知能が働かなくなっている。その一方、金を持っていない者はばかだというわけだ。ばかだと言われて、この地球の表面に住むのを遠慮しなければならなくなる。くそっ！　これが現実なんだ。この世の中のやり方なんだ。ここから逃げ出せさえしたらなあ——。

物質主義を象徴するのは父親だけではない。ニューヨークの街もそうである。ウィルヘルムにとってニューヨークは生まれ育った街であるが、いまでは居心地が悪い場所に変わってしまった。

それはウィルヘルムと生み育ててくれた父親との関係そのものでもある。

もうニューヨークになじめなくなっているのです。ニューヨーク生れにしてはひどくおかしなことなんでしょうがね。前は今ほど夜がうるさくなかったし、それに今では小さいことでもストレスになるんです。

さらに、カリフォルニアでの平和な生活を思い出すが、あの穏やかな日々は本当は自分のものではなく、老いた父と共にニューヨークにいるほうが自分にふさわしいのではないかと思ったりもする。だが、父との齟齬を感じると、ニューヨークは息苦しい街となってウィルヘルムの頭を混乱させる。

なぜ自分は、そもそもここへ、父のそばへ住むためにやってきたのだろう。ニューヨークは毒ガスのようなものだ。そこにいると色がぼやけてくる。頭がふらふらして、ぼくは自分が何をやっているのかわからない。父は、ぼくが父の金を巻きあげるつもりでいるのだとか、ぼくが父をうらやんでいるのだとかしか考えていない。ぼくの本当の望みがわからないんだ。

立派なユダヤ人だと自らを思い込んでいる父親。その父親の目に映る自分は「ろくでなしのユダヤ人」なのだ。そんな負い目がウィルヘルムを苦しめる。タムキンに「君は何者か」と問われ、ウィルヘルムは何者かになろうとしてなれない自分に直面する。父親によってエリートコースを歩むというアメリカン・ドリームを背負わされるが、それには反発し、役者という別の夢を見たものの挫折し、何者にもなれないまま、ニューヨークの街を歩く。

このニューヨーク、そこはこの世のはて、複雑でからくりにみち、煉瓦と配管、電線と石材、穴蔵と高所との組合せだ。ここではだれもが狂っているのか。街で会う人はどういう種類の人間なのだろう。人は皆それぞれ自分個人の頭で解釈したまったく自分だけの言語を話し、自分ひとりの考えを持ち、自分ひとりに特有な生き方で暮している。もしコップ一杯の水について語りたいと思えば、神の天地創造からさかのぼらなければならない。禁断の木の実、始祖アブラハム、モーゼとキリスト、古代ローマ、中世、火薬の発明、フランス革命、ニュートンからアインシュタインまで、それと戦争にレーニンにヒットラーだ。こういったことをふりかえり、すべてをきちんと整理しなおしてみて、はじめてコップ一杯の水について語りはじめることができる。「気が遠くなってしまいそうです。どうか水をすこしください」と。そういうときでも、自分の言うことが理解してもらえればまだしも運のいいほうだ。そして、こういうことが会う人ごとに何度も何度も繰返し起る。ああだこうだと言いかえに言いかえをやり、説明に説明を重ねてみても、理解できず、また理解もされず、狂人と常人、賢者と愚者、若者と老人、病人と健康体との見分けもつかないとあっては、まさに地獄の責め苦ではないか。父はもはや父ではなく、子は子ではない。昼は自己と語り、夜は自己と論ずる。ニューヨークのような都会ではほかにどんな話相手があろう。

ニューヨークでは、誰とも心が通じ合わない。親子の関係も形だけで、みな孤独で信頼できるのは自分自身だけである。その意味で人間はみな等価であり、人類に対してもっと深い愛情を持つべきだとウィルヘルムは考える。その思いは数日前、タイムズ・スクエアの地下道を歩きながら、ふと雑踏を歩く見知らぬ人々に愛情が沸き起こった時の体験と結びつく。

> 暑さと暗がりとあわただしさのため、通る人の顔かたちがゆがみ鼻も目も歯も奇怪なばらばらの断片になってしまう中で、この無気味な顔をした欠点だらけの人びとみんなにたいする広大な愛情が、求めもしないのに突然ウィルヘルムの胸にどっと湧きおこってきたのだ。自分はこの人たちを愛している。この人たちを一人残らず激しい熱情で愛している。みんなぼくの兄弟であり姉妹だ。このぼく自身も欠点だらけで、ゆがんだ形をしている。だがそれがどうしたというのだ。自分がこの愛の炎で人びとと結ばれておればそれでいいではないか。歩きながらウィルヘルムは口ずさみはじめた。「おお、わたしのはらからたち、兄であり弟であり姉であり妹であるこの人たち——」自分にもその人たちにも祝福を与えながら、彼はこう口ずさんでいた。

彼にとっては、血のつながった父親よりも、街ですれちがう不完全で無気味な群像のほうが身近であったのかもしれない。このことは赤の他人の葬儀に紛れ込み、自分と年ごろの同じ男の遺体を目にして号泣しながらこれまでの失敗を忘れ、礼拝堂に流れる荘重な音楽を耳にすることで心が救われるこの小説の結末にも通じるのではないか。疎外感と劣等感でヒリヒリしている人間にとって、時として身内の存在はその傷に塩を塗ることになりかねない。人はむしろ自分と同じ傷を抱えているかもしれない見も知らぬ人間を同胞のように感じ、彼らに愛を感じる時にもっと大きなもの——おそらく神——に救われるのかもしれない。

このことは、まさに、オースターがニューヨークを「万人に属する街」だと語った言葉と不思議に呼応する。これこそが私をあれほどまでに足繁く通わせた街の力、歴史の中で試練を与えながらも多くの人を受け入れてきた街の魅力なのだと思う。そして、古代ローマの詩人ホラティウス（Quintus Horatius Flaccus, B.C. 65–B.C. 8）の言葉 *carpe diem*（この日をつかめ）からとったこの作品のタイトルの通り、過去でも未来でもなく、アメリカン・ドリームの観念からも自由になって、いまこの瞬間をせいいっぱい生きることを訴えているようにも思える。『この日をつかめ』は、ユダヤ人移民二世と三世の父子の物語であると同時に、拝金主義で体面ばかり気にする成功者と自由と心からの愛情を求めてさまよう敗残者との対比の物語である。さらに、まったくちがう価値観の両者が対立しながら共存する大都会の多面性を描く物語でもある。ニューヨークはアドラー博士に代表される拝金主義の成功者にとっては住みやすい街である。だが、その一方で、ウィルヘルムが他人の棺に向かってさめざめと涙を流す場面もまた大都会らしいカタルシスによる生の刹那と救いを感じさせる。それが可能となるのもまた多様な人々を包みこむニューヨークの懐の深さなのだろう。

アメリカン・ドリームが崩れ去る時

女優のマリリン・モンローと結婚していたことでも知られる劇作家のアーサー・ミラーも父親が現在のポーランドから移住してきたユダヤ人である。母親も同じ出身地の両親を持つ移民二世のユダヤ人であった。ミラーはハーレムに生まれた。女性服の工場を経営していた父親は裕福で地域の名士でとおっていたが、一九二九年の大恐慌で破産し、一家はブロンクスへ移ることを余儀なくされた。困窮を極める生活の中でミラー少年はパンの運搬をしてから学校に通い、大学の学費を稼ぐため八つの仕事をかけもちした。

ピューリッツァー賞、アメリカ劇作家賞に輝いたミラーの代表作『セールスマンの死』(*Death of a Salesman*, 1949) も舞台はニューヨークだ。主人公は六十三歳のウィリー・ロマン。戯曲は、彼が仕事から戻り、自殺を決意するまでを描いた第一幕とその翌日の彼の自殺と葬儀の場面を描いた第二幕から成る。

セールスマンになって三十年目となったその日、ウィリーは人生の袋小路に立っていた。かつては敏腕のセールスマンとして誇りをもって仕事をしていたが、顧客の死や引退で営業成績は上がらず、いまや解雇寸前である。斡旋(あっせん)された新しい就職口も気に入らない。家に帰れば家のローンや車の修理代の話を妻から聞かされる。長男のビフも悩みの種である。子どもの頃は成績優秀で期待をかけていたのに、定職に就かずに自分の挫折をウィリーが成功神話を押しつけたためだと反発している。次男のハッピーも女遊びばかりしている軽薄な青年であり、ウィリーは息子たちとの断絶を感じずにはいられない。そんなウィリーにとって南アフリカでダイヤを掘り当てて成功した兄のベンは誇りであり、目標であった。フラッシュバックを巧みに取り入れたことがこの作品の斬新さであったが、兄に仕事を一緒にしないかと誘われたはるか昔のことがウィリーの脳裏に蘇り、果たして自分の選択は正しかったのかと自問する。

　そんなある日、ついに父親と長男は対面し、ビフは心の内――自分は成功者にはなれないことを告げ、「お父さん、おれはくだらん男だ！　つまらん人間だ！　それがわからないのか？　別に恨んでなんかいない。ただ、おれはおれだ、というだけだ」と言ってウィリーに泣きつく[7]。それでもウィリーは息子の真の姿を認めようとはしない。自分にすがった息子への愛しさは、資金さえあれば、息子はまだ成功できるのだというアメリカン・ドリームへと結びついてしまう。その夢は自分の命と引き換えにビフの将来を切り拓くという発想へと行き着き、ウィリーは車をアパートの壁に激突させて死ぬ。二万ドルの保険金がおり、借金を完済したことを亡き夫に報告しながら、なぜ夫が自ら死を選んだのかその理由がわからずに妻は泣く。

　葬式には誰もかけつけない。競争社会から脱落した者に世間は冷たい。熾烈で非情な社会で人に好かれることで世を渡っていけると信じたウィリーは、過去の世界に生き、新たな就職口も、息子のことも受け入れることはできなかった。自分の人生が、二十五年間足を棒にして人に愛想をふりまきながら歩き回り、アパートのローンと保険金の支払いに汲々（きゅうきゅう）としていただけで終わること、夢を託した息子たちは成功の見込みがないこと――それが現実だと認めることなどウィリーには断じてできなかったのだ。ウィリーは夢を見続けるために死を選んだのだ。

ベローの『この日をつかめ』のように、ミラーもこの作品の中で親子間の価値観の相違や若者の挫折を描いている。さらに、『セールスマンの死』は時代の波に呑まれる主人公ウィリーを通してアメリカのたどってきた三十年間を浮かび上がらせる。一九二〇年代に売り上げを伸ばし、最盛期を迎え、三〇年代の不況とともに営業成績がだんだん振るわなくなり、ついに繁栄の五〇年代を迎える直前にそれまでの営業方法では通用しなくなり、お払い箱になる。セールスマンとしての栄枯盛衰の物語と自分の信じる価値観を貫き通した果てに選ばれた死を通して、激化する競争社会の弊害、アメリカン・ドリームの達成という建国以来アメリカ人が共通して追求してきた価値観の崩壊、その変化についていけない人間の悲哀など、第二次世界大戦後の繁栄の時代に突入したアメリカ社会の新たな問題に切り込んだ作品である。

この問題は『セールスマンの死』の舞台であるニューヨークと二重写しになって、観客に視覚面からも迫ってくる。舞台はブルックリンにあるウィリーの「小さなたよりなげな家を圧するように」「がっしりとした高層アパートの群」が立ちはだかっており、そこには「現実から立ち昇ってくるような夢の感じ」が漂っている。家の中にいるウィリーは窓がすべて開いていても、「どうだい、こんな風に閉じこめられて。煉瓦の壁に窓、窓と煉瓦」と息苦しさを覚えている。そして、「通りは車でいっぱいだし、そよ風も入ってこない。このあたりじゃ、草ももう生えんし、裏庭に人参も植えられん」と嘆く。ウィリーがセールスマンとして活躍し始めた頃から建設が進んだ超高層ビル群――それは天まで届くことを願う果てしない人間の欲望の姿、現代のバベルの塔の群れである。その乱立にウィリーが感じる息苦しさは、生き馬の目を抜くような世の中の非情さに苛まれていく彼の心理を投影しているかのようだ。

そして、死の前日に「今夜、帰りに、種子を少し買ってくる」というウィリーの言葉に妻は家の裏は日が当たらないからあまり育たないのではないかと遠慮するが、ウィリーは聞く耳を持たない。息子との和解の場が物別れに終わったウィリーは、「種を買わなければ、今すぐ。なんにも植わっとらん。地面には何にもないんだ」と言い、帰宅すると深夜にもかかわらず懸命に鋤で土を耕す。ウィリーはにんじんやエンドウの種の袋を手にして「ここじゃ、なんにも見えん！まわりをすっかり囲んじまいやがって！」と怒るのだ。

ウィリーの葬式を終えてみんなが退場し、暗くなっていく舞台にはフルートの音だけが残る。ウィリーの家の向こうに、味気ない高層のアパート群が浮かび上がり、その形が鋭く、くっきりと輪郭を見せて舞台に幕が下りる。

大都会の摩天楼は資本主義の究極を象徴し、一生涯ローンを払い続けて手に入れた小さなウィリーの家はしがない平凡な市民の生涯そのもののように見える。背の高いアパートメントの影は彼が蒔（ま）いた野菜の種から日光を奪ってしまうだろう——成功という神話がウィリーの人生を覆いつくしてしまったように……。

果たしてウィリーの死は時代に置いてきぼりになった愚かで頑迷な老人の悪あがきなのだろうか。少なくとも私にはそうは思えない。ひとりの平凡なセールスマンの死には苛烈な競争社会に抗おうとするひとりの人間の魂の尊厳が見えるのだ。そして、落ちぶれたウィリーの残光のような尊厳が家のローンや様々な家電の修理代という物質的なものに変換されてしまうラストは、アメリカ社会への痛烈な批判だろう。ニューヨークほどこの物質社会を描くにふさわしい場所はない。この街はきょうも新たなウィリー・ロマンを生んでいる。

ファイブ・ポインツ——ニューヨークで最も危険だったスラム街

以前、チェコ共和国を訪れた時にユダヤ人街に宿泊した。ヨーロッパで破壊されずに残っている唯一のゲットーはピンク色や黄色など明るい色合いの建物が多く、たいていが子どもや女性の像が彫られていて、目を楽しませてくれた。シナゴーグに入ると、細かな文字で表現された図やモザイクのあまりの緻密さに圧倒されたものだ。手先が器用で忍耐強い彼らの多くがニューヨークで織物業を生業とし、自らの宗教に従って規律を重んじ、暴力を好まず、酒の代わりにお茶を飲んだというのも頷ける。実際、ユダヤ人街には多くのカフェがあり、男たちが酒ではなくお茶のカップを手に、遅くまで語り合ったという。このように、暴力的な印象があまりないユダヤ人にも『ワンス・アポン・ア・タイム・イン・アメリカ』のようにギャングになる者も多くいた。映画でヌードルスたちがギャングとして華々しく悪事を重ねられたのは、前述したように、一九二〇年代の禁酒法の時代、酒の密輸、密売などでギャングが巨額の富を手にした、いわばギャングの黄金期の恩恵に与かることができたからであった。しかし、その以前、十九世紀の終わりから一九一〇年頃までニューヨークにはイーストマン・ギャングというユダヤ系ギャングの一大組織があった。彼らは違法賭博、管理売春などを行い、民主党のタマニー・ホールを武力で保護し、見返りに庇護を受けた。

タマニー・ホールと言えば、映画『ギャング・オブ・ニューヨーク』の中では選挙で票を入れてもらうためにアイルランド移民を利用する様子が描かれていたが、実際、政治勢力とギャングは昔から陰で手を結んできたのである。『ギャング・オブ・ニューヨーク』の舞台は、ニューヨークでも最悪のスラム街ファイブ・ポインツである。現在のチャイナタウンの中のブロードウェイとバワリー街の間のあたりにあったファイブ・ポインツは、一八四〇年代まではイングランド系やアイリッシュ系の最下層の移民たちの吹き溜まりであった。賭博場と売春宿がひしめき、夜に歩こうものならひったくりに遭うとされた危険な地域であった。

一八四二年にこの地を訪れたディケンズは、「細い道が左右に入り組んで汚物と糞尿の悪臭が漂っている」と書き、「腐敗した光線が流れ込み、ひび割れて穴があいたり、割られたりした窓が、酔いどれの喧嘩で傷つけられた目のようにどれほど暗くて嫌な顔をしているように感じるか見てみるがいい。豚がたくさんここには住んでいる。豚たちはなぜ自分たちの主人が四つ足で歩く代わりに二本足で歩くのか、なぜブーブーと言う代わりに話をするのか不思議に思わないのだろうか？」と、この街の醜悪さを描写している。(8) 家畜以下の暮らしを強いられる魔窟のような街。このイギリスの国民的作家は、小説の中で自国の場末――ロンドンのイーストエンド――の貧困や悲惨さをさんざん描き出してきたではないか。その彼でさえ、ファイブ・ポインツの劣悪な環境には閉口したのだから、その劣悪さがいかに凄まじいものだったかが窺い知れるというものだ。

アメリカ自然主義文学の舞台として

この神話的と言ってもいい悪徳の地を舞台にした作品に、スティーヴン・クレイン（Stephen Crane, 1871-1900）の『街の女マギー』（*Maggie: A Girl of the Street*, 1893）がある。純真な少女マギーが男に騙されて身をもちくずし、やがて街頭に立つまで堕ち、自ら命を絶つまでを描いた中編小説である。クレインの才能はヘンリー・ジェイムズのお墨付きをもらっていたほどであったが、記念すべきデビュー作の『街の女マギー』は匿名での自費出版を余儀なくされた。今日ではアメリカ自然主義文学の初期の代表作と評されるこの小説であるが、その衝撃的な内容はもちろんのこと、俗語や卑語を交えた、酔っ払いや嘘や喧嘩が横行するディケンズでさえも目を背けたくなるような暴力的で荒んだ吹き溜まりの光景をありありと白日のもとにさらしていることから、当時の文壇には到底受け入れられるものではなかったのであろう。

アメリカ自然主義文学の頂点を成したと評されるセオドア・ドライサー（Theodore Dreiser, 1871-1945）の『シスター・キャリー』（*Sister Carrie*, 1900）は、ジェニファー・ジョーンズ（Jennifer Jones, 1919-2009）とローレンス・オリヴィエ（Laurence Olivier, 1907-1989）主演の映画『黄昏』（*Carrie*, 1952）の原作である。ウィスコンシン州の田舎から姉夫婦を頼って大都会シカゴに出てきたキャリーは、風邪で休んだことを理由に職場を解雇されるが、華やかな都会への憧れが強く、田舎に帰る気はない。かといって過酷な労働からも自由になりたい――やがてキャリーはその美貌の虜になったセールスマンのドルーエの情婦となる。高級酒場の雇われ支配人ハーストウッドもキャリーに魅せられ、妻子がいることを隠して肉体関係を結ぶ。キャリーはドルーエからハーストウッドが妻帯者だと知らされてショックを受ける。ハーストウッドは傷心のキャリーを、店から横領した一万ドルを手に、連れて逃げる。ふたりがたどり着いた先はニューヨークであった。酒場の共同経営者となるも失敗し、すっかり落ちぶれた初老のハーストウッドはキャリーに見限られる。キャリーがブロードウェイで女優として成功を収める一方で、ハーストウッドは職を転々としてついにはホームレスに成り下がる。

映画ではオリヴィエ演じるハーストウッドの最期が描かれることはないが、原作ではバワリー街の安宿でガス自殺を遂げる。バワリー街と言えば、かつてはファイブ・ポインツを拠点とするアイルランド系のギャングたちと縄張り争いをくり広げたギャング団バワリー・ボーイズの巣窟であった。『シスター・キャリー』が刊行された十九世紀末には、この一帯を支配していたのはイタリア系、ユダヤ系のギャングたちであり、ファイブ・ポインツギャングたちの時代は全盛期を過ぎたものの、治安の悪い、いかがわしい場所であったことに変わりはない。ファイブ・ポインツとは移民たちの無法地帯であり、敗残者が命を落としに来るような場所であった。

若い女の色香に迷って中流階級から堕ちるところまで堕ちたハーストウッドの行き着いた先がアメリカ最悪のスラム街であることが、彼のたどった惨めな末路を、より一層悲惨なものに見せている。一度は結ばれた男女の進んだ分かれ道――華々しい女優の道と落伍者の成れの果て――の対比はニューヨークのふたつの顔を表してもいる。そして、この作品は実は両者が表裏一体であり、両者が入れ替わり可能な、不安定で薄氷を踏むような危険と隣り合わせの都会生活の過酷さを読者に突きつけてくる。

リトル・イタリーの思い出

ニューヨークで日本人をガイドする会社を経営している男性がいた。大学で教えているだけでは接することのない職種の人と気の置けない会話ができるのも旅の魅力のひとつである。その日、私はスケートの取材絡みで知り合ったその男性とリトル・イタリーにあるレストランでディナーを食べていた。いわゆるお洒落なニューヨークが集うようなスタイリッシュな店ではなく、民族的な匂いを残した、いかにもリトル・イタリーにありそうなオールドファッションなイタリア料理店であった。寒い中をさんざん待たされてやっと食事にありついたので、よっぽどがっついていたのだろう。「鈴木さん、いつもおいしそうにメシ食べるよね」という褒め言葉なのかけなし言葉なのかよくわからない言葉にうなずきながら熱々のペンネを口に運んでいると、「そんな時にこんな話、悪いんだけどさ、鈴木さんの座っているその席ね」と彼はいつもの人を茶化したような笑いを浮かべている。また人を驚かせようと企んでるにちがいない、その手には乗らないからと警戒していたが、「マフィアのドンが撃ち殺された席なんだよ」と言われ、思わずペンネを吹き出しそうになった。

あのイタリア料理店は本当にドンが殺害された場所だったのだろうか。いまとなっては店の名前も定かではなく、調べようもないが、もしかしたらうまく担がれたのかもしれない。クライアントにはその筋のお方がいて、サービスを気に入ってもらえると破格のチップを握らせてくれるのだと自慢げに話していた彼は、その日のイタリアンもそのクライアントから二〇〇〇ドルのチップが入ったからとご馳走してくれたのだ。マフィアのドン殺害の話と彼の職業がわずかではあるが裏社会と繋がりがあるという話を同時に聞いたせいなのだと思うが、いまでもニューヨークを舞台にしたマフィア映画などを観ていると、あのガイドさんの長年異国で仕事をしている人の屈強な顔が頭をよぎり、無事を祈らずにはいられなくなる。

映画『ゴッドファーザー』に見るイタリア系移民

いまではお洒落なレストランやお店が立ち並ぶソーホーやトライベッカのすぐ近くに、百年ちょっとさかのぼると、殺人、暴力、窃盗が渦巻く悪徳の極みのような場所があったとは信じがたい。だが、ソール・ライターも映画の中で、ロウアー・イースト・サイドはいまでは高級な地域になっているが、以前はみな住みたがらなかったと言っていたではないか。

リトルイリターは隣のチャイナタウンに押されてどんどん縮小されていっていると言われている。たしかに、チャイナタウンのほうが広く、存在感がある。だが、一世紀前は現在とは大きく異なっていた。ここには大量のイタリア移民が住みつき、彼らの故国が再現され、まさに小さなイタリアを形成していたからである。

映画『ゴッドファーザー』(*The Godfather*, 1972; *Part II*, 1974; *Part III*, 1990)は、イタリア人作家マリオ・プーゾ(Mario Puzo, 1920-1999)の一九六九年に刊行された同名の小説をもとにしたマフィア映画の傑作である。監督のコッポラ(Francis Ford Coppola, 1939-)をはじめ、哀愁漂うあの「ゴッドファーザー〈愛のテーマ〉」（"*Love Theme from the Godfather,*" 1972）を作曲したニーノ・ロータ（Nino Rota, 1911-1979）も、デ・ニーロ、アル・パチーノ（Al Pacino, 1940-）をはじめ出演俳優の多くもイタリア人かイタリア系である。そして、何よりもマフィアの内幕や抗争という枠組みの中に、伝統を重んじるイタリア系アメリカ人が激しさを増すアメリカ社会の奔流にどのように対応していくのか、その過程とそれに伴う彼らの苦悩が描かれている点が興味深い。日本人のマフィア像を決定づけたこのマフィア映画は二十世紀のニューヨークのイタリア移民年代記というフォークロアの側面を持っているのだ。

自由の女神との出会い

シチリアから移民としてニューヨークにやってきたヴィトーがマフィアの五大ファミリーのひとつコルレオーネ家の初代ドンとなるまでを描いた『ゴッドファーザー』の第二作目では、ヴィトーがニューヨークのエリス島にたどり着く場面が印象的だ。自由の女神が映し出される。新天地での生活に夢と希望を抱いてようやくこの地にたどり着いた移民たちが最初に目にするものが、この自由の女神である。同じ船に乗っている移民たちは自由の女神が視界に入ってくると、どよめき、甲板へと急ぎ、みな厳粛な面持ちで黙ってこの像を見つめる。

『ゴッドファーザー PART II』
[DVD]（©パラマウント）

貧困と苦難に満ちた故国での生活と長い航海の日々。それは過去の出来事となり、いよいよ自由な日々が始まる――この像を目にした移民たちは気持ちを新たにし、襟を正す。

だが、この女神ほど移民の運命をアイロニカルに象徴するものはないだろう。新世界での自由は新たな苦難の始まりをも意味していたからだ。ごったがえす移民局。故郷のコルレオーネ村で両親と兄をマフィアのドンに殺されて単身で渡米してきた九歳のヴィトーは英語も満足に話せない。本名はヴィトー・アンドリーニだが、移民局の役人はヴィトーの姓を出身地のコルレオーネと混同する。健康診断で天然痘にかかっていたことが発覚したヴィトーはさっそく隔離施設に移されるが、コッポラの解説によると、これは叔母の実体験をもとにしたのだという。ベッドだけの簡素な部屋の窓から小さな自由の女神を見つめてヴィトーがひとり口ずさむのは故郷のシチリアの歌であった。

ニューヨークでの生活

一八二〇年から一九三〇年までに急増したイタリア移民の数はおよそ四七〇〇万人とも言われ、その大部分がシチリアやカラブリア、ナポリなどイタリア南部出身で、食うや食わずの貧困から脱け出そうと、アメリカに渡ってきた人々である。だが、小作農や日雇い労働者の彼らは教育もほとんど受けていなかった。つまり、読み書きもできず、ましてや英語などまったく通じず、ユダヤ人のように職能もなかったのである。結局、アメリカでも荷役労働や物売りをするほかなく、社会の最下層の暮らしを余儀なくされた。大都会で言葉の通じる同郷人同士が身を寄せ合い、蜂の巣に蜂がたかるように、通りや住居には人々が密集し、リトル・イタリーを形成した。一時期、ニューヨークの人口の四分の一がイタリア人だったこともあるほどだ。

ヴィトーは実在のマフィアの何人かをモデルにしているが、そのひとりにマフィアの最高幹部ラッキー・ルチアーノ（Lucky Luciano, 1897-1962）がいる。アメリカ風の合理的なビジネスとして麻薬の犯罪シンジゲートを考案し、近代的なマフィア、いわゆるコーザ・ノストラを確立したことで知られるルチアーノがシチリアから移民としてニューヨークに渡ってきたのも、一九〇六年、映画の中のヴィトーと同じ九歳の時であった。ルチアーノはニューヨークのリトル・イタリーに住んだが、そこには病院は一軒もなく、学校も二校だけであった。ルチアーノの父親はアメリカでは一日でシチリアでの一年分を稼げるという話を信じて移住を決意したが、蓋をあけてみれば、シチリアで鉱山労働者として働いていた頃と同じ労働者として働くほかはなく、爪に火をともすような生活をするのがやっとのことだった。マフィアとして生涯に五〇〇件の殺人に関わったとされるルチアーノなら修羅場はいやというほど目にしているはずだが、その彼でさえ、このスラム街での生活は人生で最悪の経験だったと語っている。

そんなイタリア移民たちの心を慰めたのはナポリやシチリアの故郷の風物であった。青い海や空はなくとも、保守的で迷信深い彼らは故郷を模した町並みをつくり、聖母マリアに祈りを捧げ、家族と友人を愛し、恋をし、オレンジとレモン、オリーブ、パスタとピッツァとワイン、音楽を楽しみ、大西洋の向こうの故国を偲んだのだ。

ニューヨークで紡がれるマフィアの歴史――マーノ・ネーラの出現

ヴィトーが少年時代をどう過ごしたかは映画では詳述されていない。おそらくイタリア人居住地区に住み、生まれながらの品と賢さも手伝って世話をしてくれる人も現れたのだろう。月日は流れ、デ・ニーロ演じるヴィトー青年は食料品店で真面目に働いていた。『ゴッドファーザー』の第二作目で描かれる移民時代のリトル・イタリーのセットは当時の大量の写真をもとにかなり正確にニューヨークで再現したものだというので、一見の価値がある。

ある日、ヴィトーは突然この食料品店を解雇される。彼が原因をつくったのではない。「マーノ・ネーラ」（"*La Mano Nera,*" 英語では "Black Hand"）のせいであった。

新参者のイタリア移民は、先住のアイルランド系ギャングやユダヤ系ギャングに目をつけられた。イタリア移民を白眼視したのはギャングだけではなかった。背が低く、髪の色が黒く、肌の浅黒い独特の容貌、無学、自国の風習を頑なに守る偏狭さのためにイタリア人たちは周辺住民に不信感をもたれ、しばしばリンチの対象にもなった。だが、アイルランド人が大半を占める警官たちは英語を話せない新しい移民たちの陳情を聞こうとせず、見て見ぬふりをした。

マフィアは、侵略を受け続けたシチリアの長い歴史と深く関わっている。地中海の主要貿易路の交差するこの島は、過去三〇〇〇年近くの間、フェニキア人、カルタゴ人、ギリシア人、アラブ人、フランス人、スペイン人などの侵略目標となってきた。入れかわり、立ちかわり島を襲い、占領してくる外国勢力によってそのつど島は支配されるが、いつも辛酸をなめさせられるという点では同じだった。島民にとって国を支配する「権力」は自分たちの敵であり、「権威」に背く傾向が自然と育っていった。こうした中で支配者の家畜を盗む犯罪秘密結社ができる。排他的な仲間意識とリーダーに対する忠誠心で結ばれた彼らは、時には暴君的な支配者から農民を守ることもあり、シチリアの島民の治安を非合法に維持する勢力となっていった。

マフィアの語源には諸説があるが、そのひとつに形容詞マフィオーソ（mafioso）を由来とする説がある。この言葉で形容される男性は、自信にあふれ、自らの利益を自らの手で守る男、大胆で行動力があり、人から軽く扱われることのない男であることを示していた。マフィアは犯罪組織の構成員であるが、同時に男のロマンをかき立てる果敢でタフな男という側面も併せ持つ。それはマフィアが形成されていく過程に多少なりとも義賊の要素があったことと関係があるのだろう。それほどシチリアは中央の権力から見放されてきた島であり、それは貧しいイタリア南部でも同じだった。

結局、移民たちは悟った。新大陸でも、事態は自国イタリアとさして変わらないことを。アメリカでも役人や国家権力は当てにならない。こうした状況に置かれたまじめに働く同郷の人々から法外な金銭を要求したのがマーノ・ネーラだった。

この暗黒街の恐喝者たちは要求をはねのけた者には、期日までに金を支払わなければどうなるかを記した短い恐喝文に黒い手のイラストを添えて送りつけた。ここから恐喝者たちはイタリア語で黒い手を指すマーノ・ネーラと呼ばれるようになった。彼らに抵抗したために不具にされたり、殺害されたり、店を爆弾で吹き飛ばされたりした近隣住民を目にして、多くの人びとは涙をのんで貧しい売り上げからマーノ・ネーラたちに貢いだのである。

ニューヨークの中のイタリア——サン・ジェナーロ祭

『ゴッドファーザー』では、職を失ったヴィトーが犯罪に手を染めるようになる。彼には妻と生まれたばかりの息子がいたのだ。妻には心配をかけないよう失業したことさえおくびにも出さないヴィトーだが、生まれたばかりの次男は麻疹にかかっている。父親として何かしてやりたい——ヴィトーは自分や仲間から搾取するマーノ・ネーラを殺害する。この瞬間、ドンが誕生する。ドンとは権力者に抵抗する度胸を持ち、おのれの力とやり方で生き抜く才を持つ男、信義を重んじ仲間を決して裏切らない、内輪のことは決して外に洩らさない、この「沈黙の掟」（オメルタ）を守り通すだけの思慮深さ、意志の強さを持ち、尊敬を集め、権力を手中にし、多くの信奉者を持つ者のことを指す。

そして、ヴィトーが最初の殺人を行うのが、サン・ジェナーロ祭の最中であることも示唆的である。ナポリの守護神サン・ジェナーロを祀る祭は一九二六年以来、ニューヨークのリトル・イタリーでは毎年九月半ば頃から十一日間にわたって行われ、この期間にはマルベリー通りにはソーセージやシチリア発祥の焼き菓子カンノーリなどの屋台が所せましと並び、移動式遊園地もやってきて現在もこの時期のリトル・イタリーは多くの観光客で賑わう。

マフィアのファミリーになるための儀式では針で指を刺し、紙に描かれた聖母マリア（イタリア人が愛してやまないアッシジの聖フランチェスコの場合もある）の上に血を滴らせ、その紙を自らの手の上で燃やす。内部の事情を漏らせば煉獄の苦しみを与えられることを聖人にかけて誓う、いわば血の儀式である。悪事に足を踏み入れる際に聖母マリアに誓いを立てるとは、矛盾しているようにも思えるが、聖と俗が渾然となったカトリックの世界観は『ゴッドファーザー』にも見られるのである。殺人と洗礼式や聖餐式が並列で描かれる。

ヴィトーの銃が火を噴いたのは、ドル札を貼りつけられた豪華絢爛なイエス像を担いでのパレードが行われる白昼、まさに祭りの盛り上がりが最高潮に達した時だった。これは喧噪で銃声をカモフラージュするためのドン・ヴィトーの行き届いた計算であったと考えられるが、宗教行事と殺人の同時進行は最も神聖なものと最も罪深いものの両方を受け容れるカトリックの世界を彷彿とさせる。

殺害直後、ほかの多くの人々と同じようにパレードを見物するために建物のポーチに座る妻と子どもたちのもとに戻ったヴィトーは赤ん坊を胸に抱き、その小さな手を握りながら「マイケル、父さんはお前をものすごく愛している、心から愛しているんだよ」と語りかける。[9] 哀愁漂う「ゴッドファーザー〈愛のテーマ〉」が路傍の男のつまびくギターで民謡風に弾き語りされるこの場面は、愛ゆえの罪を印象づける。それは聖なる日の華やかな光景とともに観る者の心に刻み込まれる。コッポラが語るように、ヴィトーが法に背いたのは家族への愛のためにほかならない。

どんな手段を使っても家族だけは守るという強い意志も、いかにも家族を大事にするイタリア人らしい。女を裏社会から徹底的に遠ざけるという態度も家父長制の最たるものだろう。ヴィトーは権力を手にしても妻を泣かせるような真似は決してしない。これもマフィアの掟のひとつである。どのような理由にせよ殺人や窃盗が許されるはずはないが、ヴィトーの犯罪には男の美学が根底にあることはたしかであろう。マフィアのドンへの道は、移民一世のヴィトーが犯罪都市で家族を守るための手段としてたまたま選びとった道に過ぎず、やたらに流血を見たがる野蛮な犯罪者たちと一線を画するのである。

二十世紀前半の移民街ではこうしたイタリア的な人生の美学を貫くことは可能だったかもしれない。禁酒法の時代に大いに発展したほかのギャングと同様、コルレオーネ家も繁栄していく。無法と家族への限りない愛、暴力的な殺戮と厳かで絢爛とした信仰――ここには新大陸の人工都市に密かに息づく古くて人間臭いイタリアの世界が、そして背徳と信仰の間を行き来するカトリックの世界が混在しているのだ。

アメリカでの成功と黄昏

だが、一九五〇年のヴィトーの死後、後継者となった三男のマイケルの代となると、事情は異なる。第二次大戦後に世界の最強国となり、繁栄の一途をたどるアメリカはさらにビジネスライクになっていく。大きな邸宅に住み、運転手つきの高級車に乗るマイケルもまたアメリカ資本主義による繁栄の写し鏡である。だが、失われていくものもあった。家族を殺めてはいけないというドン・ヴィトーの教えに背き、マイケルは長兄ソニー殺しに絡んだ妹の婿を処分し、自分を裏切った兄を粛清する。兄弟殺しというキリスト教世界における最初の殺人、あのカインの苦しみをマイケルは背負うことになるのだ。さらに、マイケルは裏社会の事情を妻のケイに隠し通すこともできない。ケイの心はマイケルから離れ、この世の中にもうひとり犯罪者を生み出したくないという強い思いからマイケルとの間にできた子を堕胎し、離婚を切り出す。移民二世の時代には女性ももう男性の後ろに控えている存在ではなくなった。ケイの存在は一九六六年に女性の権利拡張の拠点となる全米女性機構の結成など、社会的にも女性が自らの権利を主張するようになる時代の到来を予告している。

マフィア社会で身を守っていくことに成功はしたが、家庭を崩壊させたマイケルの心には家族の尊敬を集める強い家長が家族の求心力となっていた古き良き時代の記憶が去来する。ファミリーの繁栄とひきかえに孤独になっていくマイケルの虚ろな表情は、パックス・アメリカーナの繁栄の中で人間の真の幸福を見失っていく者の心の空洞の表象であると同時に、故国と同じものを新たな土地に移植しようとした移民一世とは異なり、もはやアメリカ社会に同化していかなくてはならない移民二世のアイデンティティの喪失をも感じさせる。

コッポラは批評家としての観点から、アメリカ資本主義構造を引き合いに出して『ゴッドファーザー』を次のように分析している。

物語が描き出すファミリーはマフィア一族というよりケネディ家のような感じだ。彼らが行き着くところは金であることは間違いない。だがアメリカというのは金が物を言う社会なのだ。だからこそマフィアたちはアメリカの地で繁栄できた。どちらも根底にあるのは金儲けという目標だ。(10)

金儲けを追求したマフィアとして真っ先に名前が挙がるのが前述のラッキー・ルチアーノであろう。マフィアの構成員はイタリア人に限るという立場をとる古参のマフィアの排他主義を排して、人種にこだわらない合理性を追求し、麻薬ビジネスに手を染めるのを厭わず、暗黒街に巨万の富を流し込ませるのに成功した。従来のマフィアと区別して自らの組織をコーザ・ノストラと呼んだことは先にも触れたが、ルチアーノはまさにアメリカが生んだマフィアの典型であろう。

無駄な流血や権力主義を嫌ったルチアーノは多くの部下たちから尊敬を集め、仕立てのよいスーツに身を包み、セントラル・パーク・サウスを一望できる高級ホテルのスイート・ルームに暮らし、美女たちに取り巻かれて社交を楽しんだ。その彼が強制売春の罪で投獄され、イタリアに強制送還されたのは一九四六年。彼を乗せた船がニューヨークの港を離れる。彼に大きな野望を抱かせ、実現させたマンハッタンのダウンタウンの摩天楼のシルエットが遠ざかっていく。

おれは、間近にそびえる〝自由の女神〟をみつめて、たった一つのことだけを考えようとしていたよ。おれはこれから、ちょっと休暇旅行にでかけてくるんだ。じきにまた戻ってくれば、あの女神がこんどは〝グッバイ〟じゃあなくて〝ハロー〟と言ってくれるのさ、とね。(11)

イタリア送還後のルチアーノはナポリの豪邸で若いバレリーナの愛人と愛犬のチワワとともに優雅な日々を送りながら、影のボスとして犯罪の指揮を執り続けた。彼は欲望が欲望を生み出す街をもう一度自らの手で動かしたいと願ったことだろう。だが、ルチアーノが生きて再びニューヨークの地を踏むことはなかった。戻ったのは死後になってからである。いまも、彼はクイーンズにあるセント・ジョーンズ共同墓地からニューヨークの犯罪組織の興亡を見守っている。ルチアーノと同じく、ゴッドファーザーのモデルのひとりとされるマフィアに、ジョゼフ・ボナンノ（Joseph Bonanno, 1905-2002）がいる。ニューヨーク五大ファミリーのひとつボナンノ家のボスであり、大学出で教養があり、麻薬と売春のビジネスには反対だった。彼は、自伝の中でイタリアン・マフィアとアメリカン・マフィアとの相違を次のように語っている。

> わたしが祖先から受け継いだものは、アメリカで死に絶えてしまった。わたしとわがシチリアの祖先たちが追い求めてきた生き方は、もはやこの国で息絶えている。アメリカ人がいま〝マフィア〟と呼ぶものは、そうした生き方が死に絶えたあげくの産物なのだ。

この自由の大国でマフィアは暗躍し、その勢力を驚異的に拡大した。コッポラが指摘するように、金儲けという目的で結ばれたマフィアとアメリカは最強の恋人同士であり、蜜月には多額の金銭を生み出した。だが、アメリカは黄金に彩られた幻惑的なカトリックの儀式にも似た血の儀式に象徴されるイタリアン・マフィア伝統の沈黙と名誉と尊敬の念――オメルタの理念を、欲望にまみれた錬金術という無彩色のビジネスへと変え、根絶やしにしてしまった。それは魅惑的な悪女が見せる甘い夢の罠にも似ている。ニューヨークはこの犯罪組織にとって宿命の女（ファム・ファタール）であるような気がしてならない。

若き日のヴィトーを演じた当時はまだ無名の俳優であったロバート・デ・ニーロがアカデミー助演男優賞を受賞するなど六部門での受賞という快挙を成し遂げた『ゴッドファーザー PART II』のラストシーンは、時代の変遷とアメリカ社会への迎合という奔流の中でファミリーが最も大事にしていた家族の絆を失ったマイケルが、自分の境遇と父の誕生日を家族で祝った時の記憶とをオーバーラップさせるというものだ。イタリア移民のコミュニティで絶対的に頼れるゴッドファーザーとして君臨していた父ヴィトーに対するマイケルの想いは、マフィアゆえのものではないだろう。その想いは移民二世が一世に抱く、あるいは偉大な父に対して息子が抱く、超えられない壁への劣等感と羨望、苛烈な競争社会で生き抜こうとする者が持つ失われた時代に対する郷愁として観客の胸に響く普遍性を有しているのだ。

ティファニーからのメール

この文章を書いている最中にニューヨークのティファニーからメールが届いた。人種差別や社会的な差別撤廃に取り組む団体 National Urban League に大型の寄付を行い、今後も協力していくことを報告する内容である。二〇二〇年五月二十五日にミネソタ州で黒人男性ジョージ・フロイドさんが白人警官に首を圧迫され、亡くなるという事件が起こった。ティファニーからのメールの日付は六月九日。事件発生から二週間ほどの対応であり、世界中で人種差別撤廃の運動が巻き起こったタイミングであった。多額の寄付をし、自社の立場を明確にすることは素晴らしいことだ。National Urban League が合衆国中の九十の支部を通じて、黒人たちのコミュニティが社会的かつ経済的に改善される役に立っているのだから。

だが、ひとつの疑問が頭をもたげる。世界中で大規模な運動が起こらなかったとしても、こうしたメールは私に届いたのだろうか。フロイドさんの事件で黒人差別は表面化し、大々的にメディアでも取り上げられた。だが、実はこうした事件は氷山の一角であり、キング牧師らに代表される公民権運動から半世紀以上の間、差別にさらされる人は後を絶たなかった。それなのに、なぜいまなのか、と。

差別だらけの社会の中で

移民という視点で文学や映画を観てみると、移民一世と次世代のギャップの問題は、映画『ゴッドファーザー』だけでなく、先に触れたソール・ベローの小説『この日をつかめ』にも、アーサー・ミラーの戯曲『セールスマンの死』にも描かれており、時代の大きな転換点を示していると思われる。さらに、世代間という縦の関係だけではなく、それぞれの民族による横の関係も描き込まれている。

マラマッドの小説『店員』では、民族間の微妙な軋轢のようなものが描き込まれている点がおもしろい。たとえば、ユダヤ人が周辺住人から差別を受けている状況がさりげなく描かれる。主人公のモリスが強盗に遭うのもユダヤ人の店だからである。個人の問題ではなく、民族として憎悪の対象となっているのである。店を手伝うイタリア人のフランクも純粋にモリスを助けたいと思う一方で、心の片隅ではモリスのことを「ユダ公」と蔑み、彼の並外れた忍耐強さに流浪の民、苦難のために生まれた民の性質を勝手に見出したりする。そして、モリスの妻は妻で、どこか信用できない「異教徒」としてフランクを蔑視し、娘に近づけまいとする。

アイルランド人もユダヤ人もイタリア人も、本書ではスペースの関係上触れていないが、中国人も日本人も差別の波に揉まれてきたのだ。声高なヘイト・クライムが耳目を集めがちだが、実際にはそこまで発展せず、いや、口に出すこともなく、普段は意識すらしなくても、それぞれの人種間で心の中で燻り続ける差別意識がある。そうしたデリケートな部分を炙り出し、提示してみせてくれるのが文学の魅力でもある。多民族国家、移民の国であるアメリカの文学にそれらをテーマにしているものが多いのは言うまでもないことだ。そして、差別となると、筆頭に出てくるのはやはり黒人差別の問題であろう。

奴隷制廃止を境に始まった新たな差別

一八六五年に南北戦争が終結し、奴隷解放宣言が憲法修正第十三条として承認された。この時ようやく約二五〇年間続いた奴隷制度に終止符が打たれたのだ。南部の綿花の大農園などで過酷な労働を強いられていた約四〇〇万人の奴隷たちが悲願の「自由」を手にし、歓喜に酔いしれたのは言うまでもない。だが、その喜びが失望に変わるまでそう時間はかからなかった。

黒人たちにとって奴隷制度廃止は新たな暗黒時代の始まりでもあった。同年に白人至上主義を唱える秘密結社ＫＫＫ（クー・クラックス・クラン）が結成されたことがこのことを象徴している。メンバーの多くは以前黒人奴隷を所有していた大農園主や商人、法律家、医師など地方の有力者であり、彼らは奴隷制度廃止による黒人の権力増強を最小限にとどめ、南部における白人の支配的立場を暴力によって回復しようと画策した。馬に乗って白い覆面と白いガウンを身につけ、松明(たいまつ)を手にしたＫＫＫは、黒人たちをさらって鞭で打ちすえた。多くの白人がＫＫＫを支持したが、同じような白人自警集団は他にも数多く存在した。一八七〇年に黒人が投票権を得た後も、ＫＫＫらによる黒人の有権者への投票妨害や当選者に対する脅迫は後を絶たなかった。

黒人たちを支配し続けたがる白人たちによって定められた南部の州法には黒人の飲酒を禁じるもの、鞭打ちの許可をするもの、奴隷制時代と変わらぬ労働を強いるものもあった。これら南部諸州における黒人差別の法律はジム・クロウ法と総称される。ジム・クロウはニューヨークと関わりがある。南部奴隷からインスピレーションを受けた白人が顔を黒く塗って歌って踊るニューヨークの舞台が評判になったことから、ジム・クロウはアフリカ系アメリカ人の蔑称となっていたのだ。このような状況のもと、一八七五年には公共の場での人種差別を禁ずる公民権法が制定された。

「分離すれども平等」の原則と大移動(グレイト・マイグレーション)（一九一四年から一九五〇年代）

しかし、一八九六年にこの法案が覆される。公民権法は個人の権利と対立するという観点から違憲とみなされ、公共の場で黒人を分離することは差別に当たらないとの判決が最高裁によって下されたのである。この「分離すれども平等」という原則は第二次大戦後まで影響力を持った。黒人たちはこの合法的に認められた分離政策によって、交通機関や学校などあらゆる公共の場で公然と差別にさらされるようになった。それに伴い、黒人に対するリンチの件数も増え、年間およそ一〇〇人の黒人が命を落とした。

経済的に自立困難な黒人は南部では正業に就けず、貧困に窮するほかなかった。第一次大戦が始まると、南部の人口の半分、アメリカに住む黒人の人口の四分の三を占めていると言われた南部の黒人たちのかなりの数が北部の工業地帯に労働者として黒人居住地区へ流入した。一九一四年から一九五〇年代まで続いた南部黒人の北部都市への大量移住は大移動（マイグレーション）と呼ばれた。

この大移動で、多くの黒人がニューヨークを目指した。マンハッタンでは、それまでイタリア系移民などが住んでいたハーレムに鉄道が建造され、それに伴い、大量のアパートメントが建設された。だが、実際にはなかなか借り手がつかず、たまりかねた不動産業者が黒人にも部屋を貸すようになった。このことがきっかけとなり、ハーレムに居住する黒人の数は爆発的に増加した。

ハーレム・ルネサンス――黒人の文芸復興（一九二〇年代）

ニューヨークにおける黒人居住地区となったハーレム――第一次世界大戦における彼らの功績と戦後の好景気とが重なり、黒人たちにもついに春がやってきた。ハーレムにおける黒人の文芸復興、いわゆるハーレム・ルネサンスである。

彼らの先祖――奴隷としてアフリカから強制的に連れてこられた黒人たち――には、ユダヤ人街やイタリア人街のような自らの文化を共有するコミュニティがなかった。白人に家畜同然に扱われ、謀反を怖れた主人から読み書きを習うことさえも禁じられ、自国の文化と断絶させられていた。だが、奴隷制廃止後の黒人たちは読み書きを習う機会も増え、バプテスト派やメソジスト派の黒人教会を設立することもできた。こうした文化的な進化もハーレム・ルネサンスの素地になっていたと言えるだろう。激しい差別の続く南部から逃れ、よりよい生活を手にするために北部にやってきたアフリカ系アメリカ人たちは、自分たちのルーツに誇りを抱き、それらを芸術の形で自らの手で発信したのである。

灼熱の太陽を思わせる鮮やかな色のエキゾチックな熱帯の花のごとくニューヨークで花開いた黒人文化の先陣を切ったのは、音楽であった。彼らの労働哀歌であった黒人霊歌(スピリチュアル)やバラードも注目された。それらの曲は彼らが主人たちの目を盗んで綿花の大農園のすみで、真夜中の集会で歌った曲だった。そこには、それまでの定型化された野蛮で知性のない黒人像とは異なる、自身の言葉で訴えかける彼らの悲痛な魂の叫びが音と溶け合って存在していた。

黒人文化の隆盛期はギャングたちが暗躍した禁酒法とジャズの享楽的な時代とも重なる。そして、そのジャズは紛れもなく黒人の音楽であった。詩人であり、作家でもあり、ハーレム・ルネサンスの立役者として知られるラングストン・ヒューズ(Langston Hughes, 1902-1967)は、ジャズの発展を目の当たりにしてきた時代の証人である。彼は『ジャズ入門』(*First Book of Jazz*, 1954)という子ども向けのジャズの入門書の中で、アメリカではヨーロッパ生まれの作曲家の音楽しか評価されない時間が長らく続いたが、ジャズこそが初のアメリカ生まれの音楽であると説明している。さらに、ジャズはニューオーリンズからニューヨークへ、そしてニューヨークから世界へと羽ばたいたのだとまとめ、ニューヨークという場所がジャズの発展にいかに貢献したかをいみじくも語っている。

コットンクラブ――黒人によるショーが楽しめる白人専用ナイトクラブ

ジャズはハーレムに一〇〇件以上を数えるナイトクラブで演奏された。映画『コットンクラブ』（*The Cotton Club*, 1984）は、実際に一九二〇年代から一九四〇年までハーレムに存在した同名の高級ナイトクラブを舞台にした作品である。映画では、裏社会の抗争に翻弄される登場人物たちが織り成す物語とともに、白人経営者による白人客のための黒人ショーがさながらミュージカルのように楽しむことができる。

映画でも描かれているとおり、実在のコットンクラブを所有した白人はアイルランド系のギャングであった。ジャズを演奏したのはデューク・エリントン（Duke Ellington, 1899–1974）、ルイ・アームストロング（Louis Armstrong, 1901-1971）ら一流の黒人ミュージシャンで、顧客リストには作曲家ジョージ・ガーシュイン（George Gershwin, 1898–1937）や喜劇役者チャーリー・チャップリン（Charlie Chaplin, 1889-1977）や享楽的な当時を象徴するかのような洒落者で離婚して臆面もなくショーガールと連れ立って歩き、汚職で辞職したニューヨーク市長ジミー・ウォーカー（Jimmy Walker, 1881-1946）ら当時を代表する有名人が名を連ねていた。

映画では商品であるはずの黒人が表舞台からの出入りを禁じられ、暴力をふるわれる場面が印象的だ。黒人たちの音楽や踊りをもてはやす一方で、白人たちは彼らを「ニガー」と呼び、差別し、襲撃の対象としている。

しかし、イシュメール・リード（Ishmael Reed, 1938–）の『マンボ・ジャンボ』（*Mumbo Jumbo*, 1972）やアメリカ黒人として初のノーベル文学賞に輝いたトニ・モリソン（Toni Morrison, 1931–2019）の『ジャズ』（*Jazz*, 1992）など、半世紀以上の時を経ても後年の作家たちが作品の時代背景として二〇年代を選び、舞台をハーレムに設定しているのは、ハーレム・ルネサンスが黒人にとっていかに古き良き時代の郷愁をかき立てるものなのかを示している。

ハーレム・ルネサンス以降の黒人文学とニューヨーク

ハーレムの文芸復興時代の文学では、先に名を挙げたラングストン・ヒューズが知られている。代表的詩集『もの憂いブルース』（*The Weary Blues*, 1926）や『ジャズ入門』にしても、彼の作品は音楽と関係があるものが目につく。祖母から黒人の伝承文学を聞かされて育ったという彼の詩作品は「黒人街のシェイクスピア」の詩として日本でも紹介された。

一九二九年の大恐慌によって不況の波が押し寄せ、一九三〇年代半ばにはこの黒人の文芸復興も終焉するが、その後も本を読み、字を書けるようになった黒人たちは、自分たちの世界を描いた。一九四〇年にはリチャード・ライト（Richard Wright, 1908-1960）の『アメリカの息子』（*Native Son*）が出版される。この小説はニューヨークが舞台ではないが、黒人によって描かれた最初の本格的な黒人小説なので、紹介しておこう。ライトは、この中で白人が期待する役割を従順にこなすアンクル・トム的な黒人ではなく、白人に対して憎悪の念を抱き、殺人を犯す暴力的な黒人像ビッガーを描いた。ビッガーは抑圧されたアメリカ社会が産み出した存在であり、その犯罪は無意識のうちの社会への抗議だという弁護側の主張も虚しく、死刑判決が下るのである。

さらに、ラルフ・エリソン（Ralph Ellison, 1914–1994）はニューヨークを舞台にした長編小説『見えない人間』（*Invisible Man*, 1952）で、南北戦争の再建期から一九四三年のハーレムでの暴動までの歴史を背景に、アンクル・トム風の生き方に甘んじていた主人公が、政治団体に入るも、白人に利用されていることに気がつき、自己を回想するという筋だ。白人の偽善と欺瞞を黒人青年の視点から描いた作品として評価が高い。本文でも触れたとおり、三島由紀夫がハーレムを訪れ、その生命力に触れたのもこの時期である。

ハーレム・ルネサンスの最盛期にこの街で生を享けたジェイムズ・ボールドウィン（James Baldwin, 1924–1987）もニューヨークを舞台に『山にのぼりて告げよ』（*Go Tell It on the Mountain*, 1953）や『もう一つの国』（*Another Country*, 1962）を書いている。前者ではニューヨークを舞台に黒人少年ジョンが黒人教会の中で精神的にも社会的にも自立していく様子とアメリカにおける黒人の歴史を、後者では同性愛の問題と人種の問題を描いている。

公民権運動と暴動の中で（一九六〇年代）

第二次世界大戦でアメリカのために多くの黒人たちが戦い、生命を落とした。兵役中も差別を受け続けた黒人たちは、他国の軍隊の実態に触れ、他国ではアメリカよりも黒人に対する扱いがよいことを知るにつれ、不平等感を強めていった。やがて彼らは白人と平等の権利を要求するために立ち上がった。いわゆる公民権運動である。

一連の運動の皮切りとなったのは、一九五五年のアラバマ州モンゴメリーで起こったバスボイコット運動である。モンゴメリーの市営バスには白人が前方、黒人が後方に座り、白人が多い場合には黒人が席を譲るという暗黙のルールがあった。しかし、全米黒人地位向上協会（NAACP）の協会員ローザ・パークス（Rosa Parks, 1913-2005）が席を譲らなかったため、逮捕されるという事件が起きた。これが火種となり、バスのボイコット運動が起きた。ボイコットは一年余続き、黒人利用者に頼っていたバス会社は倒産寸前まで追いやられ、翌年の最高裁で黒人がバスで好きな場所に座ることができるという判決を勝ち取ることができたのだ。この運動を先導したのが、「私には夢がある」（"I Have a Dream," 1963）の演説で私たち日本人にもよく知られているキング牧師（Martin Luther King Jr., 1929-1968）である。作家のボールドウィンも一時期パリで暮らしていたが、一九五〇年代後半にはアメリカに戻り、キング牧師と一緒に公民権運動の行進を敢行した。

キング牧師が演説で高らかに謳った理想はいまでは伝説となっている。分離された公共の場（たとえばレストランの白人専用席）に無言で座り続けるシット・インや黒人と白人のグループが混在してバスに乗るフリーダム・ライドやデモなどの非暴力の抗議、その高まりに危機感を募らせた白人至上主義たちやその肩を持つ警察は黒人たちに牙を剝いた。フリーダム・ライドのバスは放火され、大規模なデモ運動が行われたアラバマ州のバーミングハムではデモに参加した少年が警察犬に食いちぎられたり、高圧ホースで吹き飛ばされたりした。また、ＫＫＫによって教会が爆破され、四人の少女が爆死するという痛ましい事件などが起こり、多くの犠牲者を出した。

だが、その結果、ますます公民権運動は世界的な注目を浴び、支持を増やしていったのである。

「美しき黒」という価値観

キング牧師とよく比較される同時代の黒人解放の運動家にマルコムX（Malcolm X, 1925-1965）がいる。アメリカの黒人史に徒花（あだばな）のように不気味な存在感を放つその生涯は、自伝をもとにデンゼル・ワシントン（Denzel Washington, 1954–）主演で一九九二年に映画化された。公開当時、大学生だった私はスペイン語の先生から話題の問題作の主人公マルコム・エックスの生涯を教わり、衝撃を受けたものだ。

幼少期に、牧師であった父親がKKKによって暴行の上に轢死させられるという事件が起こり、母は発狂し、精神病院に入れられ、マルコムはほかの兄弟たちと同様に里子に出された。やがてニューヨークに出てハーレムでギャンブルや売春、強盗などの悪事に手を染め、刑務所に入れられるというお定まりの不良少年の道を歩むが、獄中でイスラム教徒となったことが転機となった。マルコムは、ネイションズ・オブ・イスラムの熱心な活動家となり、教団の指導者から祖先をたどれない、つまりアイデンティティがなく、未来を奪われた未知数を表すエックスを姓として授けられた。しかし、教団内の腐敗に失望したマルコムはこれを告発し、自らアフリカ系アメリカ人統一機構を組織する。教団の暗殺対象者となったマルコムは、ワシントンハイツで演説中に狙撃され、三十九歳の命を散らせた。

キング牧師が同じく三十九歳で銃弾に倒れたのは、マルコムの死後三年の月日が過ぎた一九六八年のことである。ちなみにボールドウィンは、このふたりの暗殺について『巷に名もなく——闘争のあいまの手記』(*No Name in the Street*, 1972) というエッセイ集に綴っている。

非暴力で白人との融和を訴えるキング牧師と異なり、マルコムは過激な黒人至上主義者として知られている。彼は西洋社会では忌まわしい色とされていた黒こそが美の極みであり、白こそ悪魔の色だと訴え、白人たちの作り出した従来の価値観を覆そうとした。「黒は美しい」("Black is beautiful") ——これは奇しくもシェイクスピアがソネット集の中で、金髪で色白の女性が美しいと考えられた当時に恋人ダーク・レディの持つ黒の美を称えた詩(ソネット第一二七番)の言葉と同じである。

かつては黒い色は美しいとは考えられず、
考えられたにしても美と呼ばれはしなかった。
だが今や黒が美の正当な後継ぎとなり、
かつての美は庶子の汚名をきせられている。
誰もが自然の力を勝手に奪い取り、
人工の仮面で醜を美にするようになってからは、
美しい美はもてはやされも尊ばれもせず、
屈辱こそ受けなくてもその神聖さは汚されている。
それで私の恋人の眼も鴉のように黒いのだが、

色白（フェア）には生れなくても美にはこと欠かず
偽りの評価で自然の造化を冒瀆している者たちを、
眼と額は黒衣をつけて嘆いているように思える。
だがその嘆きぶりが悲しみを美しくしているために、
美はその色でなければならないと誰もが言うのだ。[12]

詩人はこの黒い肌と黒い瞳を持つ女性に対する肉欲の懊悩をいくつかのソネットに託した。マルコムは遠い昔に白人によって書かれたこれらの詩を知っていただろうか。

ニューヨークのナイト・クルージング――映画『タクシードライバー』（一九七〇年代）

一九七〇年代のニューヨークがいかに危険で荒廃していたか。それは、マーティン・スコセッシ監督の映画『タクシードライバー』（*Taxi Driver*, 1976）を見れば一目瞭然である。この作品は、ベトナム戦争に疲弊し、社会悪に立ち向かう若者とニューヨークの街とが渾然一体となって、当時のアメリカの闇を炙り出した名作である。

六〇年代から七〇年代にかけてのアメリカでは『俺たちに明日はない』（*Bonnie and Clyde*, 1967）、『卒業』（*The Graduate*, 1967）、『カッコーの巣の上で』（*One Flew Over the Cuckoo's Nest*, 1975）など、反体制的な若者を主人公にした映画作品、いわゆるアメリカン・ニューシネマが製作された。『タクシードライバー』はその末期の代表作である。三島由紀夫が東大全共闘と討論を交わしたのが一九六九年であることを考えると、アメリカで巻き起こった大学紛争やヒッピー・ブーム、つまり若者の社会への憤り、反体制志向は世界中の若者が共有していたものだったということがわかる。

ロバート・デ・ニーロ演じる主人公トラヴィスはニューヨークでタクシーの運転手として働き始める。考えてみると、タクシードライバーほどその街の空気を肌で感じることのできる職業はないのではないだろうか。その場所の様々な人々を客として乗せ、その街の様々な時間帯を移動する。高級住宅街に行くこともあれば、場末の貧民窟にも行く。乗客は一期一会の気安さから無防備に素の自分を曝け出す。

ニューヨークに頻繁に行っていた頃、ジョン・エフ・ケネディ空港までの道のりを、車窓から遠くなるマンハッタンの街並みを眺めながら、いろいろなドライバーと話をして過ごした。彼らはたいてい中南米、インド、エジプトからの移民だった。ある時、ホテルのドアマンの紹介でエクアドル人のドライバーに空港までの送迎をお願いしたことがある。ホテルの前で待っていると、ニューヨーク市公認のイエローキャブではなく、高級なアメリカ車が停まった。聞けば、彼は、タクシードライバーとして地道に働き、懸命に貯金をして高級車を購入したのだという。彼が丁寧な接客を売りに紹介制にすることを思いついたのは、ニューヨークの治安の悪さゆえである。ブロンクス地区まで客

『タクシードライバー』[Blu-ray]
(Ⓒソニー・ピクチャーズエンタテインメント)

を乗せ、半殺しにされた仲間が何人もいて、客層を絞れば危険な目に遭わずにすむのではないかと考えたのだ。いまではビジネスも軌道に乗り、むしろ手が足りないくらいで、エクアドルから従兄を呼んで一緒に仕事をしているのだと嬉しそうに話していた。当時を思い返すと、ドライバーたちは口を揃えてブロンクスは危ないと語っていたように思う。

十九世紀から二十世紀前半まではギャングが住んだファイブ・ポインツを含むロウアー・イースト・サイドやヘルズキッチンが最も危険な地域と言われた。だが、治安が悪いと言われる場所も年月によって変わっていく。たとえば、ポートオーソリティ・バスセンター周辺のヘルズキッチンは、かつては追いはぎの頻出する地獄のような場所であったことからその名がついたと言われるが、現在は地の利のよさからマンハッタンの再開発によって高級化が進んでいる。二〇二〇年現在は、ニューヨーク市屈指の危険な無法地帯はサウスブロンクスに並んで、ブルックリンのブラウンズビル周辺のイーストニューヨークと呼ばれる地域だと言われている。二〇一八年にも白昼に少年がバスケットコートで射殺され、二〇一九年には公園で無差別銃乱射事件が起こったばかりだ。黒人とヒスパニック系の貧困層が暮らすこのエリアには地元民でさえも近づきたがらない。ブルックリンと言えば、ダンボやウィリアムズバーグなど治安のよいお洒落なスポットに目が向きがちだが、このブラウンズビルは観光客であれば絶対に行ってはいけない場所である。

七〇年代にはハーレムがまさに現在のブラウンズビルのような場所だったのだろう。検事時代からマフィア一掃計画に取り組んでいたルドルフ・ジュリアーニ（Rudolph Giuliani, 1944-）が一九九四年に市長になってから、ニューヨークの犯罪率は驚異的に減少した。マンハッタンの中心地も再開発が進み、ニューヨークは世界の犯罪都市から世界屈指の観光都市へと生まれ変わった。いまでは私のように女のひとり旅で夜のハーレムにジャズを聴きに行ったり、地下鉄に乗ったりしてもさほど問題ない程度には治安は回復された。だが、ひと昔前は女性が夜にひとり歩きするなど言語道断だったのだ。

実際、『タクシードライバー』の冒頭には、トラヴィスがタクシー会社で職探しをしている時、「夜のハーレムは走れるか？」と聞かれ、「いつでも、どこへでも」と答え、雇われるという場面がある。トラヴィスは週に六日か七日十二時間以上、ニューヨークの街を走る。ヒッチコック映画のテーマソングの作曲で知られるバーナード・ハーマン（Bernard Hermann, 1911-1975）によるサックスのＢＧＭとともに運転席の窓越しに流れていくニューヨークの街は犯罪のメッカである。ネオンの光る夜の街――タクシーに物を投げつける少年たち。消火栓を壊し、道路を水浸しにする少女、小さな食料品店に強盗に入る男。それらはみな黒人だ。スラム化したハーレムでは窃盗、売春、殺人、麻薬の取引が日常茶飯事であった。

トラヴィスがなぜニューヨークにひとりで暮らしているのかについて詳細が語られることはない。わかっているのは彼がベトナム戦争の帰還兵で、一九七三年に除隊となってからも重度の不眠症に悩まされ続け、薬を常用しているということだけだ。一九七三年と言えば、アメリカがベトナム戦地から撤退した年だ。生前のキング牧師をはじめこの戦争には多くの人が反対の声をあげ、各地で抗議運動が起こった。ニューヨークも例外ではなく、一九六七年に大規模な反戦運動が起こった。この時期が社会に反逆するアンチ・ヒーローの視点から描かれたアメリカン・ニューシネマの黄金期であったことは偶然ではないのだ。それにもかかわらず、アメリカは戦争に介入し続け、泥沼にはまっていった。この戦争が若者に残した爪痕は大きく、帰還兵にはホームレスになる者も多く、その中にはなにかしらの精神的な問題を抱えている者も少なからずいたという。

以前、アメリカから帰国の途上、飛行機がアラスカに緊急着陸したことがあった。帰還兵が薬による幻覚症状を起こし、乗客に暴力をふるったため、強制送還になったのだ。乗客を敵兵と思い込んで隣の日本人女性に殴りかかったという。トラヴィスも戦争で何かしらの精神的な傷を負ったひとりなのだろう。この映画が公開された一九七六年は、まだベトナム戦争の記憶は生々しく、トラヴィスと同じ闇を抱えている青年も多かったはずだ。

意中の女性に拒絶され、もともと友人もいないトラヴィスの孤独の闇はますます深くなっていく。鏡の中の自分にひとり語りかけるトラヴィス。内面にため込んだ彼の思いを受けとめるのは一冊のノートだけだった。

ある雨の夜、トラヴィスの車はニューヨークの繁華街を通り過ぎる。タイヤが軋み、舗道に反射する赤や緑やピンクのネオンは雨に滲んでいる。ノートに綴られた次の文章はトラヴィスの目から見たその日のニューヨークの光景である。

雨が人間のクズどもを通りから洗い流してくれることを神に感謝します。夜に出歩く動物たちは、お下劣な女ども、ホモ、マリファナ好き、麻薬密売人。吐き気がする。堕落だ！　いつか本物の雨がゲスどもを通りから洗い流すだろう。お客に言われれば俺はどこへでも行く。ブロンクスでもブルックリンでもハーレムでも。構わない。どこだって同じさ。黒人を乗せないやつもいるが、俺は乗せる。大したことじゃない。[13]

トラヴィスの内にはニューヨークの街にみなぎる悪を一掃したいという欲求の嵐が渦巻いている。だが、これはいま始まったことではない。タクシードライバーになる以前もトラヴィスは眠れぬ夜を地下鉄やバスで街をあてどなくさまよって過ごしてきたのだ。ドライバーに応募したのは、どうせなら給料をもらって夜の街を徘徊したほうがいいと思いついたからなのだ。

ロウアー・イースト・サイドのB街――かっては最下層の移民が住み、ギャングたちが暗躍したこの界隈は、七〇年代になっても低所得者向けの市営住宅の並ぶ治安の悪い場所で、麻薬売買が行われ、ホームレスがしばしば暴動を起こした。真っ昼間の路上で酔っ払いが殴られ、うらぶれた薄暗いアパートからは暇をもてあまし、よどんだ目をした住民が通りを眺めている。

この頽廃した地域で出会った年端もいかぬ娼婦が、トラヴィスに「街の浄化」を行動に移す契機を与えてくれる。浄化すべきは少女の純粋な心につけ入って彼女の若い肉体を金銭で男たちに提供する中年の恋人である。トラヴィスは銃を揃え、体を鍛える。そして、鏡の中の自分に向かって話しかけるのだ。

よく聞け、ボケ野郎、もうこれ以上我慢出来ないやつがここにいる。このままにしておけないやつが……。聞け、クズども。もうこれ以上我慢できないやつがここにいるんだ。クズども、クソ女ども、淫売ども、悪党どもに立ち向かうやつがここにいるんだぞ。立ち上がったやつが、ここに。

大統領候補の政治家は街頭演説で、国民がいかにベトナムで苦しみ、失業やインフレ、犯罪や腐敗で苦しみ続けているか、それを改善するのにいかに自分が適しているかについて朗々と弁舌をふるう。しかし、政治家の大言壮語はかえってそらぞらしく街にこだまするだけだ。トラヴィスは少女を救うためヒモの恋人、用心棒、元締めの三人を射殺し、撃ち合いの最中に自らも負傷する。奇跡的に助かったトラヴィスは、少女を悪人から救った英雄として新聞で取り上げられ、少女の家族から礼状も届く。

戦地で命を懸けて戦ってきた人間の目には、金と欲望の亡者ばかりの街は許しがたい悪徳の象徴に映ったにちがいない。大局的に見れば、トラヴィスの行動はひとりの少女を救ったが、ニューヨークの街を変えることはできなかった。しかしながら、彼は本気でこの街を浄化しようと考えていたわけではないのだろう。ベトナム戦争後の空洞化した精神と鬱屈した生活に風穴をあけ、動き出すきっかけを求めてニューヨークを徘徊していたトラヴィスは、事件後には不眠症も改善され、一時は暗殺を試みた政治家が当選確実であることを笑いながら語れるようになる。渦巻く悪に一石を投じるという行動が彼の中でひとつのカタルシスの役割を果たしたことは間違いない。だが、大都市の抱える深い闇は何事もなかったかのように毒々しいネオンを放つ。映画は欲望と腐敗を呑み込んでなおも眠らぬ街をトラヴィスのタクシーが走り抜けていく場面でエンド・ロールとなる。

『キング・オブ・コメディ』（一九八〇年代）

映画『キング・オブ・コメディ』（*The King of Comedy*, 1982）も、『タクシードライバー』と同じくマーティン・スコセッシ監督とロバート・デ・ニーロがタッグを組んだ作品である。ニューヨークで生まれ育ったイタリア系のふたりは、一九七七年にも『ニューヨーク・ニューヨーク』（*New York, New York*）でコンビを組んでいる。ちなみに、フランク・シナトラ（Frank Sinatra, 1915-1998）が翌年カバーした『ニューヨーク・ニューヨーク』のテーマソングはニューヨーク市民に愛されている。もちろん、『キング・オブ・コメディ』もニューヨークが舞台である。

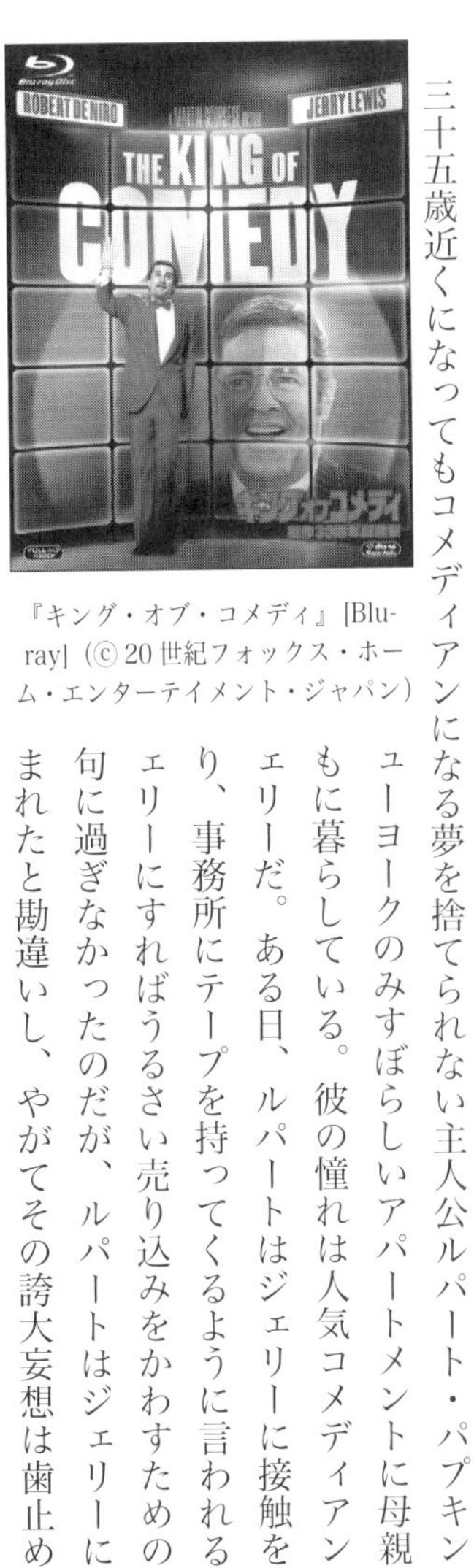

『キング・オブ・コメディ』[Blu-ray]（ⓒ20世紀フォックス・ホーム・エンターテイメント・ジャパン）

三十五歳近くになってもコメディアンになる夢を捨てられない主人公ルパート・パプキンはニューヨークのみすぼらしいアパートメントに母親とともに暮らしている。彼の憧れは人気コメディアンのジェリーだ。ある日、ルパートはジェリーに接触をはかり、事務所にテープを持ってくるように言われる。ジェリーにすればうるさい売り込みをかわすための常套句に過ぎなかったのだが、ルパートはジェリーに見込まれたと勘違いし、やがてその誇大妄想は歯止めきかなくなり、妄想と現実とが混同されていく。

事務所に毎日のように通い、ジェリーの別荘に友人だと言って押しかけ、挙句の果てにつまみ出される。ついにルパートはジェリーの熱烈な女性ファンと共謀してジェリーを誘拐するという暴挙に出る。そして、身代金代わりに彼が要求したことは、ジェリーの冠番組であるテレビショーにゲストとして出演することだった。

ルパートは出演したショーで披露したネタにジェリー誘拐の事実を織り込み、それは芸能界に入るための手段だったとして、次のように観客に語りかけ、拍手喝采の中、舞台を去る。

明日にはみなさんは僕が言ったことが冗談ではなかったと知って、僕のことをイカれたヤツだと思うでしょう。でもね、僕はこう思うんですよ。一生を落ちこぼれで終わるよりも一夜でも王になるほうがいいとね。[14]

その後、ルパートは逮捕されるが、全米に放送された内容とこのスキャンダルが話題を呼び、「一夜の王」として数々の雑誌の表紙を飾る。自伝も好評で出所後は本物のキング・オブ・コメディとなるのだ。

売れっ子のコメディアンであるジェリーの高級なアパートメントや別荘、中心街のビルにあるオフィスと、周囲に変人扱いされているルパートの古めかしいアパートメント、学生時代には高嶺の花だったクラスメイトが働いている小さなバーとは、コメディという共通項を境に正反対の世界を示す。成功者と落ちこぼれ、金持ちと貧乏人——この格差を乗り越えて、反対側に行くにはハイジャックしかない。鋭い対立を描く階層が混在している大都会で、たとえ一夜であっても王になる道を選ぶという賭けに出たルパートの勇気を大衆は称賛したのかもしれない。

底辺から浮かび上がって、一瞬でもスポットライトを浴びたいと願う社会のはみだし者の夢を戯画化したこの奇妙な映画に潜む格差社会の問題は、同じく一九八〇年代初期を背景にした映画『ジョーカー』(*Joker*, 2019) において格段に過激で凄惨な、そしてグロテスクな形となって引き継がれていく。主演のホアキン・フェニックス (Joaquin Phoenix, 1974-) がアカデミー主演男優賞を受賞したことで話題となった『ジョーカー』でフェニックス演じるコメディアン志望の主人公が憧れる人気コメディアン役に『タクシードライバー』と『キング・オブ・コメディ』で反体制側の若者を演じたデ・ニーロが抜擢されたのは偶然ではないだろう。むしろデ・ニーロの出演は監督のトッド・フィリップス (Todd Philips, 1970-) の悲願であった。フィリップスは『タクシードライバー』と『キング・オブ・コメディ』に大きな影響を受けてこの新たな名作を世に送り出したのだから。

悪へと疾駆する哀しきピエロ——『ジョーカー』

『ジョーカー』は、ピエロに扮してプラカードを手に街頭に立つ主人公アーサーがヒスパニック系の不良少年たちに襲撃される場面から始まる。護身用に仕事仲間から銃を渡されるが、そのことが原因で解雇されてしまう。軽い認知症でほぼ寝たきりの母親を優しく介護するコメディアン志望の中年男アーサーは、ブラウンズビルをモチーフにした劣悪なスラム街にある低所得者層用のアパートメントで暮らしている。彼は突然に笑い出す発作を持っており、周囲から奇異の目で見られて孤独である。さらに、惨めな生活に追い討ちをかけるように失業という憂き目に遭う。

そんなアーサーが街の英雄として祭り上げられるようになるのは、深夜の電車で酔っ払って殴りかかってきたウォール街のエリート証券マンたちを射殺して以降のことである。この事件は貧困層による富裕層への復讐としてとらえられ、この事件をきっかけに格差社会に対する不満を募らせていた人々はピエロの仮面をかぶり、各地で暴動を起こすようになる。七〇年代後半にはニューヨーク市は金融業をはじめビジネスに助成を行い始め、八〇年代には経済が回復し始めるが、その一方で公共サービスは縮小された。アーサーが通っていた公共事業の一環であったカウンセリングも閉鎖される。政府から優遇される金融業に就く者と切り捨てられる低所得者層との対比は、世界屈指の金融の中心地ウォール街で我が世の春を享受する殺された証券マンたちとアーサーとの関係に投影されているのだ。

射殺事件後、母親にも仕事仲間にも裏切られ、憧れていた人気コメディアンのマレーにも笑い者にされたアーサーの精神は常軌を逸していく。ついにゲストとして出演したマレーのコメディ・ショーの生放送で地下鉄殺人の犯人であることを告白し、諌(いさ)めるマレーを銃で撃ち殺す。その日、街は貧困層による暴動で焼き払われ、富裕層は殺害され、大混乱に陥っていた。護送中に暴徒によって救出されたアーサーは、火を放たれた大都会の混乱を背景に貧困層の救世主、反逆のヒーローとして崇められ、パトカーの上で緑色に染められた髪に赤いスーツという出で立ちで、自らの血で唇に描いたスマイルを浮かべてステップを踏むのである。悪の誕生の瞬間である。

『ジョーカー』はアメリカのDCコミック『バットマン』(*Batman*, 1940) シリーズの悪役であるジョーカー誕生の経緯を描いた作品であることから、舞台は『バットマン』と同じゴッサム・シティとされている。ゴッサム・シティは架空の都市であるが、以前からニューヨークの異名として使われることがあった。『ジョーカー』の中では時代や場所が明言されることはないが、監督のフィリップスは、自分の頭の中では常に一九八一年のニューヨークをイメージしていたと語っており、ブルックリン生まれの彼の記憶する当時のニューヨーク、つまり「荒れて廃墟と化した都会の街」がジョーカーにぴったりだと思ったと語っている。[15] アッパーウェストサイド育ちの美術担当のマーク・フリードバーグ (Mark Friedberg) は八〇年代の街の光景を「荒れた街で、汚くて機能してなかった。市の機関はどこもスト中か腐敗しているか、街じゅうがゴミだらけだった。社会が破綻しているようだったよ」とふり返っている。一九七五年から起こっていた清掃業者のストライキの問題はこの時には最悪の状況を迎えていた。

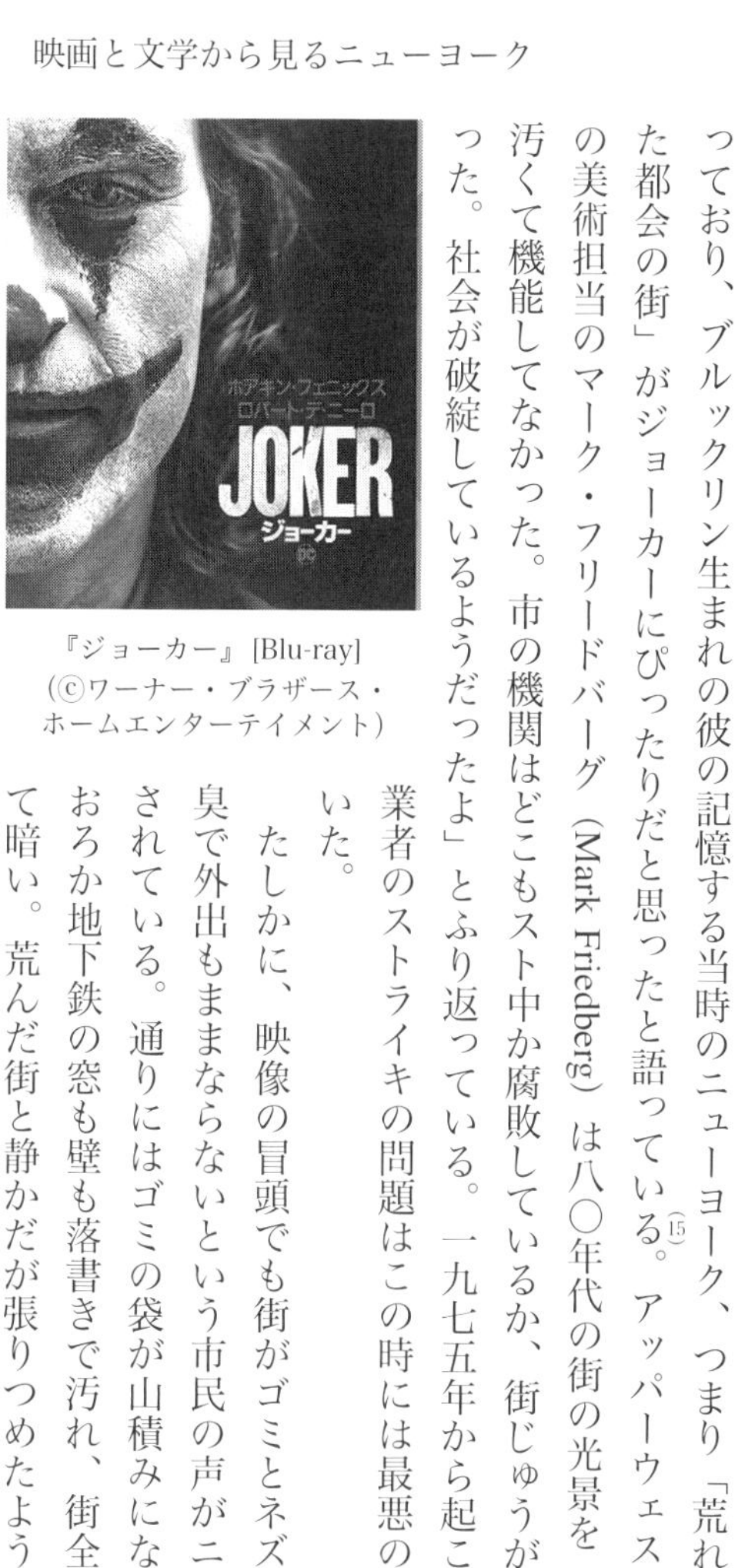

『ジョーカー』[Blu-ray]
(ⓒワーナー・ブラザース・ホームエンターテイメント)

たしかに、映像の冒頭でも街がゴミとネズミだらけで悪臭で外出もままならないという市民の声がニュースで紹介されている。通りにはゴミの袋が山積みになり、街の壁はおろか地下鉄の窓も壁も落書きで汚れ、街全体が鬱蒼として暗い。荒んだ街と静かだが張りつめたような陰鬱で重厚なチェロの低音とが踏みにじられた人間が歪んでいく様と溶けあって、飼い慣らされた弱者の殻を突き破って血の洗礼から炸裂する悪のパワー、悪のヒーローの誕生する光景がより鮮烈に感じられるのだ。

だが、私が秀逸だと思うのは、ラストの精神病棟のシーンでアーサーが自分の行いをジョークに仕立てて笑い飛ばしながら、シナトラの「ザッツ・ライフ」（"That's Life," 1966）を口ずさむ部分である。アーサーの泣き笑いのような切ない表情には、自分を踏みつけにした人々に殺害という方法でしか立ち向かうことができなかった人間の悲哀が漂っている。歌のタイトル「ザッツ・ライフ」とは、いやなことが起こった時、諦念の気持ちで「人生とはそういうものだ」と言い聞かせたり、「仕方がない」と慰めたりする言葉として使われる。私もスケートの取材で、本番で実力を出し切れなかった選手がこの言葉を使うのを何度となく耳にしたことがある。

「ザッツ・ライフ」は作品中でこのラストシーン以外にも二回――地下鉄で初めて殺人を犯した後で母と踊る場面、そして母を殺害した後、自分を裏切った同僚の殺害とマレーの殺害へと一気に悪に疾走する直前にひとり踊り狂う場面――で流れる。映画の中で重要なメッセージ性を持っていることは疑いないだろう。

注目すべきはこの歌がかかる時にはアーサーがいつも素顔だということだ。彼にとって人生を幸福だと思えない時に、前を向くためのスイッチを入れてくれるのがこの曲なのだろう。精神病棟のカウンセラーを前にして「人生ってそんなもの、思うようにはならない。見かけどおり滑稽なものだ。夢を踏みつけにして喜ぶやつらもいる。でも、そうはさせない。そんなことで僕をダメにはさせないよ」という歌詞をなぞるアーサーもメイクを施してはいない。[16] 彼にとってピエロとは裸の心を、悲しみを隠す仮面だったのかもしれない。「いつも笑顔でいて、周囲の人を笑わせてあげなさい」と母に言われて育った彼は、何があってもコメディアンであり続けようとした。その結果、あまりにも悲惨な人生を喜劇化するために自分を傷つける人々を葬るほかなかったのかもしれない。

社会に見捨てられ、人に蔑まれ、舗道のゴミのように扱われることに「人生ってそんなもんだよ、仕方がないさ」と甘んじる――そんな生き方に耐えていくにはアーサーにとって人生は過酷すぎた。彼の心は限界点に達し、暴発した。流血の惨劇は彼が人生を前向きに生きるために、つまり歪んだ喜劇を生き抜くために必要な儀式だったのだ。言うまでもなく、このグロテスクな喜劇、ピエロの哀しみは、格差社会の最たる場所、ニューヨークがモチーフになっているからこそ際立つのだ。時代設定となった一九八一年の翌年、アメリカの失業率は一〇パーセントを超えた。

ヤッピーたちの苦悩（一九八〇年代）

『ジョーカー』を見ていてふとマイケル・ジャクソンの「今夜はビート・イット」（"Beat It," 1983）や「ビリー・ジーン」（"Billie Jean," 1983）のプロモーション・ビデオを思い出した。記憶の中ではマイケルの踊っていた背景は荒廃した街だったが、あれはニューヨークを模したのだろうか。ニューヨークに現れた巨大なマシュマロマンを退治する落ちこぼれの元研究者たちの活躍を描いたコメディ映画『ゴースト・バスターズ』（*Ghostbusters*, 1984）が大流行したのもこの頃だ。現在のようにインターネットもなく、海外がずっと遠くに感じられたあの時代、英語を習い始めたばかりの私は洋楽や映画から窺い知る危険な匂いのするニューヨークになぜか惹かれていた。『ジョーカー』を観てどこか懐かしく感じたのは、私にとってのニューヨークの原型がそこにあったからかもしれない。

エイズの流行が社会問題となった一九八四年、「サリンジャーの再来」と謳われたジェイ・マキナニー（Jay McInerney,1955-）の二人称の小説『ブライト・ライツ、ビッグ・シティ』（*Bright Lights, Big City*）が刊行され、若者に大きな支持を得てベストセラーになった。

表題にもあるとおり、ここで描かれるニューヨークはまさに煌びやかで華やかな大都会である。『キング・オブ・コメディ』のルパートや『ジョーカー』のアーサーとは別世界にいるエリートが主人公である。八〇年代の半ば、金融業を中心に経済が好転し始めたこの時期、知的職業に就く都会のエリートの若者を指す「ヤッピー」（"yuppie"）という言葉が使われ始めた。大手出版社に勤務し、美しい妻がいて、夜な夜なナイトクラブにくり出す主人公の青年「きみ」（"you"）は、まさに「ヤッピー」の典型だ。だが、誰もが羨むような都会生活を満喫しているように見える「きみ」の内面は空虚である。仕事は、実際は、原稿の事実確認をするだけの単調な内容で、妻には捨てられたときている。その心の空洞を埋めるかのように、「きみ」はドラッグにすがる。

傷心の「きみ」は、妻アマンダとカンザスで知り合った時のことを思い出す。アマンダは、東海岸の出身だと言っただけで、マンハッタンから来たと思い込んで彼に夢中になったのだ。これはなにもアマンダに限ったことではなく、内陸の人々は東海岸の他の都市、たとえばマサチューセッツやニューイングランドから来たと話してもニューヨーク出身ととらえ、羨望の眼差しで見るというエピソードが披露される。「きみ」はアマンダが一度も行ったことのないニューヨークのことを隈なく知っていることに驚かされたことを思い出す。

田舎者丸出しで自分の美貌に気がついていないアマンダの純朴さに惹かれた「きみ」と異なり、アマンダはニューヨークでの生活と「きみ」のステータスに憧れたのだ。結婚にはむしろ彼女のほうが積極的だった。だが、いざ結婚してニューヨークでの生活がスタートすると、バイトで始めたモデルの仕事が軌道に乗ったアマンダは、カメラマンと恋仲になって「きみ」から離れていったのだ。彼女はニューヨークに出る足がかりに「きみ」を利用し、踏み台にしただけだった。ニューヨークはふたりを結びつけたキューピッドの放った金の矢でもあるが、別れの原因ともなった鉛の矢の役割も果たしている。

実は、一九八八年にこの作品は映画化され、『再会の街／ブライトライツ・ビッグシティ』というタイトルで日本でも公開された。当時高校生だった私も劇場に足を運んだ。アメリカで一九八二年から八九年まで放映された人気テレビドラマ『ファミリー・タイズ』(*Family Ties*)のキートン家の長男アレックスやヒューイ・ルイス＆ザ・ニュース (Huey Lewis & The News)の歌う主題歌「パワー・オブ・ラブ」("The Power of Love," 1985) とともに大ヒットしたSF映画『バック・トゥー・ザ・フューチャー』(*Back to the Future*, 1985) のマーティ役など、コメディタッチの役柄を演じていたマイケル・ジェイ・フォックス (Michael J. Fox, 1961-) 主演ということで楽しみに出かけたが、期待を裏切られたことをいまだに覚えている。すっきりしない気持ちで友人と言葉少なに映画館を後にした。私の理解が足りなかったのか、ミス・キャストだったのか、遠い記憶でいまでは判断がつかない。だが、その理由は、原作者のマキナニーが脚本を担当したとはいえ、「きみ」として語りかける当時としてはかなり新鮮な二人称の手法を映画で表現するのが難しかったためではないかといまにして思う。

二人称の使用は、主人公の「きみ」自身に醒めた目で自分の行いをみつめるもうひとつの視点を与える効果と訳者の高橋源一郎が「解説」で示唆しているとおり、「きみ」と呼ばれることで消費社会に浮かれ騒ぐ読者ひとりひとりの行いに直接に突き刺さる効果があったことが挙げられる。むしろ、『ブライト・ライツ、ビッグ・シティ』は「語り」の力こそ小説の武器であることを逆説的に証明してくれる作品なのである。

たとえば、明け方のニューヨークの街をさまよいながら、「きみ」が遠い昔にこの地を歩いたネイティヴ・アメリカンやオランダ移民たちに思いをめぐらせ、自己と重ねあわせることで再生へと向かおうとするラストシーンは小説だからこそぐっと心に響くのではないだろうか。

朝の最初の光が、マンハッタン島の突端に、国際貿易センターのツイン・タワーの輪郭を浮かび上がらせる。きみはくるりと踵を返し、アップタウンへ向かって歩き始める。アスファルトの剝がれた街路には玉石が転がっている。きみは想像する。この同じ玉石の上を最初のオランダ人入植者たちは木の靴で歩いた。そして、更に時を遡れば、誰もいない小道を進みアルゴンキン族の勇士たちが獲物を追いつめていったのだ。

どこへ行こうとしているのか、きみにもはっきりとはわからない。もう家へたどり着く元気など残ってはいまい。きみは足を速める。陽の光が路上を歩くきみを捕まえたら、きみの身体には取り返しのつかない化学変化が起こるだろう。[17]

その時、「きみ」を覚醒させたのが明け方の街に漂うパンの香ばしい匂いだった。それはアメリカを支える真面目な生活者の象徴でもある。まだ夜が明け切らない時間にパンが運搬されるのは「慎ましやかな生活を送る人たちの朝の食卓に間に合わせるためだ。心に疚（やま）しいことなど持たず、夜になると眠り、朝には卵を食べる人たちのためだ」と思う時、まともな食事もせずに、夜の華やぎに身を任せていた自己は偽りの姿であることに「きみ」は気がつく。パンの匂いは亡き母が焼いてくれたパンを思い出させる。まっとうな母親の姿をたどるかのように、「きみ」はトラックの荷台にパンを積み上げている男にパンを恵んでもらう。いや、無料ではなく、レイバンのサングラスと交換してもらうのだ。

「きみ」が顔を出していた数々のナイトクラブは実際にマンハッタンにあり、作中にはまるでガイドブックさながらに当時クールだった店の名前が列挙される。だが、ブランド物のサングラスに象徴されるそうした都市型の高級志向の産物は、パンという生活者にとっても最も必要なものへと還元される。跪（ひざまず）いて袋を引きちぎってパンをむさぼる最後の場面は、「きみ」が生活者へ戻るためのイニシエーションなのである。物質主義の最先端をいくニューヨークのナビゲーターが朝靄の中の一袋のパンに感謝を捧げるこのラストシーンは、豊かな消費社会の中で虚勢をはることに疲弊していた当時の若者の内面に深く切り込んだにちがいない。

究極の物質社会で生(せい)を感じる──『アメリカン・サイコ』(一九九〇年代)

そして、この翌年には本文で扱ったポール・オースターの『ニューヨーク三部作』が刊行されたわけだが、三部作の主人公たちは高級ナイトクラブに出かけたり、ドラッグに耽ることはない。だが、「社会的な自己」を取り去ったところにある「真の自己」と対面するという点においては、『ブライト・ライツ、ビッグ・シティ』との共通点も見える。

だが、九〇年代になると、「真の自己」と向き合うことすらせず、それが無意識に行われる場合もあるようだ。ブレット・イーストン・エリス(Bret Easton Ellis, 1964-)の小説『アメリカン・サイコ』(*American Psycho*, 1991)の主人公パトリック・ベイトマンの場合がそうである。ベイトマンはロングアイランドの名家出身、いわゆる東部出身のWASPであり、ハーバードの大学院修了という学歴の持ち主でウォール街の投資銀行の若き副頭取という「ヤッピー」の中でも最強の人物である。

ベイトマンは家柄や学歴のみならず、容貌も申し分ない。高級ブランドのスーツを着こなし、住まいは有名人が多く住むアッパーウェストサイドにある高級アパートメントである。部屋には最新のオーディオ機器が完備されている。ジムで体を鍛え、ニューヨーク屈指の高級レストランで同僚たちと食事をとる──まさにドラマのような毎日を謳歌している。当然、美女は選び放題である。彼が仰ぎ見るのは、当時は不動産王として知られていたドナルド・トランプである。

こうした生活に対する主人公の空虚感でも描くのかと思えば、その内面が描写されることはほとんどない。それどころがブランドや電気メーカーの名前の列挙、八〇年代のミュージック・シーンに関する蘊蓄（うんちく）が辟易するほど多くを占める。まるでこの構成自体が無機的な消費社会にどっぷりと浸かった主人公の精神性の欠如を示しているかのように……。精神性の欠如は名刺の素材やデザインにこだわり、レストランの格を競うなど、他人の目に自分がどう映るのかという一点にのみ神経を使うベイトマンの周囲の「ヤッピー」たちにも当てはまる。

だが、トップクラスの「ヤッピー」であるベイトマンには、実は周囲の者たちには隠しているもうひとつの顔があった。それは読んでいるこちらの胸が悪くなるような猟奇殺人への偏執である。夜ごとくり返される目を覆いたくなるような野蛮で残忍極まりない殺人――部屋に連れ込んだ女性に硫酸を浴びせたり、チェーンソーや電動ドリルを使って生き地獄を味わわせながら嬲（なぶ）り殺しにしたり、女体を切り刻んで脳髄をすすったり、体の一部を厚切りステーキにして食すなど――の詳細で執拗な描写にも多くの頁が割かれている。こうした快楽殺人の描写に非難が殺到したことは言うまでもない。二〇〇〇年にはクリスチャン・ベール（Christian Bale, 1974-）主演で映画化もされたが、臆病な私はいまだに手にとる勇気さえない。

しかしながら、煽情的な描写に惑わされて『アメリカン・サイコ』を評価するのは一方的に過ぎるだろう。持ち物や住居、出身校、所属している会社というブランドだけで人間の価値が決まる極端な消費社会の中で生きることは傍目で見るほど優雅ではないはずだ。記号化され、ランクづけされ、本来の自己は誰にも顧みられない中で、野蛮で血なまぐさい残忍な行為は、人間としての、いや、生き物としての自己の存在感を無意識に見出そうとする行為のようにも思える。三島由紀夫が看破した、ヨーロッパのそれとは異なるアメリカ独自のエネルギーとパワーの横溢するデカダンスがここにはある。アメリカ的なデカダンスが本領を発揮するにふさわしい場は、やはり人工都市ニューヨークを措いてほかにないだろう。コンクリートジャングルの中のいくら求めても終わりのない物質主義の社会の中で、生物としての裸の欲求が歪んだ形に凝縮され、ギリギリのところで爆発する。その精力的な残忍さはとどまることを知らない。

ブロンクスの聖画と聖骸布——ドン・デリーロ「天使エスメラルダ」

『アメリカン・サイコ』が刊行されたのは、映画『ゴースト／ニューヨークの幻』（*Ghost,* 1990）が公開された翌年だ。ニューヨークのアパートメントで同棲を開始して幸せいっぱいのサムとモリー。だが、間もなくサムは路上で強盗に殺害され、その日から幽霊となってモリーを守るというロマンティックな作品である。

ショートヘアの若き日のデミ・ムーア（Demi Moore, 1962-）演じる陶芸家のモリーが眠れぬ夜にろくろを回していると、背後からサムが彼女を抱きしめ、一緒にろくろを回して愛し合う場面が印象的だ。ＢＧＭにかかっていた「アンチェインド・メロディ」（“Unchained Melody,” 1955）の甘いボーカルが記憶に残っているが、ストーリーの詳細は忘却の彼方に消えてしまった。だが、殺人事件が起きてもおかしくないような物騒な街、犯人の男の住む汚いアパートメントや霊媒師の黒人女性の雑多な部屋の様子などは断片的に覚えている。

ジュリアーニ市長の働きによって九〇年代半ばにはマンハッタンが犯罪都市の汚名を返上したことは先にも書いたが、それが功を奏したのかマンハッタンは軽やかなロマンティック・コメディの聖地となった。一九九三年の『めぐり逢えたら』(*Sleepless in Seattle*)ではエンパイア・ステート・ビルディングがハート型のサインを点灯する場面が有名になり、一九九七年の『ベストフレンズ・ウェディング』(*My Best Friend's Wedding*)でも、主人公が相談を持ちかけるゲイの友人が暮らすのはニューヨークである。一九九八年には、映画『ユー・ガット・メール』(*You've Got Mail*)でニューヨークは恋人たちの街となり、ドラマ『セックス・アンド・ザ・シティ』の放映により、ファッショナブルな街として女性の憧れの都市となった。

だが、ニューヨークのすべての地域が安全で衛生的になったわけではない。たとえば、二〇一九年の『タイムズ』紙の記事によれば、サウスブロンクスは他のニューヨークの都市の二倍の犯罪率を示している。九〇年代半ばのブロンクスを舞台とした印象的な短編小説がある。ポストモダニズムの作家ドン・デリーロ(Don DeLillo, 1936-)の「天使エスメラルダ」("The Angel Esmeralda," 1994)である。ノーベル賞候補として常に名前が挙がる現代アメリカ最高の小説家としての呼び声高いデリーロのこの小品は、犯罪があとを絶たず、社会秩序からはずれた一区画として警察官からバード・サンクチュアリを短縮した言葉「バード」と呼ばれる「見捨てられた街路」、「火災にやられた建物や、引き取り手のない魂たちの氾濫」するブロンクスの生活困窮者たちの暮らし、そしてここで起こった「奇跡」を年老いた厳格な修道女シスター・エドガーの目を通して描いている。[18]

ブロンクス地区は一九七〇年代、アフリカ系アメリカ人の若者たちの政治や社会に対する鬱積した怒りが迸る音楽やダンス――音楽の「ラップ」、壁にスプレーで絵を描く「グラフィティ」、「ブレイクダンス」といったいわゆる「ヒップホップ」の生まれた地として知られるが、作中ではグラフィティ・アートの一団が近所で子どもがひとり死ぬごとに、石壁にスプレーで「追悼の天使」を描く。子どもの名前と年齢のほか死因やメッセージが書き込まれる場合もある。「結核、エイズ、撲殺、通りすがりの車からの射殺、血液疾患、麻疹、ネグレクトや乳幼児遺棄――ゴミ収集箱に置き去り、車内放置、クリスマスイブにゴミ袋に入れて捨てられた」など、グラフィティ・アートに添えられた子どもたちの死因がこの地区の惨状を物語っている。これらのグラフィティは悪趣味で天使を見たいのなら教会に行くべきだと憤るシスター・グレイシーに向かって、シスター・エドガーはここも教会であり、グラフィティを描く人たちこそ祝福すべきなのだと諭す。シスター・エドガーにとって、子どもたちの「恐ろしい死に様」こそが、この地区に属している自覚を持たせてくれる、いわば地区に結びつけてくれる胎盤のような役割を果たしているのだ。

ここに暮らす不法占拠者たちはシスター・エドガーの目には次のように映る。

彼らは略奪民であり、採集民であり、空き缶回収人であり、紙コップを片手に地下鉄車内を左右に体を揺らして進む人間たちである。穏やかな日には屋上で日光浴をしている娼婦たちもいれば、抑えの効かない凶暴さや下劣な冷淡さ、その他の犯罪に関して折り紙付きの男たちもいる。

そうした群れの中に、ある日、シスター・エドガーは「体も洗っていなさそうなのに、なぜか清潔この上なく見える」、「人を導き、維持する恩寵のようなもの」を持つ十二歳の少女エスメラルダを発見する。母親がドラッグ中毒で行方不明だというこの俊足の少女は修道女たちが近づこうとしても素早く逃げてしまう。シスター・グレイシーは心配するが、シスター・エドガーは大丈夫だと請け合う。だが、この確信は打ち砕かれる。数週間後、エスメラルダは強姦されたうえ、屋上から投げ捨てられ、変わり果てた姿で発見されたのだ。

「誰が我々を造ったのですか？　神様です」——シスター・エドガーは『ボルティモア教理要綱』の問答を心の中で必死に暗誦するが、無力感と喪失感に襲われる。

やがて巨大な広告掲示板にエスメラルダの顔が浮かぶという噂が立つ。シスター・エドガーはシスター・グレイシーが止めるのも聞かずにその光景を見に出かける。大勢の群衆の中にまぎれ、たしかにシスター・エドガーはエスメラルダの顔を目にした。その時、周囲の見知らぬ人々の哀悼の力はシスター・エドガー自身に伝わり、彼女自身のものとなったのだ。

長い間ブロンクスで奉仕生活をするうちに居住者は白人ではなく、中南米の移民が多くなった。肌の色のちがいに距離を感じ、心の底では親身になれなくなっていたシスター・エドガーは無教養な人々の信じる奇跡の中に「神意」を発見し、鋤で海を耕すように貧困からも怠惰からも脱け出せない人々の中にもたしかに存在する哀しみや弔いの念を共有することができたのだ。

暖房も照明も水道もない廃墟に暮らす貧窮者たちにとって、グラフィティ・アートのスプレーで描かれた漫画のような天使や、広告掲示板のエスメラルダの顔は、現代における聖画であり、聖骸布に浮かび上がる聖人の顔なのだ。救いようのない無法地帯の中に一筋の希望が見出される。デリーロはブロンクスのリトル・イタリーに育った熱心なカトリック信者であり、大学もブロンクスにあるカトリック系のフォーダム大学を卒業している。このような作品を描けるのは、カトリック信仰が自身の血肉となっているデリーロならではなのだろう。

一九九七年にデリーロは代表作『アンダーワールド』(*Underworld*)を刊行している。この浩瀚(こうかん)な小説をとおしてデリーロは冷戦時代から九〇年代までのアメリカの歴史を断片的なエピソードによって描いてみせるが、その舞台がニューヨークの場合もあり、この「天使エスメラルダ」のエピソードも作中に取り込まれている。

アメリカ同時多発テロ事件(2001. 9. 11)――デリーロ『堕ちてゆく男』

二〇〇一年九月十一日。ワールド・トレードセンター北棟にイスラム過激派組織アルカイダによってハイジャックされたアメリカン航空機が激突し、炎上した。その後、同じくハイジャックされたユナイテッド航空機便が南棟に激突した。その時、私はまともに見るでもなくテレビをつけていた。すると、突然に画面にあの光景が映し出されたのである。数年前に展望台に上ったこともあったあのガラスの超高層ビルに飛行機が突っ込み、炎に包まれて崩落していく――恐怖にかられ、寝ていた家人をたたき起こしたことをいまでも覚えている。

約二八〇〇人の死者を出したと言われるこのテロの起きた年にデリーロは『ハーパーズ・マガジン』に「崩れ落ちた未来にて――テロ、喪失、九月の影に覆われた時間」("IN THE RUINS OF THE FUTURE: Reflections on Terror, Loss and Time in the Shadow of September") という文章を寄せている。この中で、デリーロはテロを「武装した殉教」と呼んでいる。それはテロリストたちの「習慣と信仰に死をもたらした」アメリカの「近代社会の煌びやかな光輝」、「テクノロジーの推進力」、アメリカの「不信心」、「外交政策の無遠慮なパワー」、そして「アメリカの文化があらゆる壁を、家を、生活を、精神を貫き通す力」に対する信仰ゆえの怒りであり、彼らは神への絶対的服従のために死をもってアメリカを攻撃したのだと。[19]

「我々は神に頼る必要などないし、預言者にも、その他の驚異にも頼る必要はない。我々こそが驚異なのだ。奇跡こそ我々自身が生産するもの」と考えたアメリカが宗教の代わりに信奉してきたのが、最新のテクノロジーであった。その象徴であり、それを正当化したワールド・トレードセンターが破壊されたのだ。「あまりに時代遅れで、その目的を果たすためには自爆も厭わない熱情」を持つテロリストたちの「怒りの信仰による炎」によってアメリカ人の生活と精神は彼らの手に渡ってしまったのだ。アメリカ人の心に大きな傷跡を残した同時多発テロを題材にしたデリーロの小説『堕ちてゆく男』(*Falling Man*, 2007) は、まさに「彼ら」に日常を奪われた人間の姿を描いた作品である。

同時多発テロの惨事を撮影した数々の写真の中にタワーを背景に垂直に落下していく男性の写真がある。北棟のタワーの高層部から飛び降りた人々の数は二〇〇人近くいたという。「落下していく男」と呼ばれるようになった写真の男性もそのうちのひとりだ。「崩れ落ちた未来にて」の中でデリーロは「手に手を取り合ってタワーから落ちていく人々」を「対抗する物語の一部」とし、崩壊の中での「人間の美しさ」ととらえている。この「落下していく男」については投身している、つまり、広い意味では自殺と解釈することも可能であり、キリスト教社会において、受け容れがたいと感じる者もいたようだ。現に、写真の男性を特定しようとした際に、該当者と思われる家族は断固としてそれを拒否した。しかし、デリーロは彼らの落下は炎上するビルで何とか逃れる方法を模索した末の、テロに屈せずに最後まで生きようとした末の行為だと解釈したのであり、その姿勢を「人間の美しさ」と表現したのだろう。

『堕ちてゆく男』というタイトルは、写真のタワーから転落していく男性と、その写真と同じポーズをして街の高層ビルや劇場の天井などいたるところから突如ワイヤーで吊る下がる男、そして事件をきっかけに人生が変わってしまったワールド・トレードセンターで働いていたエリートの主人公キースを暗示している。

デリーロは、テロの当日、北棟にいたキースが灰や書類が降り落ちてくる現場より、血まみれでガラスの破片が体のあちこちに突き刺さった状態で歩き去る場面から物語を開始している。キースが向かった先は別居中の妻の部屋である。事件を契機に、息子と妻と三人の生活が再び始まる。だが、キースは逃げる中で現場から持ち運んだカバンの持ち主を探し出し、同じ場所で同じ経験をしたその女性と不倫関係に陥る。その後、不倫を清算し、仕事を辞め、賭け事で生活をするキース。一度は家族で暮らすことに希望を見出した妻は、キースの心をつかめないまま孤独を深め、テロ以前の息子とふたりの生活に戻ることを心に決める。並行してテロリストたちが決行にいたるまでの行動も描かれるなど、事件をいくつかの視点から描いていることも注目に値する。
この作品は、アメリカとイスラム過激派の対立として大局的にとらえられがちな事件にひとりひとりのドラマがあること、それぞれが傷を負っていること、九死に一生を得たとしてもその人生が大きく狂った人たちがいたこと、それでもなんとか生きていこうとしている人たちがいることを思い起こさせてくれる。その姿はあの九月の朝の青空に航空機の影がよぎった瞬間から、失われた未来をどう立て直していくのか、その答えを見出せないまま、歩み続けなければならないアメリカという国そのものと重なり合うのかもしれない。

移民たちの悲哀――映画『扉をたたく人』

『扉をたたく人』[DVD]
(ⓒ東宝)

『堕ちてゆく男』に描かれているように、テロ以降、アメリカ国民の生活は崩壊させせられた。だが、アメリカで暮らす移民たちの日常は、より大きな変化を迫られた。この問題を扱っている映画が『扉をたたく人』(*The Visitor*, 2007)である。低予算のうえ、短期間で撮影されたこの映画は、公開当初はたった四館でしか上映されなかった。しかし、評判が評判を呼び、蓋を開ければ、二七〇館で上映され、六か月のロングランというヒットとなった。この事実が証明するように、派手さはないが、静かな感動を与えてくれる佳作である。

脇役の名優として知られるリチャード・ジェンキンス（Richard Jenkins, 1947-）演じる主人公のウォルターは、コネティカット州の大学で教鞭を執っている。妻に先立たれ、教育にも研究にも無気力なまま過ごす毎日。そんな彼が、ある日、学会に出席するためにニューヨークに行くことからその日常は大きく変わる。ニューヨークに所有するセカンドハウスに久しぶりに入ると、そこには若いカップルが暮らしていた。ふたりは騙されて空き家になっているウォルターの部屋を貸された被害者であることがわかり、ウォルターは新しい部屋がみつかるまでふたりに滞在を許可する。

シリア出身でジャンベ奏者のタレクは気持ちのよい好青年でウォルターにジャンベの叩き方を教えてくれる。ジャンベとは西アフリカ発祥の太鼓のような打楽器であり、およそこの楽器とは無縁のように見えるウォルターがジャンベの魅力にハマっていく様子も微笑ましい。タレクはウォルターを誘い、ふたりはセントラル・パークでドラムのストリートセッションに参加する。ウォルターは新しい世界の広がりを感じ、生気を取り戻していく。ところが、セッションの帰りに楽器が邪魔で改札を通れないウォルターに手を貸したタレクが通過しようとすると、改札のバーが動かなくなってしまう。覆面警察に無賃乗車を疑われ、タレクは連行される。そこから不法滞在が発覚し、タレクは入管拘置所に収容される。タレクの恋人でセネガル出身のゼイナブも不法滞在者であり、その発覚を恐れるため面会に訪れることができない。やがて息子から連絡がないことを心配したタレクの母モーナがウォルターのアパートメントに訪ねてくる。美しい未亡人のモーナに惹かれるウォルター。ふたりの間には男女の感情が芽生えるが、タレクがシリアに強制送還となり、モーナは息子を追ってアメリカを発つ。ひとり残されたウォルターは地下鉄の駅でジャンベを演奏するのだった。

印象に残るのは、タレクが拘置所に入った後に、ゼイナブがスタテン島行きのフェリーでモーナに、タレクと一緒に行った場所を紹介するシーンである。ふたりを引き裂くきっかけとなったテロを思わせるツインタワーがあった場所を指さし、「あそこがツインタワーが建っていたところ。私は見れなかったけれど、タレクは見たって」と思い出を語る場面である。そして、今度は自由の女神を示して「あ、ほら。自由の女神。あの後ろがエリス島です。タレクったら大げさにあの像を指さして飛び跳ねるの。ここに着いた昔の移民の真似だとか言って。本当におかしかった」と語る[20]。移民の真似をしてはしゃいでいた無邪気なタレクがまさか不法滞在という移民問題で強制送還になるとは、フェリーでデートしていた頃のふたりはよもや想像もしていなかっただろう。タレクが入管拘置所で「俺は犯罪者じゃない。なにも悪いことはしていない。なのに、この仕打ちだ。俺はテロリストか？　テロリストはこんなところにいない。やつらには金も支援もあるからな。こんなの理不尽だ」と訴える場面では、タレクのやり場のない悲しみが凝縮されている。タレクの言葉は、同時多発テロによって不法移民への対処が厳しくなったことで人生を狂わされた人々の心の声を代弁している。アメリカの入管拘置所のあまりにも非人間的な扱いにウォルターが感情を爆発させる場面も胸を打つ。幸せなカップルを引き裂き、彼らの日常を奪う法律の無情さと同時多発テロの被害の記憶が蘇るシーンである。

監督のトム・マッカーシー（Tom McCarthy, 1966-）は、撮影中にニューヨークの街には星条旗がいっぱいだったと語っている。映画の中にも何度か星条旗が映り込んでいるが、それはセットではないという。たしかに同時多発テロの後、ニューヨークの街で星条旗をよく見かけたように思う。私のＣＤラックにはテロの後に再リリースされたホイットニー・ヒューストン（Whitney Houston, 1963-2012）のＣＤがある。一九九一年にスーパー・ボウルの決勝戦で歌ったアメリカの国歌「星条旗」（"The Star-Spangled Banner," 1814）とアメリカ愛国歌「アメリカ・ザ・ビューティフル」（"America the Beautiful," 1910）が入っており、ＣＤケースもディスクも星条旗がカラーで全面に印刷されている。売り上げはあの惨事の中で活躍した警察と消防士のための基金に寄付されると書いてある。たしかに、テロの直後、アメリカが直面した最大の国難で愛国心は高まっていた。

その一方で『扉をたたく人』に描かれているように、大量の移民を受け入れて大きくなってきたこの大都市が、この地を目指してやってくる人々に不寛容になったことも同時多発テロがもたらした悲しい一面である。映画が撮影されたのは、テロ発生から五年後であるが、宗教や人種間の断絶を修復するにはどれだけの時間がかかるだろう。あの日から今日までの苦難の日々を「血と試練がニューヨークを形成してきた」という『ギャング・オブ・ニューヨーク』の言葉に組み込むには二十年の月日はまだ浅い……、少なくとも私にはそう思える。

ドン・デリーロは先に引用した「崩れ落ちた未来にて」の中で、ツインタワーが撃破される一か月前にカナル通りで礼拝用敷物に座り、メッカの方角に向かって日没の祈りを捧げる若い女の姿を目にした。そして、その時に、それまでなかったほどにあることが鮮やかに心に浮かび上がったと綴っている。

ニューヨーク全体に及ぶ偉大さ、当たり前のことと思われている日常の偉大さである。この都市はありとあらゆる言語、儀式、信仰、そして意見を受け入れるのだ。

これがニューヨークの魅力であろう。だからこそ、これだけ多くの文学や映画にインスピレーションを与えてきたのだ。フランク・シナトラの「ニューヨーク・ニューヨーク」(“New York, New York,” 1977)の歌詞にあるように、その一部になりたいと思えば、なれる街。移民船に乗ってこの地に足を踏み入れた雑多な民族、縄張り争いや居住区で労苦に耐え、時には血を流し、ニューヨークを形成し、特徴づけてきた差異がそれぞれの光を放ち、大きなひとつの輝きとなるのだ。

しかし、デリーロが見かけたニューヨークの偉大さが戻ってくることを、信じたい。それが旅人の私を癒し、受け容れてくれたニューヨークという街のアイデンティティなのだから。

[註]

※本文中の同じ作品、書籍からの複数の引用は、最初に明記した文献からの引用である。
※DVDの字幕は著者による翻訳に変えた箇所がある。

(1) DVD『ギャング・オブ・ニューヨーク』(松竹、二〇〇二年)。
(2) ハーマン・メルヴィル、柴田元幸訳「書写人バートルビー —— ウォール街の物語」、『柴田元幸翻訳叢書　アメリカン・マスターピース　古典篇』(スイッチ・パブリッシング、二〇一三年)。
(3) 柴田元幸、「編訳者あとがき」、前掲書。
(4) バーナード・マラマッド、加島祥造訳『店員』(文遊社、二〇一三年)。
(5) "People of the Book 101: Bernard Malamud," by Marek Breiger, *Jewish Currents*, May 20, 2012. https://jewishcurrents.org/people-of-the-book-101-bernard-malamud/
(6) ソール・ベロー、大浦暁生訳『この日をつかめ』(新潮社、一九七一年)。
(7) アーサー・ミラー、倉橋健訳『アーサー・ミラーI　セールスマンの死』(早川書房、二〇〇六年)。
(8) Charles Dickens, *American Notes for General Circulation* (Penguin, 2001).
(9) DVD『ゴッドファーザー Part II』(パラマウントジャパン、二〇一四年)。
(10) DVD「音声解説」、『ゴッドファーザー Part II』(パラマウントジャパン、二〇一四年)。
(11) タイム・ライフ編、平野勇夫訳『マフィアの興亡』TRUE CRIME シリーズ3(同朋舎出版、一九九四年)。
(12) ウィリアム・シェイクスピア、田村一郎・坂本公延・六反田収・田淵實貴男訳『シェイクスピアのソネット――愛の虚構――』(文理 大学事業部、一九七五年)。
(13) DVD『タクシードライバー』(ソニー・ピクチャーズ エンタテインメント、二〇〇一年)。
(14) DVD『キング・オブ・コメディ』(20世紀 フォックス ホーム エンターテイメント ジャパン、二〇一四年)。
(15) DVD「新たなジョーカーとゴッサムを描く」、『ジョーカー』(ワーナー・ブラザース　ホームエンターテイメント、二〇二〇年)。
(16) Dean Kay & Kelly Gordon, "That's Life" (訳は著者による)。
(17) ジェイ・マキナニー、高橋源一郎訳『ブライト・ライツ、ビッグ・シティ』(新潮社、一九八八年)。
(18) ドン・デリーロ、上岡伸雄・高吉一郎訳「天使エスメラルダ」、『天使エスメラルダ――9つの物語』(新潮社、二〇一三年)。
(19) ドン・デリーロ、上岡伸雄訳「崩れ落ちた未来にて――テロ、喪失、九月の影に覆われた時間」、『新潮』第九十九巻第一号(新潮社、二〇〇二年)。
(20) DVD『扉をたたく人』(東宝、二〇〇九年)。

ワン・ワールド・トレードセンター（1WTC、ワールド・トレードセンター跡地）
（著者撮影）

あとがき

明日は東京に帰るという前夜、眠れないままにホテルの窓の近くに椅子を寄せ、間近に見えるクライスラー・ビルディングをみつめながら、ひとり夜明けを迎えたことがあります。あの時からもう十二年の月日が経過しました。私にとっては当時の自分をふり返り、一冊の本にまとめるにはそれだけの時間が必要だったのかもしれません。言葉にすることで、あの頃のニューヨークが、ふとした瞬間に私の心をよぎった文学の一節が、そして憑かれたようにあのガラスの大都市に飛んでいかずにはいられなかった私自身が心に鮮やかに蘇ってきます。

本書は『表現者』（二〇一七年九月号から二〇一八年一月号）、『表現者クライテリオン』（二〇一八年三月号から二〇一九年九月号〔二〇一九年五月号を除く〕）に連載したエッセイ「時の旅のエッセイ——ある街角から」に大幅に加筆・修正を施したものです。単行本として刊行するにあたり、地図と写真と引用の原文（英語）を付し、さらに「映画と文学から見るニューヨーク」の書き下ろしを加えました。連載中は『表現者』編集部には大変お世話になりました。この場を借りて感謝申し上げます。

本書の刊行を快諾してくださった鳥影社の百瀬精一社長には感謝してもしきれません。写真や地図、英文など、私が入れたかったニューヨークに関する事柄はすべてこの一冊に詰め込まれています。まるで子どもの頃に夢見た全種類が入った色とりどりのキャンディボックスのように、当初の予定よりずっと贅沢な本に仕上がりました。また、装幀を手がけてくださった吉田格氏にも感謝いたします。ティファニーブルーを思わせる美しい装幀はこれからも私にニューヨークの街とそこでの様々な出会いを思い起こさせてくれることでしょう。

そして最後に、私を受け容れてくれたニューヨークの街に心からの感謝を捧げたいと思います。

二〇二〇年十一月七日

鈴木ふさ子

〈著者紹介〉
鈴木 ふさ子（すずき ふさこ）
東京生まれ。文芸評論家。青山学院大学文学部英米文学科卒業。フェリス女学院大学大学院人文科学研究科英文学専攻博士後期課程修了。2003年、博士号（文学）取得。博士論文でオスカー・ワイルド及び三島由紀夫におけるワイルドの影響を論ずる。日本大学、青山学院大学、國學院大學で英語・英文学・比較文学を講ずる。大学の講師を務めながら、2008年よりフィギュアスケートの取材を開始。「美の追求者」と謳われたジョニー・ウィアー（2006年・2010年冬季五輪アメリカ代表）へのインタビューをフィギュアスケート専門誌に展開。取材のためニューヨークを頻繁に訪れる。『氷上のドリアン・グレイ——美しき男子フィギュアスケーターたち』（アーツアンドクラフツ、2018年）でミズノスポーツライター賞最優秀賞受賞。著書に『オスカー・ワイルドの曖昧性——デカダンスとキリスト教的要素』（開文社、2005年）、『三島由紀夫　悪の華へ』（アーツアンドクラフツ、2015年、国際文化表現学会学会賞受賞）、共著に『比較文学の世界』（南雲堂、2005年）、『ラヴレターを読む——愛の領分』（大修館書店、2008年）等。

そして、ニューヨーク
私が愛した文学の街

2021年1月30日初版第1刷発行
2022年5月14日初版第2刷発行
著　者　鈴木ふさ子
発行者　百瀬精一
発行所　鳥影社 (choeisha.com)
〒160-0023 東京都新宿区西新宿3-5-12トーカン新宿7F
電話 03-5948-6470, FAX 0120-586-771
〒392-0012 長野県諏訪市四賀229-1（本社・編集室）
電話 0266-53-2903, FAX 0266-58-6771
印刷・製本　モリモト印刷

ISBN978-4-86265-864-7 C0095

引用の原文

＊本文中で部分的に引用した場合、原文の該当箇所に下線を引いた。

プロローグ　写真家ソール・ライター

※1　A photographer's gift to the viewer is sometimes beauty in the overlooked ordinary.（*In No Great Hurry: 13 Lessons in Life with Saul Leiter*）

※2　I had the hope that the result would look like a photograph rather than a fashion photograph.（*In No Great Hurry: 13 Lessons in Life with Saul Leiter*）

※3　A window covered with raindrops interests me more than a photograph of a famous person....Everything is a photo...we live in a world today where almost everything is a photograph.　And the one nice thing about photography, it teaches you to look. It teaches you to appreciate all kinds of things.（*In No Great Hurry: 13 Lessons in Life with Saul Leiter*）

※4　Photographs are often treated as important moments but really they are little fragments and souvenirs of an unfinished world.（*In No Great Hurry, 13 Lessons in Life with Saul Leiter*）

※5　I like it when one is not certain of what one sees.　When we do not know why we are looking at it, all of a sudden we discover something that we start seeing. I like this confusion.（*In No Great Hurry: 13 Lessons in Life with Saul Leiter*）

※6　I cannot imagine living in other places.　I cannot imagine having a different kind of life.　I cannot imagine living in the country maybe, or otherwise I don't know, I could imagine things being

different.（*In No Great Hurry: 13 Lessons in Life with Saul Leiter*）

※7　I believe there is such a thing as a search for beauty–a delight in the nice things in the world. And I don't think one should have to apologize for it.（*In No Great Hurry: 13 Lessons in Life with Saul Leiter*）

※　8　I take photographs in my neighberhood. I think that mysterious things happen in familiar places. We don't always need to run to the other end of the world.（*In No Great Hurry: 13 Lessons in Life with Saul Leiter*）

1．カポーティ『ティファニーで朝食を』

※1　No, the blues are because you're getting fat or maybe it's been raining too long. You're sad, that's all. But the mean reds are horrible. You're afraid and you sweat like hell, but you don't know what you're afraid of. Except something bad is going to happen, only you don't know what it is. You've had that feeling?（*Breakfast at Tiffany's*）

※2　What I've found does the most good is just to get into a taxi and go to Tiffany's. It calms me down right away, the quietness and the proud look of it; nothing very bad could happen to you there, not with those kind men in their nice suits, and that lovely smell of silver and alligator wallets.（*Breakfast at Tiffany's*）

※3　If I could find a real-life place that made me feel like Tiffany's, then I'd buy some furniture and give the cat a name.（*Breakfast at Tiffany's*）

※4　Oh, Jesus God. We did belong to each other. He was mine. (*Breakfast at Tiffany's*)

※5　But what about me?....I'm very scared, Buster. Yes, at last. Because it could go on for ever. Not knowing what's yours until you've thrown it away. The mean reds, they're nothing. The fat woman, she nothing. This, though: my mouth's so dry, if my life depended on it I couldn't spit. (*Breakfast at Tiffany's*)

※6　Flanked by potted plants and framed by clean lace curtains, he was seated in the window of a warm-looking room: I wondered what his name was, for I was certain he had one now, certain he'd arrived somewhere he belonged. African hut or whatever, I hope Holly has, too. (*Breakfast at Tiffany's*)

※7　I think ... it is a misconception that a man, or your lover has to buy you jewellery. I think a woman can buy herself jewellery and put it on with dignity—that you earned it. ("Behind the Scenes with Lady Gaga," Tiffany & Co., 6 April, 2017.)

2．O・ヘンリー「賢者の贈り物」

※1　But in a last word to the wise of these days let it be said that of all who give gifts these two were the wisest. Of all who give and receive gifts, such as they are wisest. Everywhere they are wisest. They are the magi. ("The Gift of the Magi")

※2　I'm a Black American, I am proud of my race. I am proud of who I am. I have a lot of pride and dignity. (*Michael Remembered: The Man, His Music, His Legend* [*Today's Black Woman* No.93])

3．ジョニー・ウィアー

※1　I remember I'd been very happy when I was a little, I lived in the country. I didn't ... It was like I lived in a bubble. I didn't know anything. When I moved to Delaware, I first heard any pop music. It's the first time I went to school with people that were different color than me. I never saw a black person, an Asian person and a Jewish person, yeah. It was very white world and it was very secluded, so we didn't really know what else was out there in the world. So I just remembered like I'd been in this bubble that was perfect... Then, I guess I wasn't so much a kid any more that I moved to Delaware, and then it was like the whole new life. Everything was different and different sounds different feelings and different neighborhood... I always remember enjoying my life. I would get up at five in the morning and go running in the woods.（Interview with Johnny weir on 24 October 2008〔Skate America〕at Tulalip Resort Casino, Marysville WA, U. S. A.）

※2　In a little district west of Washington Square the streets have run crazy and broken themselves into small strips called "places." These "places" make strange angles and curves. One Street crosses itself a time or two. An artist once discovered a valuable possibility in this street. Suppose a collector with a bill for paints, paper and canvas should, in traversing this route, suddenly meet himself coming back, without a cent having been paid on account! So, to quaint old Greenwich Village the art people soon came prowling, hunting for north windows and eighteenth-century gables and Dutch attics and low rents.（"The Last Leaf"）

※3　I want people to look at my skating more like art work that they're seeing in a museum more than a sport exhibition. (Interview with Johnny Weir on 27 July 2009 at Ice Vault, Wayne NJ, U. S. A.)

※4　Well, I think everyone has different things that they are nervous about or what they feel isn't right, in themselves, so someone can be very beautiful but be black on the inside. Or someone can be beautiful and have one mark on their face and all they can think about is that one mark. So…to me, everyone has something that they are afraid of and afraid of showing the world. (Interview with Johnny Weir on 24 October 2008 [Skate America] at Tulalip Resort Casino, Marysville WA, U. S. A.)

※5　And in the free program, I'm a fallen angel. It's me. It's what happens to me in my career many times now. This year, I was, you know, we all know what happened to me this year. The year before I did everything right I was the only American medalist in the World Championships I was on a high level, nobody would say anything bad. I was an angel. And then, this year I fell and all of a sudden I was the devil and people couldn't say enough, in my country anyway, people couldn't say enough bad things about me. So I definitely understand this character and I hope I can do it justice, because it's something that I feel. (Interview with Johnny Weir on 27 July 2009 at Ice Vault, Wayne NJ, U. S. A.)

※6　The best thing is, probably, that I learned that being different is OK and I learned that expressing yourself is something that's OK. (Interview with Johnny Weir on 27 July 2009 at Ice Vault, Wayne NJ, U. S. A.)

※7　I also of course called this press conference to address some of mistakes made about me by two commentators in Quebec. I

felt that it wasn't these two men criticizing my skating, it wasn't criticizing my…my, my anything it was them criticizing me as a person. Just I wanna say to them, you know, what I hope that more children have the same opportunities as me with the same parents as me that let me be individual, gave me freedom and told me to believe myself before we announce we believe in me, because now we live in this stern age, it's definitely time for freedom and exactly it's time for people to be unique and to believe in themselves and I can inform it to anyone for any reason. (*Be Good Johnny Weir 3*)

※8 "The love that dare not speak its name" in this century is such a great affection of an elder for a younger man as there was between David and Jonathan, such as Plato made the very basis of his philosophy, and such as you find in the sonnets of Michelangelo and Shakespeare. It is that deep, spiritual affection that is as pure as it is perfect. It dictates and pervades great works of art like those of Shakespeare and Michelangelo, and those two letters of mine, such as they are. It is in this century misunderstood, so much misunderstood that it may be described as the "Love that dare not speak its name", and on account of it I am placed where I am now. It is beautiful, it is fine, it is the noblest form of affection. There is nothing unnatural about it. It is intellectual, and it repeatedly exists between an elder and a younger man, when the elder has intellect, and the younger man has all the joy, hope, and glamour of life before him. That it should be so, the world does not understand. The world mocks at it and sometimes puts one in the pillory for it. (*The Trials of Oscar Wilde*)

※9 Now I'm close to New York and I love where I live now... But I

think when I get older, I'll go back to where I'm from because it's my home. It's no matter how long I've stayed away, when I go back, I have my dentist there, I have some doctors there. When I go back, it's like I'm home. No matter what changes, if I have different hair, I wore my clothes different from everybody else, still it's where I'm from. Because it's beautiful, everything is green, everything is fantastic. So one day, I'll go back. But now in New York ... and then when I'm older, I'll go back. It's may dream, anyway. But my childhood was happy. I never had to wonder anything. I can just dream. (Interview with Johnny Weir on 24 October 2008 [Skate America] at Tulalip Resort Casino, Marysville WA, U. S. A.)

4. ドラマ『セックス・アンド・ザ・シティ』

※1 I like *Sex and the City* because it's fashionable, yes, but I'm from the East Coast in America. It's the same I'm sure here as people from Tokyo being very proud of that, and people from Nagoya being very proud of Nagoya, in the East Coast you are very proud of everything from your East Coast, Boston, Philadelphia, New York, you're very proud and *Sex and the City* is New York City and for us the center of the United States is New York and I love that my city is shown in such a beautiful way. (Interview with Johnny Weir on 10 September 2010, Fantasy On Ice at Sundome, Echizen Fukui, Japan)

※2 Aleksandr :How about you? You never wanted children?

Carrie : Oh…You know…I've always thought that I might…I just…I just haven't gotten around to it yet.

Aleksandr : And when are you planning to do this? <u>How old are you? 38?</u>

Carrie : I felt like I was just shot with a .38.

("catch-38," *Sex and the City*, Season 6, Vol. 2 Disc 1, Episode 3)

※3 Charlotte: At our age, you have to be able to talk about having children if you're getting serious.

Carrie: That awareness on the part of a woman that time is a-ticking is, very sexy to a man.

Charlotte: But you can't be scared to have those talks.

Carrie: Why not? It's a perfectly scary conversation I wouldn't want to have with myself.

Charlotte: What does it mean?

Carrie: I mean if I really wanted to have a baby, would I have tried to have one by now?

I wanted to be a writer. I made myself a writer. I want a ridiculously extravagant pair of shoes, I find a way to buy them.

Charlotte: This is totally different. You have been waiting for the right man and the right time.

("catch-38,"*Sex and the City,* Season 6, Vol. 2 Disc 1, Episode 3)

※4 I wondered if "should" was another disease plaguing women. Did we want babies and perfect honeymoons? Or did we think we should have babies and perfect honeymoons? How do we separate what we could do from what we should do? And here's an alarming thought: it's not just peer pressure, it seems to be coming from within. Why are we "should"-ing all over ourselves?

("catch-38,"*Sex and the City,* Season 6, Vol. 2 Disc 1, Episode 3)

※5 Carrie: <u>The whole life that I'll never have with him, because he</u>

had already it with somebody else.

I know I shouldn't say this to someone with cancer, but why me?

Samantha: Oh, let it rip.

Carrie: Now I guess it's not going to happen, that life, if I'm with him.

Samantha: Then, bye-bye, baby. What else is on the menu?

Carrie: What do you mean?

Samantha: There are a lot of fabulous things in life don't include a baby. What would that be like?

Carrie: Well...him, sex, travel, comfort. Love... and extraordinary adventures.

Samantha: Not too shabby.

("catch-38,"*Sex and the City,* Season 6, Vol.2 Disc 1, Episode 3)

※6 Lynne: You have to be in this fashion show I'm doing. A mix of models and New York people with styles. No one is more New York or has more style than you.

Carrie: Lynne, I'm a writer.

("the real me," *Sex and the City,* Season 4, Disc 1, Episode 2)

※7 I had a choice. I could slink off the runway and let my inner model die of shame, or I could pick myself up, flaws and all, and finish.

("the real me," *Sex and the City*, Season 4, Disc 1, Episode 2)

※8 And that's just what I did. Because when real people fall down in life, they can get right back up and keep on walking.

("the real me," *Sex and the City*, Season 4, Disc 1, Episode 2)

※9 One of the things I like best about New York is the battalions of women. When I first came to New York from Ohio that was the first thing I noticed, the million wonderful women, all over the

city. I walked around with my heart in my throat.
(Irwin Shaw, "The Girls in Their Summer Dresses")

5．ニール・サイモン『おかしな二人』

※1

Waiter: The champagne…I brought two glasses just in case. (*He closes the door and places the ice bucket and glasses on the desk. He glances back.*) Is he[Sam] coming back?

Karen: (*Remains leaning on the sofa*) …Funny you should ask that. (*He begins to open the bottle*)

Curtain

("Visitor from Mamaroneck," *Plaza Suite*)

※2 We loved New York. Life without New York was inconceivable… Joan was even more adamant than I was. To her, New York was the center of the universe. It was the ballet, the theater, the museums, *The New York Times,* the Seventy-second Street Marina, steamed clams in Montauk, fall drives through Vermont, the U.S. Open in Forest Hills, sailing in Long Island Sound, old bookstores, Greenwich Village pubs where you could see Franz Kline paintings and Maxwell Bodenheim poems tacked to the walls in lieu of their paying their bar bills. And yes, even walking barefoot in Washington Square Park with a feisty dog named Chips, on a cool October night, sitting on a park bench till three o'clock in the morning facing the great Arch and elegant brownstones and mews where Henry James's heroines once looked longingly through a candlelit window for a lover who never returned. (Neil Simon, *Rewrites: A Memoir*)

※3 I wanted to tell a story about real people....not to try to make it funny ... try and make it real and then the comedy will come.
(*Neil Simon: A Casebook*)

※4

OSCAR Where are you going?

FELIX (*Stops in the doorway. He looks at the others who are all staring at him*) To the john.

OSCAR (*Looks at the others, worried, then at FELIX*) Alone?

FELIX (*Nods*) I always go alone! Why?

OSCAR (*Shrugs*) No reason. You gonna be in there long?

FELIX (*Shrugs, then says meaningfully, like a martyr*) As long as it takes.

(*Then he goes into the bathroom and slams the door shut behind him. Immediately they all jump up and crowd about the bathroom door, whispering in frenzied anxiety*)

MURRAY Are you crazy? Letting him go to the john alone?

OSCAR What did you want me to do? (*The Odd Couple*, Act I)

※5

OSCAR (*Straightening up*) Good. Because now I'm going to tell *you* off. For six months I lived alone in this apartment. All alone in eight rooms. I was dejected, despondent and disgusted. Then you moved in—my dearest and closest friend. And after three weeks of close, personal contact—I am about to have a nervous breakdown! Do me a favor. Move into the kitchen. Live with your pots, your pans, your ladle and your meat thermometer. When you want to come out, ring a bell and I'll run into the bedroom, (*About breaking down*) I'm asking you nicely, Felix—as a friend.

Stay out of my way! (*And he goes into the bedroom*)
(*The Odd Couple*, ACT III)

※6

FELIX (*Bewildered, looks at the suitcase*) Where are you going?

OSCAR (*Exploding*) Not me, you idiot! You. You're the one who's going. I want you out of here. Now! Tonight! (*He opens the suitcase*)

FELIX What are you talking about?

OSCAR It's all over, Felix. The whole marriage. We're getting an annulment! Don't you understand? I don't want to live with you any more. I want you to pack your things, tie it up with your Saran Wrap and get out of here. (*The Odd Couple*, Act III)

※7

FELIX I don't want to get divorced, Oscar. I don't want to suddenly change my whole life. (*He moves to the couch and sits next to OSCAR*) Talk to me, Oscar. What am I going to do? What am I going to do?

OSCAR You're going to pull yourself together. And then you're going to drink that Scotch, and then you and I are going to figure out a whole new life for you.

FELIX Without Frances? Without the kids?

OSCAR It's been done before.

FELIX (*Paces around*) You don't understand, Oscar. I'm nothing without them. I'm—*nothing*.

OSCAR What do you mean, nothing? You're something! (*FELIX sits in the armchair*) A person! You're flesh and blood and bones and hair and nails and ears. You're not a fish.

You're not a buffalo. You're *you*! You walk and talk and cry and complain and eat little green pills and send suicide telegrams. No one else does that, Felix. I'm telling you, *you're the only one of its kind in the world!* (*He goes to the bar*) Now drink that.

FELIX Oscar, you've been through it yourself. What did you do? How did you get through those first few nights?

OSCAR (*Pours a drink*) I did exactly what you're doing.

FELIX Getting hysterical!

OSCAR No, drinking! Drinking! (*He comes back to the couch with the bottle and sits*) I drank for four days and four nights. And then I fell through a window. I was bleeding but I was forgetting. (*He drinks again*)

FELIX How can you forget your kids? How can you wipe out twelve years of marriage?

OSCAR You can't. When you walk into eight empty rooms every night it hits you in the face like a wet glove. But those are the facts, Felix. You've got to face it. You can't spend the rest of your life crying. It annoys people in the movies! Be a good boy ad drink your Scotch. (*He stretches out on the couch with his head near* FELIX). (*The Odd Couple*, Act I)

※8

OSCAR You mean you're not going to make any efforts to change? This is the person you're going to be—until the day you die?

FELIX (*Sitting on the couch*) We are what we are. (*The Odd Couple*, Act II, Scene 2)

※9　My view is, "how sad and funny life is." I can't think of a humorous situation that does not involve some pain. I used to ask, "What is a funny situation?" Now I ask, "What is a sad situation and how can I tell it humorously?" (*Understanding Neil Simon*)

7．J・D・サリンジャー『ライ麦畑でつかまえて』

※1　If you really want to hear about it, the first thing you'll probably want to know is where I was born, and what my lousy childhood was like, and how my parents were occupied and all before they had me, and all that David Copperfield kind of crap, but I don't feel like going into it. In the first place, that stuff bores me, and in the second place, my parents would have about two haemorrhages apiece if I told anything pretty personal about them. They're quite touchy about anything like that, especially my father. They're nice and all--I'm not saying that-- but they're also touchy as hell. Besides, I'm not going to tell you my whole goddam autobiography or anything. I'll just tell you about this madman stuff that happened to me around last Christmas before I got pretty run-down and had to come out here and take it easy. (*The Catcher in the Rye,* Chapter 1)

※2　Then he [Old Spencer] said, "I had the privilege of meeting your mother and dad when they had their little chat with Dr Thurmer some weeks ago. They're grand people."

"Yes, they are. They're very nice."

Grand. There's a word I really hate. It's a phoney. I could puke every time I hear it. (*The Catcher in the Rye,* Chapter 2)

※3　Pencey was full of crooks. Quite a few guys came from these

very wealthy families, but it was full of crooks anyway. The more expensive a school is, the more crooks it has--I'm not kidding. (*The Catcher in the Rye,* Chapter 1)

※4 It'd be entirely different. We'd have to go downstairs in elevators with suitcases and stuff. We'd have to phone up everybody and tell 'em good-bye and send 'em postcards from hotels and all. And I'd be working in some office, making a lot of dough, and riding to work in cabs and Madison Avenue buses, and reading newspapers, and playing bridge all the time, and going to the movies and seeing a lot of stupid shorts and coming attractions and newsreels.... It wouldn't be the same at all. You don't see what I mean at all. (*The Catcher in the Rye,* Chapter 17)

※5 "Anyway, I keep picturing all these little kids playing some game in this big field of rye and all. Thousands of little kids, and nobody's around—nobody big, I mean—except me. And I'm standing on the edge of some crazy cliff. What I have to do, I have to catch everybody if they start to go over the cliff—I mean if they're running and they don't look where they're going I have to come out from somewhere and catch them. That's all I'd do all day. I'd just be the catcher in the rye and all. I know it's crazy, but that's the only thing I'd really like to be, I know it's crazy." (*The Catcher in the Rye,* Chapter 22)

※6 The best thing, though, in that museum, was that everything always stayed right where it was. Nobody'd move. You could go there a hundred thousand times, and that Eskimo would still be just finished catching those two fish, the birds would still be on their way south, the deers would still be drinking out of that water-hole, with their pretty antlers and their pretty, skinny legs,

and that squaw with the naked bosom would still be weaving that same blanket. Nobody'd be different. The only thing that would be different would be *you*. Not that you'd be so much older or anything. It wouldn't be that, exactly. You'd just be different, that's all... I mean you'd be *different* in some way—....Certain things they should stay the way they are. You ought to be able to stick them in one of those big glass cases and just leave them alone. I know that's impossible, but it's too bad anyway. (*The Catcher in the Rye,* Chapter 16)

8. ポール・オースター『ガラスの街』〈ニューヨーク三部作〉

※1　SUMMER 1966. Your first year at Columbia was behind you now. That was the school you had wanted to go to, not only because it was an excellent college with a strong English department, but because it was in New York, the center of the world for you back then, still the center of the world for you, and the prospect of spending four years in the city was far more appealing to you than being confined to some remote campus, stuck in some rural backwater with nothing to do but study and drink beer.... Admittedly, there were aspects of the college experience that were less inspiring to you, dreary patches of forlorn brooding, the ugliness of the dormitory, the institutional coldness of Columbia administration, but you were in New York, and therefore you could escape whenever you were not sitting in class. ("Time Capsule," *Report from the Interior*)

※2　He[Quinn] had come to the end of himself. He could feel it now,

as though a great truth had finally dawned in him. There was nothing left. (*City of Glass*, Chapter 12)

※3 He[Quinn] no longer wished to be dead. At the same time, it cannot be said that he was glad to be alive. But at least he did not resent it. He was alive, and the stubbornness of this fact had little by little begun to fascinate him—as if he had managed to outlive himself, as if he were somehow living a posthumous life. (*City of Glass*, Chapter 1)

※4 He[Quinn] had, of course, long ago stopped thinking of himself as real. If he lived now in the world at all, it was only at one remove, through the imaginary person of Max Work. (*City of Glass*, Chapter 1)

※5 Quinn had allowed himself to vanish, to withdraw into the confines of a strange and hermetic life, Work continued to live in the world of others, and the more Quinn seemed to vanish, the more persistent Work's presence in that world became....It was not precisely that Quinn wanted to be Work, or even to be like him, but it reassured him to pretend to be Work as he was writing his books, to know that he had it in him to be Work if he ever chose to be, even if only in his mind. (*City of Glass*, Chapter 1)

※6 New York was an inexhaustible space, a labyrinth of endless steps, and no matter how far he walked, no matter how well he came to know its neighbourhoods and streets, it always left him with the feeling of being lost. Lost, not only in the city, but within himself as well. Each time he took a walk, he felt as though he were leaving himself behind, and by giving himself up to the movement of the streets, by reducing himself to a seeing eye, he was able to escape the obligation to think, and this, more than anything else,

brought him a measure of peace, a salutary emptiness within. The world was outside of him, around him, before him, and the speed with which it kept changing made it impossible for him to dwell on any one thing for very long. Motion was of the essence, the act of putting one foot in front of the other and allowing himself to follow the drift of his own body. By wandering aimlessly, all places became equal and it no longer mattered where he was. On his best walks, he was able to feel that he was nowhere. And this, finally, was all he ever asked of things: to be nowhere. New York was the nowhere he had built around himself, and he realized that he had no intention of ever leaving it again. (*City of Glass,* Chapter 1)

※ 7 There were no maps that could lead a man to it, no instruments of navigation that could guide a man to its shores. Rather, its existence was immanent within man himself: the idea of a beyond he might someday create in the here and now. For utopia was nowhere –even, as Dark explained, in its 'wordhood.' And if man could bring forth this dreamed-of place, it would only be by building it with his own two hands....For the city of Babel—or Babylon—was situated in Mesopotamia, far east of the land of the Hebrews. If Babel lay to the west of anything, it was Eden, the original site of mankind. Man's duty to scatter himself across the whole earth—in response to God's command to 'be fertile... and fill the earth'—would inevitably move along a western course. And what more Western land in all Christendom, Dark asked, than America? The movement of English settlers to the New World, therefore, could be read as the fulfilment of the ancient commandment. America was the last step in the process. Once

the continent had been filled, the moment would be ripe for a change in the fortunes of mankind. (*City of Glass,* Chapter 6)

※8 If man could learn to speak this original language of innocence [the language that was spoken in Eden], did it not follow that he would thereby recover a state of innocence within himself?.... Therefore, Dark contended, it would indeed be possible for man to speak the original language of innocence and to recover, whole and unbroken, the truth within himself. (*City of Glass*, Chapter 6)

※9 Stillman was gone now. The old man had become part of the city. He was a speck, a punctuation mark, a brick in an endless wall of bricks. Quinn could walk through the streets every day for the rest of his life, and still he would not find him. (*City of Glass*, Chapter 10)

※10 It [the fact that he was no longer following Stillman] felt as though he had lost half of himself. For two weeks he had been tied by an invisible thread to the old man. (*City of Glass*, Chapter 10)

※11 It was too much for Quinn. He felt as though Auster were taunting him with the things he had lost, and he responded with envy and rage, a lacerating self-pity. Yes, he too would have liked to have this wife and this child, to sit around all day spouting drivel about old books, to be surrounded by yoyos and ham omelettes and fountain pens. He prayed to himself for deliverance. (*City of Glass*, Chapter 10)

※12 Quinn was nowhere now. He had nothing, he knew nothing, he knew that he knew nothing. Not only had he been sent back to the beginning, he was now before the beginning, and so far before the beginning that it was worse than any end he could imagine. (*City*

of Glass, Chapter 11)

※13 It seems to me that I will always be happy in the place where I am not. Or, more bluntly: Wherever I am not is the place where I am myself. Or else, taking the bull by the horns: Anywhere out of the world. (*City of Glass*, Chapter 11)

※14 It did not really matter. He had been one thing before, and now he was another. It was neither better nor worse. It was different, and that was all. (*City of Glass*, Chapter 12)

※15 You look just like him. Of course, Peter is blond and you are dark. Not Henry Dark, but dark of hair. But people change, don't they? One minute we're one thing, and then another another. (*City of Glass*, Chapter 9)

※16 Humpty Dumpty: the purest embodiment of the human condition. (*City of Glass*, Chapter 9)

※17 He could stand there arguing with the girl for the rest of the day, and still he wouldn't get his apartment back. It was gone, he was gone, everything was gone. (*City of Glass*, Chapter 12)

※18 For the case [the Stillman case]was far behind him now, and he no longer bothered to think about it. It had been a bridge to another place in his life, and now that he had crossed it, its meaning had been lost. Quinn no longer had any interest in himself. (*City of Glass*, Chapter 13)

※19 He remembered the infinite kindness of the world and all the people he had ever loved. Nothing mattered now but the beauty of all this. He wanted to go on writing about it, and it painted him to know that this would not be possible. Nevertheless, he tried to face the end of the red notebook with courage. He wondered if he had it in him to write without a pen, if he could learn to speak

instead, filling the darkness with his voice, speaking the words into the air, into the walls, into the city, even if the light never came back again.（*City of Glass*, Chapter 13）

※20 "When I use a word," Humpty Dumpty said, in rather a scornful tone, it means just what I choose it to mean—neither more nor less....The question is, said Humpty Dumpty, which is to be master—that's all,"（*City of Glass*, Chapter 9）

※21 'What will happen when there are no more pages in the red notebook?'（*City of Glass*, Chapter 13）

※22 As for me, my thoughts remain with Quinn. He will be with me always. And wherever he may have disappointed to, I wish him luck.（*City of Glass*, Chapter 13）

9．ポール・オースター『幽霊たち』『鍵のかかった部屋』〈ニューヨーク三部作〉

※1 For in spying out at Black across the street, it is as though Blue were looking into a mirror, and instead of merely watching another, he finds that he is also watching himself.（*Ghosts*）

※2 Writing is a solitary business. It takes over your life. In some sense, a writer has no life of his own. Even when he's there, he's not really there.（*Ghosts*）

※3 He's got to know, or else nothing makes sense.（*Ghosts*）

※4 Because he needs me, says Black, still looking away. He needs my eye looking at him. He needs me to prove he's alive.（*Ghosts*）

※5 I went to the woods because I wished to live deliberately, to front only the essential facts of life, and see if I could not learn what it

had to teach, and not, when I came to die, discover that I had not lived. (*Walden; or, Life in the Woods*)

※6 By belonging to Sophie, I began to feel as though I belonged to everyone else as well. My true place in the world, it turned out, was somewhere beyond myself, and if that place was inside me, it was also unlocatable. This was the tiny hole between self and not-self, and for the first time in my life I saw this nowhere as the exact centre of the world. (*The Locked Room,* Chapter 3)

※7 We exist for ourselves, perhaps, and at times we even have a glimmer of who we are, but in the end we can never be sure, and as our lives go on, we become more and more opaque to ourselves, more and more aware of our own incoherence. No one can cross the boundary into another—for the simple reason that no one can gain access to himself. (*The Locked Room,* Chapter 5)

※8 Fanshawe was there, and no matter how hard I tried not to think about him, I couldn't escape. This was unexpected, galling. Now that I had stopped looking for him, he was more present to me than ever before. The whole process had been reversed. After all these months of trying to find him, I felt as though I was the one who had been found. Instead of looking for Fanshawe, I had actually been running away from him. (*The Locked Room,* Chapter8)

※9 At best, there was one impoverished image: the door of a locked room. That was the extent of it: Fanshawe alone in that room, condemned to a mythical solitude-living perhaps, breathing perhaps, dreaming God knows what. This room, I now discovered, was located inside my skull. (*The Locked Room,* Chapter 8)

※10 I learned to live with him in the same way I lived with the thought of my own death. Fanshawe himself was not death—but he was

like death, and he functioned as a trope for death inside me.（*The Locked Room*, Chapter 9）

◎年表

	アメリカ年表		ニューヨーク年表	
前3万年頃		アジア人、北アメリカに移住		
一四〇〇〜	1492	クリストファー・コロンブス、西インド諸島に到達		
	1498	イギリス人ジョン・カボットが北米大陸東海岸を探検し、英国がこれを領有(ニューイングランド植民地)		
一六〇〇〜	1607	イギリス人、バージニアに植民	1609	イギリス人ヘンリー・ハドソン、マンハッタン島に到着
	1620	メイフラワー号、プリマスに植民	1626	オランダ人、マンハッタン島に入植、ニューアムステルダムと命名
			1665	イギリス人、マンハッタン島をオランダ人から奪取、ニューヨークと改名
一七〇〇〜	1715	スコットランド系アイルランド人の移民開始	1785	ニューヨーク市、首都になる[-1790](断続的に)
	1773	イギリス領13植民地 ボストン茶会事件	1792	ウォール街にニューヨーク証券取引所設立
	1776	独立宣言公布		
	1783	ノア・ウェブスター『アメリカン・スペリング・ブック』(アメリカ英語の標準的綴り字と文法の確立)		
	1787	アメリカ合衆国憲法制定		
	1789	ジョージ・ワシントン、初代大統領		
一八〇〇〜	1830	初の鉄道開通	1801	『ニューヨーク・ポスト』、アレクサンダー・ハミルトンによって創業
	1840年代	アイルランドからジャガイモ飢饉により大量の移民	1812 1827	ニューヨーク市庁舎 ニューヨーク州、奴隷制度を廃止
	1848	カリフォルニア・ゴールドラッシュ	1837	ティファニー創業

<table>
<tr><th colspan="2">アメリカ文学年表</th><th colspan="2">ニューヨーク文学年表</th></tr>
<tr><td></td><td></td><td></td><td></td></tr>
<tr><td></td><td></td><td></td><td></td></tr>
<tr><td></td><td></td><td></td><td></td></tr>
<tr><td>1776</td><td>トマス・ペイン『コモン・センス』(Common Sense)</td><td rowspan="2"></td><td rowspan="2"></td></tr>
<tr><td></td><td></td></tr>
<tr><td>1818</td><td>B. フランクリン『自叙伝』(The Autobiography)</td><td>1809</td><td>ワシントン・アーヴィング『ニューヨーク史』(A History of New York)</td></tr>
<tr><td>1819</td><td>ワシントン・アーヴィング『スケッチ・ブック』(The Sketch Book)[-1820]</td><td>1835</td><td>ナサニエル・ホーソン「ウェイクフィールド」(“Wakefield”)</td></tr>
<tr><td>1845</td><td>エドガー・アラン・ポー「大鴉」(“The Raven”)</td><td></td><td></td></tr>
</table>

年表

	アメリカ年表		ニューヨーク年表	
	1861	南北戦争［— 1865］	1851	『ニューヨーク・デイリー・タイムズ』創刊（1857 年『ニューヨーク・タイムズ』）に改称
	1863	奴隷解放宣言	1870	メトロポリタン美術館開館
	1865	エイブラハム・リンカーン大統領暗殺	1871	グランドセントラル駅開業
	1869	大陸横断鉄道開通	1873	セントラル・パーク開園
			1883	ブルックリン橋開通 メトロポリタン歌劇場開場
	1876	電話機発明	1886	「自由の女神」像完成
	1880年代以前	ドイツ人、南アイルランド人の旧移民	1889	『ウォール・ストリート・ジャーナル』創刊
	1880年代以降	イタリア人・ユダヤ人・スラブ人の新移民	1892	エリス島に移民局
			1897	ユダヤ系アメリカ人向けの新聞『フォアヴェルツ』創刊（1990年より週刊ニュース雑誌）
			1898	ブルックリン、クイーンズ、ブロンクス、スタテン島をニューヨーク市に吸収

アメリカ文学年表		ニューヨーク文学年表	
1850	ナサニエル・ホーソーン『緋文字』(*The Scarlet Letter*)	1853	ハーマン・メルヴィル「書写人バートルビー —ウォール街の物語」("Bartleby, the Scrivener: A Story of Wall Street")
1851	ハーマン・メルヴィル『白鯨』(*Moby-Dick; or, The White Whale*)	1857	D. ブーシコー『ニューヨークの貧者』(*The Poor of New York*)
1852	ハリエット・ビーチャー・ストー『アンクル・トムの小屋』(*Uncle Tom's Cabin*)	1859	D. ブーシコー『オクトゥルーン』(*The Octoroon*)
1854	ヘンリー・デイヴィッド・ソロー『ウォールデン　森の生活』(*Walden; or, Life in the Woods*)	1867	ホレイショ・アルジャー『ボロ着のディック』(*Ragged Dick*)
1855	ウォルト・ホイットマン『草の葉』(*Leaves of Grass*)	1880	ヘンリー・ジェイムズ『ワシントン・スクエア』(*Washington Square*)
1868	ルイザ・メイ・オルコット『若草物語』(*Little Women*)[-1869]		
1876	マーク・トウェイン『トム・ソーヤーの冒険』(*The Adventures of Tom Sawyer*)	1893	スティーヴン・クレイン『街の女マギー』(*Maggie: A Girl of the Streets*)
1878	ヘンリー・ジェイムズ『デイジー・ミラー』(*Daisy Miller*)	1896	エイブラハム・カーハン『イェクル：ニューヨークのゲットーの物語』(*Yekl: A Tale of the New York Ghetto*)
1881	H. ジェイムズ『ある婦人の肖像』(*The Portrait of a Lady*)		
1885	M. トウェイン『ハックルベリー・フィンの冒険』(*Adventures of Huckleberry Finn*)		
1886	フランシス・ホジソン・バーネット『小公子』(*Little Lord Fauntleroy*)		
1898	H. ジェイムズ『ねじの回転』(*The Turn of the Screw*)		

	アメリカ年表		ニューヨーク年表	
一九〇〇〜	1917	第1次世界大戦［―1918］に参戦	1904	ニューヨーク市地下鉄開通
	1920	禁酒法施行 女性参政権、認められる 世界初のラジオ放送開始	1909	マンハッタン橋完成
	1924	移民制限法、出身国別の割り当てを行う	1910	ペンシルヴァニア駅開業
	1928	ミッキーマウス誕生	1923	『タイム』誌創刊 バーニーズ・ニューヨーク創業
	1929	第1回アカデミー賞	1925	『ザ・ニューヨーカー』創刊
	1931	現行の国歌『星条旗』採用	1927	ジャズの全盛期
			1930	クライスラー・ビルディング完成
			1931	エンパイア・ステートビルディング完成

アメリカ文学年表		ニューヨーク文学年表	
1900	ライマン・フランク・ボーム『オズの魔法使い』(*The Wizard of Oz*)	1900	セオドア・ドライサー『シスター・キャリー』(*Sister Carrie*)
1912	ジーン・ウェブスター『あしながおじさん』(*Daddy-Long-Legs*)	1905	イーディス・ウォートン『歓楽の家』(*The House of Mirth*)
1919	シャーウッド・アンダソン『ワインズバーグ・オハイオ』(*Winesburg, Ohio*)	1906	O. ヘンリー「賢者の贈り物」(“The Gift of Magi”)」
1922	トーマス・スターンズ・エリオット『荒地』(*The Waste Land*)	1907	O. ヘンリー「最後の一葉」(“The Last Leaf”)」
1924	ユージン・オニール『楡の木陰の欲望』(*Desire under the Elms*) 上演	1908	イズレイル・ザングウィル『人種のるつぼ』(*The Melting Pot*)
1926	アーネスト・ヘミングウェイ『日はまた昇る』(*The Sun Also Rises*)	1917	A. カーハン『デイヴィッド・レヴィンスキーの出世』(*The Rise of David Levinsky*)
1929	ウィリアム・フォークナー『響きと怒り』(*The Sound and the Fury*) E. ヘミングウェイ『武器よさらば』(*A Farewell to Arms*)	1920	イーディス・ウォートン 『無垢の時代』(*The Age of Innocence*)
1931	パール・バック『大地』(*The Good Earth*)	1922	F. スコット・フィッツジェラルド『美しく呪われた人』(*The Beautiful and Damned*)
1932	W・フォークナー『八月の光』(*Light in August*)	1925	F. スコット・フィッツジェラルド『グレート・ギャツビー』(*The Great Gatsby*) ジョン・ドス・パソス『マンハッタン乗換駅』(*Manhattan Transfer*) ラングストン・ヒューズ『もの憂いブルース』(*The Weary Blues*)
1935	ローラ・インガルス・ワイルダー『大草原の小さな家』(*Little House on the Prairie*)		
1936	マーガレット・ミッチェル『風と共に去りぬ』(*Gone with the Wind*)		

年表

	アメリカ年表		ニューヨーク年表	
	1938	スーパーマン誕生	1939	万国博覧会開催 ロックフェラーセンター完成 ニューヨーク市立空港開港(1947年現ラガーディア空港に改称)
	1941	テレビ放送開始 日本軍の真珠湾攻撃、第2次世界大戦［— 1945］に参戦 大戦後、アジア人、ラテンアメリカ人、難民の新移民	1948	ジョン・F・ケネディ国際空港開港
	1947	米ソ冷戦（対立)［第1次 −1962、第2次　1980−1989］		
	1949	北大西洋条約機構（NATO）成立		

アメリカ文学年表		ニューヨーク文学年表	
		1930	マイケル・ゴールド『金のないユダヤ人』(*Jews Without Money*)
1937	ジョン・スタインベック『二十日鼠と人間』(*Of Mice and Men*)	1933	ナサニエル・ウェスト『孤独な娘』(*Miss Lonelyhearts*)
1939	J. スタインベック『怒りのぶどう』(*The Grapes of Wrath*)	1935	クリフォード・オデッツ『レフティーを待ちつつ』(*Waiting for Lefty*)
1943	ウィリアム・サローヤン『人間喜劇』(*The Human Comedy*)	1939	ユージン・オニール『氷屋来る』(*The Iceman Cometh*) アーウィン・ショー『サマードレスの女たち』(*The Girls in Their Summer Dresses*)
1947	テネシー・ウィリアムズ『欲望という名の電車』(*A Streetcar Named Desire*) 上演	1940	リチャード・ライト『アメリカの息子』(*Native Son*)
		1947	ソール・ベロー『犠牲者』(*The Victim*)
		1949	アーサー・ミラー『セールスマンの死』(*Death of a Salesman*) 上演

	アメリカ年表		ニューヨーク年表	
一九五〇〜	1950	朝鮮戦争［— 1953］	1952	国際連合本部ビル完成
	1951	米国で最初期のコンピューター稼働		
	1952	移民及び国籍法		
	1955	ディズニーランド開園	1957	ミュージカル『ウェストサイド物語』ブロードウェイ初演
	1960	日米安全保障条約 現行の国旗制定（13 横縞 50 星） ［最初の星条旗は 1777 年］		
	1961	映画『ウェストサイド物語』公開		
	1962	キューバ危機 スパイダーマン誕生		
	1963	ジョン・F・ケネディ大統領暗殺		
	1964	人種差別を禁じる公民権法成立	1964	万国博覧会開催
	1965	ベトナム戦争［— 1973］参戦 移民帰化法、人種・性別・国籍・出生地・居住地に基づく差別の禁止	1965	マルコム X 暗殺
	1968	マーチン・ルーサー・キング牧師暗殺		

アメリカ文学年表		ニューヨーク文学年表	
1952	E. ヘミングウェイ『老人と海』（*The Old Man and the Sea*）	1951	J.D. サリンジャー『ライ麦畑でつかまえて』（*The Catcher in the Rye*）
1955	ウラジミール・ナボコフ『ロリータ』（*Lolita*）	1952	ラルフ・エリソン『見えない人間』（*Invisible Man*）
		1953	ジェイムズ・ボールドウィン『山にのぼりて告げよ』（*Go Tell It on the Mountain*）
		1955	A. ミラー『橋からの眺め』（*A View from the Bridge*）
		1956	S. ベロー『この日をつかめ』（*Seize the Day*）
		1957	バーナード・マラマッド『店員』（*The Assistant*）
		1958	トルーマン・カポーティ『ティファニーで朝食を』（*Breakfast at Tiffany's*）
1960	ハーパー・リー『アラバマ物語』（*To Kill a Mockingbird*） ジョン・アップダイク『走れウサギ』（*Rabbit, Run*）	1961	J.D. サリンジャー『フラニーとズーイー』（*Franny and Zooey*） ニール・サイモン『カム・ブロウ・ユア・ホーン』（*Come Blow Your Horn*）
1961	ジョーゼフ・ヘラー『キャッチ＝22』（*Catch-22*）	1962	J. ボールドウィン『もう一つの国』（*Another Country*）
1962	ケン・キージー『郭公の巣の上で』（*One Flew Over the Cuckoo's Nest*）	1963	N. サイモン『はだしで散歩』（*Barefoot in the Park*）
1963	トマス・ピンチョン『V.』（*V.*） シルヴィア・プラス『ベル・ジャー』（*The Bell Jar*）	1964	ノーマン・メイラー『アメリカの夢』（*An American Dream*）
1967	ドナルド・バーセルミ『雪白姫』（*Snow White*）リチャード・ブローティガン『アメリカの鱒釣り』（*Trout Fishing in America*）	1965	N. サイモン『おかしな２人』（*The Odd Couple*）上演

	アメリカ年表		ニューヨーク年表
1969	アポロ11号の月面着陸	1970	ジャンボ・ジェット機ニューヨーク～ロンドン間に就航
1973	携帯電話発明 石油危機(第1次)［1979年第2次］	1973	ワールド・トレードセンター開業
1979	米中国交樹立 スリーマイル島原子力発電所事故	1976	市の財政逼迫 ハーレム、ブロンクスの荒廃が社会問題化
1981	スペースシャトル飛行成功	1977	ニューヨーク大停電
1989	米ソ冷戦終結宣言	1980	ジョン・レノン暗殺
1991	湾岸戦争	1985	プラザ合意（ドル高是正のため外国為替市場に協調介入）
		1986	「自由の女神」100年祭
		1991	マンハッタンで湾岸戦争祝勝パレード
		1994	ルドルフ・ジュリアーニ、ニューヨーク市長になる（–2001年）
		1996	大雪で非常事態宣言

アメリカ文学年表		ニューヨーク文学年表	
		1968	N. サイモン『プラザ・スイート』(*Plaza Suite*) 上演
1968	アーシュラ・K. ル・グイン『闇の左手』(*The Left Hand of Darkness*)	1969	マリオ・プーゾ『ゴッドファーザー』(*The Godfather*)
1970	トニ・モリソン『青い眼がほしい』(*The Blue Eyes*)	1970	エリック・シーガル『ある愛の詩』(*Love Story*)
		1972	イシュメール・リード『マンボ・ジャンボ』(*Manbo Jumbo*)
1973	カート・ヴォネガット『チャンピオンたちの朝食』(*Breakfast for Champions*)	1973	ドン・デリーロ『グレート・ジョーンズ・ストリート』(*Great Jones Street*)
1976	ジョン・アーヴィング『ガープの世界』(*The World According to Garp*)	1979	ウィリアム・スタイロン『ソフィーの選択』(*Sophie's Choice*)
1977	トニ・モリソン『ソロモンの歌』(*Song of Solomon*)	1984	ジェイ・マキナニー『ブライト・ライツ、ビッグ・シティ』(*Bright Lights, Big City*)
1982	アリス・ウォーカー『カラー・パープル』(*The Color Purple*)	1985	ポール・オースター『シティ・オブ・グラス』(*City of Glass*)(『ニューヨーク三部作』)
1983	レイモンド・カーヴァー『大聖堂』(*Cathedral*) スティーヴン・ライト『緑色の瞑想』(*Meditations in Green*)	1986	P. オースター『幽霊たち』(*Ghosts*)、 『鍵のかかった部屋』(*The Locked Room*)(『ニューヨーク三部作』)
1984	ルイーズ・アードリック『ラブ・メディシン』(*Love Medicine*)	1989	P. オースター『ムーン・パレス』(*Moon Palace*)
1987	T. モリソン『ビラヴド』(*Beloved*) オーガスト・ウィルソン『垣根』(*Fences*)	1991	ブレット・イーストン・エリス『アメリカン・サイコ』(*American Psycho*)
1994	チャールズ・ブコウスキー『パルプ』(*Pulp*)	1992	トニ・モリソン『ジャズ』(*Jazz*)
1996	スティーヴン・ミルハウザー『マーティン・ドレスラーの夢』(*Martin Dressler: The Tale of an American Dreamer*)	1994	D. デリーロ「天使エスメラルダ」("The Angel Esmeralda")
1999	スティーヴ・エリクソン『真夜中に海がやってきた』(*The Sea Came in at Midnight*)	1997	キャンディス・ブシュネル『セックス・アンド・ザ・シティ』(*Sex and the City*) D. デリーロ『アンダーワールド』(*Underworld*)

	アメリカ年表		ニューヨーク年表	
二〇〇〇〜	2001	9・11 同時多発テロ	2001	ワールド・トレードセンターのツインタワー、テロにより崩壊
	2003	イラク戦争［—2011］	2011	ニューヨーク州で同性婚、合法化
	2008	金融恐慌（リーマン・ショック）	2014	ワン・ワールド・トレードセンター完成
	2020	新型コロナウィルス感染症大流行	2019	犯罪件数、過去最少

アメリカ文学年表		ニューヨーク文学年表	
2003	DBC ピエール『ヴァーノン・ゴッド・リトル』(*Vernon God Little*)	2000	マイケル・シェイボン『カヴァリエ&クレイの驚くべき冒険』(*The Amazing Adventures of Kavalier & Clay*)
2006	コーマック・マッカーシー『ザ・ロード』(*The Road*)	2003	ローレン・ワイズバーガー『プラダを着た悪魔』(*The Devil Wears Prada*) D. デリーロ『コスモポリス』(*Cosmopolis*)
2007	ジュノ・ディアス『オスカー・ワオの短くすさまじい人生』(*The Brief Wonderous Life of Oscar Wao*)	2007	D. デリーロ『墜ちてゆく男』(*Falling Man*)